D0588642

Tombée du ciel

CECELIA AHERN

Tombée du ciel

Traduit de l'anglais (Irlande)
par Florence Bellot

Titre original
HOW TO FALL IN LOVE

Éditeur original
HarperCollins Publishers

© Cecelia Ahern, 2013

Pour la traduction française
© Flammarion, 2014

À David, qui m'a appris à tomber amoureuse

1

Comment convaincre un homme de ne pas se suicider

On dit que la foudre ne frappe jamais deux fois. Faux. Enfin, c'est vrai que c'est ce qu'on dit, mais en réalité c'est faux.

Les scientifiques de la NASA ont découvert qu'il arrive souvent qu'un éclair touche le sol en deux ou plusieurs lieux simultanément, et que les chances d'être foudroyé sont environ quarante-cinq pour cent plus élevées que ce que l'on croit. Mais ce que les gens veulent dire, c'est que la foudre ne tombe jamais au même endroit plus d'une fois, ce qui en fait est également inexact. Quoique les probabilités d'être frappé par la foudre soient de une sur trois mille, entre 1942 et 1977, Roy Cleveland Sullivan, garde dans un parc naturel de Virginie, a été foudroyé sept fois. Roy a toujours survécu, mais il s'est tué à l'âge de soixante et onze ans d'une balle dans le ventre, à cause d'un amour non partagé, selon la rumeur. Si les gens laissaient tomber la métaphore de la foudre et disaient franchement ce qu'ils pensent, ils diraient qu'*une chose hautement improbable n'arrive jamais deux fois à la même personne*. Faux. Si les raisons invoquées pour la mort de Roy sont vraies, le chagrin d'amour porte en lui cette tristesse qui n'appartient qu'à lui, et Roy aurait dû savoir mieux que quiconque qu'il était fort probable que ce malheur hautement improbable s'abatte de nouveau sur lui. Ce qui m'amène au sujet de mon histoire, au premier des deux événements hautement improbables qui me sont arrivés.

Il était vingt-trois heures à Dublin, par une soirée de décembre glaciale. J'étais en territoire inconnu. Ce n'est pas une métaphore de mon état psychologique, même si elle serait juste. Ce que je veux dire, c'est que je n'avais jamais mis les pieds dans ce quartier. Un vent cinglant balayait ce lotissement abandonné du Southside, et son chant surnaturel se faufilait par les vitres cassées des fenêtres et les bâches qui claquaient. Ce n'était que trous noirs béants en lieu et place des fenêtres, revêtements inachevés truffés de dangereux nids-de-poule et de dalles retournées, balcons encombrés de tuyaux, et des voies d'accès, des fils électriques et des tubes qui surgissaient au hasard et ne finissaient nulle part : le lieu idéal pour une tragédie. J'en tremblais rien que de voir ça, sans compter l'atmosphère polaire. Le lotissement aurait dû être rempli de familles endormies, lumières éteintes et rideaux tirés. En réalité, l'endroit était sans vie, évacué par des propriétaires qu'on avait laissés vivre sur des bombes à retardement, avec autant de risques d'incendie que de mensonges débités par les promoteurs qui n'avaient pas tenu leur promesse d'appartements luxueux à des prix défiant toute concurrence.

Je n'aurais pas dû me trouver là. C'était une propriété privée, mais ce n'était pas ce qui aurait dû me préoccuper, c'était surtout dangereux. Une personne aussi ordinaire et conventionnelle que moi aurait dû tourner les talons aussi sec et repartir dans l'autre sens. Je savais tout cela, cependant je m'obstinais et me battais contre ma trouille. Je pénétrai à l'intérieur.

Quarante-cinq minutes plus tard j'étais de nouveau dehors, tremblante, à attendre la *gardaí*[1] comme le standardiste des urgences l'avait conseillé. Je vis les lumières de l'ambulance au loin, suivie de près par la voiture banalisée de la *gardaí*. L'agent Maguire bondit aussitôt hors du véhicule, pas rasé, les cheveux en bataille – brut de décoffrage ou épuisé. Plus tard j'ai découvert qu'il était émotionnellement perturbé, un diable dans sa boîte qui se contenait en permanence, prêt à exploser à tout moment. Il avait le look branché d'un chanteur de rock, mais c'était un agent de police de quarante-sept ans, en service, ce qui reléguait son aspect physique au second plan et confirmait la gravité de ma situation. Après l'avoir conduit à l'appartement de Simon, je sortis en attendant de faire ma déposition.

---

1. « Garda » ou « gardaí » : équivalent de la police en Irlande. (*N.d.T.*)

Je racontai à l'agent Maguire l'histoire de Simon Conway, un homme de trente-six ans, que j'avais rencontré dans l'immeuble, qui avec cinquante autres familles avait été expulsé du lotissement pour raisons de sécurité. Simon avait surtout parlé d'argent, de la difficulté à payer un crédit pour cet appartement où il n'avait pas l'autorisation d'habiter, des services de la mairie qui étaient sur le point d'interrompre le paiement de son indemnité de relogement, et de la perte récente de son emploi. Je fis le récit à l'agent Maguire de la conversation avec Simon, déjà brumeuse dans ma tête, confondant ce que je croyais avoir dit et ce que j'aurais dû dire.

Il faut que je précise : à mon arrivée, Simon Conway brandissait un revolver. Je crois que je fus plus surprise de le voir qu'il ne le fut de ma soudaine apparition dans cet immeuble abandonné. Il semblait croire que c'était la police qui m'avait envoyée pour lui parler, et je me gardai bien de le contredire. Je voulais qu'il croie qu'il y avait une véritable armée dans la pièce voisine alors qu'il brandissait ce revolver noir et l'agitait en parlant et que je me forçais à ne pas rentrer ma tête dans les épaules et déguerpir. Malgré la panique et la peur qui m'envahissaient, j'essayai de le calmer. Nous avions parlé de ses enfants, je fis de mon mieux pour lui montrer qu'il pouvait y avoir une lumière dans les ténèbres, et je réussis à lui faire reposer le revolver sur le comptoir de la cuisine afin de pouvoir appeler la *gardaí* à l'aide. Quand je raccrochai, il se passa quelque chose. J'ai compris plus tard que mes paroles, même si elles étaient innocentes, n'auraient jamais dû être prononcées à ce moment-là, et avaient tout déclenché.

Simon me regarda, sans me voir. Son visage avait changé. Des signaux d'alarme avaient retenti dans ma tête, mais avant que j'aie pu dire ou faire quoi que ce soit, Simon avait repris son arme et l'avait portée à sa tempe. Le coup était parti.

2

Comment quitter son mari
(sans le blesser)

Parfois quand vous voyez ou vivez quelque
chose de vraiment réel, cela vous donne envie
d'arrêter de faire semblant. Vous vous sentez
comme un idiot, un charlatan. Vous avez envie
de vous éloigner de tout ce qui est factice, que
ce soit innocent ou inoffensif, ou plus sérieux,
comme votre mariage. C'est ce qui m'est arrivé.

Quand une personne devient jalouse des
mariages qui s'achèvent, elle doit bien se rendre
compte que le sien bat de l'aile. C'est ainsi que
je me suis retrouvée ces mois derniers, avec la
sensation inhabituelle de savoir confusément
quelque chose, mais en même temps sans le
savoir vraiment. Une fois que mon mariage a été
terminé, j'ai réalisé que j'avais toujours su que
ce mariage n'allait pas. Durant ma vie conjugale,
j'avais éprouvé des moments de bonheur, et une
impression générale d'espoir. Et même si être
positif est le ferment de beaucoup de grandes

choses, prendre ses désirs pour la réalité ne suffit pas à donner des bases solides à un mariage. Mais cet événement, *l'expérience Simon Conway* comme je l'ai appelé, m'a ouvert les yeux. J'avais assisté à l'une des choses les plus réelles de ma vie et cela m'avait donné envie d'arrêter de faire semblant, d'être réelle, et de faire que tout dans ma vie soit vrai et honnête.

Ma sœur Brenda était convaincue que la rupture de mon mariage était due à une sorte de stress post-traumatique et me suppliait d'en parler à quelqu'un. Je l'ai informée que je parlais déjà à quelqu'un, mon débat intérieur avait commencé il y avait belle lurette ! Simon n'avait fait que précipiter la décision finale. Cela bien sûr n'était pas la réponse qu'attendait Brenda ; elle voulait parler d'une conversation avec un professionnel, et pas de ratiocinations alcoolisées dans sa cuisine, autour d'une bouteille de vin à minuit, en plein milieu de la semaine.

Barry, mon mari, avait été compréhensif et m'avait soutenue dans cette épreuve. Il croyait aussi que cette décision soudaine était due en partie au choc du coup de feu. Mais quand j'ai fait mes valises et quitté la maison, il a compris que je ne plaisantais pas et s'est mis à me traiter de tous les noms. Je ne lui en ai pas voulu : en dépit de ses dires je n'étais pas grosse, ne l'avais jamais été, et je ne détestais pas sa mère autant qu'il le pensait. Je comprenais la confusion et l'incrédulité générale. Cela avait beaucoup à voir avec le talent que j'avais déployé pour cacher le fait que j'étais malheureuse, et encore plus avec le moment que j'avais choisi pour partir.

La nuit de *l'expérience Simon Conway*, après avoir réalisé que ce cri à vous glacer le sang était sorti de ma propre bouche, après avoir appelé la police pour la deuxième fois, vu mon témoignage noté pour le rapport qui s'ensuivrait, après le gobelet de thé en polystyrène délayé au lait de l'EuroSpar du quartier, j'étais rentrée chez moi et avais fait quatre choses. Premièrement, j'avais pris une douche pour tenter de me purifier de la scène. Deuxièmement, j'avais feuilleté mon exemplaire lu et relu de *Comment quitter votre mari (sans le blesser)*. Troisièmement, je l'avais réveillé avec un café et un toast pour mettre fin à notre mariage, et quatrièmement, quand il m'avait cuisinée j'avais dit que j'avais vu un homme se suicider en se tirant une balle dans la tête. Barry m'avait posé plus de questions détaillées sur l'événement que sur la fin de notre mariage.

Depuis, son comportement m'a surprise, et mon propre étonnement m'a choquée, car je me croyais bien informée au sujet du mariage. J'avais étudié avant cette grande épreuve de la vie, j'avais lu sur la façon dont nous nous sentirions, si jamais je décidais de mettre un terme à ce mariage, juste pour me préparer, être bien consciente, juger si je prenais la bonne décision. J'avais des amis divorcés, j'avais passé de longues soirées à écouter les deux parties. Cependant, je n'avais jamais envisagé que mon mari puisse devenir le genre d'homme qu'il est désormais,

16

que sa personnalité changerait du tout au tout et qu'il serait aussi froid et méchant, aussi amer et malveillant. L'appartement qui était le nôtre était désormais le sien. Il ne me laissait plus y mettre les pieds. La voiture qui était la nôtre était désormais la sienne, il ne me laissait pas la prendre. Quant au reste de nos possessions, il faisait tout ce qui était en son pouvoir pour le garder. Même les choses dont il ne voulait pas. Là, je le cite mot pour mot. Si nous avions eu des enfants, il les aurait gardés et ne m'aurait jamais laissée les voir. Il se montra catégorique pour la machine à café, possessif pour les tasses à expresso, tout à fait hystérique pour le grille-pain et piqua une crise pour la bouilloire. Je le laissai se déchaîner dans la cuisine, dans le salon, la chambre, jusque dans les toilettes où j'étais allée faire pipi. J'ai essayé de rester aussi patiente et compréhensive que possible. J'avais toujours été une oreille attentive, je pouvais l'écouter patiemment, mais j'étais moins douée pour les explications et je constatai avec surprise que cela me faisait autant de bien à lui qu'à moi. J'étais sûre qu'au fond de lui-même il était d'accord avec moi, mais il était tellement blessé que cela lui arrive à lui qu'il en avait oublié ces moments où nous nous sentions tous les deux piégés dans ce qui avait été une erreur depuis le début. Mais il était furieux, et souvent la fureur rend sourd. Il était dans cet état d'esprit, donc j'ai attendu la fin de ses crises et espéré qu'à un moment nous pourrions en parler avec franchise.

Je savais que je prenais la bonne décision mais j'avais du mal à vivre avec le douloureux sentiment de lui faire du mal. Ça, et le fait que j'avais échoué à empêcher un homme de se tirer dessus pesaient lourdement sur mes épaules. Je dormais mal depuis des mois, et maintenant j'avais l'impression de ne pas avoir dormi *du tout* depuis des semaines.

— Oscar, dis-je au client assis dans le fauteuil face à mon bureau, le chauffeur de bus ne veut pas vous tuer.

— Si. Il me hait. Et vous ne pouvez pas savoir, parce que vous ne l'avez pas vu vous-même, ou vu la façon dont il me regarde.

— Et pourquoi croyez-vous que ce chauffeur nourrit cette intention ?

Il haussa les épaules.

— Dès que le bus s'arrête, il ouvre la porte et me foudroie du regard.

— Vous dit-il quelque chose de particulier ?

— Quand je monte, rien. Quand je ne monte pas, il marmonne.

— Ça vous arrive de ne pas monter ?

Il roula des yeux et se mit à regarder ses doigts.

— Parfois ma place n'est pas libre.

— Votre place ? C'est nouveau. Quelle place ?

Il soupira, comprenant qu'il s'était trahi, et avoua.

— Écoutez, tout le monde dans le bus me fixe, OK ? Je suis le seul à monter à cet arrêt, et ils me regardent tous. Alors je prends la place juste derrière le chauffeur. Vous voyez, celle qui est face à la vitre. Comme ça, on est séparé du reste du bus.

— Vous vous y sentez en sécurité.

— C'est parfait. À cette place, je pourrais faire tout le trajet jusqu'au centre-ville. Mais parfois il y a cette fille qui l'a prise, cette fille un peu handicapée qui écoute son iPod et chante tout haut, tout le bus peut l'entendre. Quand elle est là je ne peux pas monter, et pas seulement parce que les handicapés me rendent nerveux mais parce que c'est ma place, vous voyez ? Et je ne peux pas voir si elle est là avant l'arrêt du bus. Alors je monte, je vérifie que la place est libre, et si la fille est là je redescends. Le chauffeur de bus me hait.

— Ça dure depuis combien de temps ?

— Je ne sais pas, quelques semaines, peut-être ?

— Oscar, vous savez ce que ça signifie. Il va falloir que nous recommencions.

— Ah, bon sang ! gémit-il en cachant son visage dans ses mains et en s'affaissant dans le fauteuil. Mais j'étais arrivé à mi-chemin du trajet jusqu'au centre-ville.

— Faites attention à ne pas transférer votre anxiété réelle sur une crainte hypothétique. Il faut y remédier tout de suite. Donc, demain, vous allez monter dans le bus. Vous allez vous asseoir à n'importe quelle place libre, et vous allez y rester pendant une station. Ensuite vous pourrez descendre et rentrer chez vous. Le jour suivant, mercredi, vous monterez dans le bus, vous assoirez n'importe où, vous y resterez deux stations avant de rentrer chez vous. Jeudi vous resterez trois stations et vendredi quatre, vous comprenez ? Vous devez faire ça progressivement, pas à pas, et vous finirez par y arriver.

Je ne sais pas trop qui j'essayais de convaincre. Lui ou moi ?

Oscar releva lentement la tête. Il était devenu blême.

— Vous pouvez le faire, ajoutai-je gentiment.

— Ça a l'air si facile, à vous entendre !

— Mais ça ne l'est pas pour vous, je comprends bien. Travaillez les techniques de respiration. Vous vous rendrez compte très vite que ce n'est pas si difficile. Vous arriverez à rester dans le bus jusqu'au centre-ville, et la peur laissera place à un sentiment d'euphorie. Vos pires moments deviendront bientôt les meilleurs parce que vous aurez surmonté d'énormes défis.

Il n'avait pas l'air convaincu.

— Faites-moi confiance.

— Je vous fais confiance, mais je n'en ai pas le courage, c'est tout.

— « L'homme courageux n'est pas celui qui n'a pas peur, mais celui qui surmonte sa peur. »

— C'est dans l'un de vos livres ? dit-il en montrant d'un signe de tête les étagères de mon bureau sur lesquelles s'accumulaient mes livres de vie pratique.

— C'est de Nelson Mandela, répondis-je en souriant.

— Dommage que vous travailliez dans le recrutement, vous feriez une bonne psychologue, dit-il en se levant de son fauteuil.

— Oui, eh bien, je fais cela pour notre bien à tous les deux. Si vous réussissez à rester assis dans le bus plus de quatre stations, vous aurez davantage d'opportunités professionnelles.

J'essayai de dissimuler la tension qui montait dans ma voix. Oscar était un scientifique précoce, surdoué et surdiplômé à qui je pouvais facilement trouver un emploi, en fait je lui en avais déjà déniché trois, mais en raison de ses problèmes de transport les opportunités étaient limitées. J'essayais de l'aider à surmonter ses peurs afin de lui procurer un emploi où il se rendrait chaque jour. Il avait peur d'apprendre à conduire et je ne pouvais pas aller jusqu'à devenir monitrice d'auto-école, mais il avait accepté de combattre sa terreur des transports en commun, ce qui n'était pas rien. Je jetai un coup d'œil à la pendule, par-dessus son épaule.

— OK, prenez rendez-vous avec Gemma pour la semaine prochaine, j'ai hâte de savoir comment vous vous serez débrouillé d'ici là.

Dès que la porte se referma derrière lui j'arrêtai de sourire et parcourus mes étagères de livres de vie pratique. Les clients étaient épatés par la quantité de livres que je possédais, et j'étais convaincue qu'à moi seule je permettais à mon amie Amélia de ne pas mettre la clé sous la porte de sa petite librairie. Ces livres étaient mes bibles, les solutions à mes problèmes quand j'étais perdue ou en quête de solutions pour des clients perturbés. Cela faisait dix ans que je rêvais d'en écrire un, mais je n'étais jamais allée plus loin que m'installer à mon bureau et allumer mon ordinateur, prête à raconter mon histoire pour finalement rester plantée devant le curseur clignotant sur l'écran aussi vide que mon esprit.

Ma sœur Brenda disait que j'étais plus intéressée par l'idée d'écrire un livre que par le travail d'écriture, et que si je voulais vraiment écrire, je le ferais tous les jours, toute seule, pour moi-même, qu'il s'agisse d'écrire un livre ou pas. Elle disait qu'un écrivain était obligé d'écrire, qu'il ait une idée ou pas, qu'il ait un ordinateur ou pas, qu'il ait un crayon et du papier ou pas. Ce désir n'était pas déterminé par une marque de stylo particulière, une couleur, ou la dose de sucre dans son *latte*, autant de choses qui venaient me distraire de mon processus de créateur à chaque fois que je m'installais pour écrire. Brenda me sortait souvent des réflexions pathétiques, mais je craignais que pour une fois ses remarques ne soient justifiées. Je voulais écrire, simplement je ne savais pas si j'en étais capable, et je ne commençais pas, de peur de me rendre compte que j'en étais incapable. J'ai dormi avec *Comment écrire un roman à succès* à côté de mon lit pendant des mois, sans le feuilleter une seule fois, de peur de ne pas être capable de suivre ses conseils et que cela signifie que je ne pourrai jamais écrire de livre, donc je l'ai caché dans le tiroir de la table de nuit en mettant ce projet de côté jusqu'au moment venu.

J'ai fini par trouver ce que je cherchais sur l'étagère : *Comment licencier un employé en six leçons (avec illustrations)*.

Je ne suis pas sûre que les illustrations étaient d'une quelconque utilité, mais j'ai passé un moment devant le miroir des toilettes à essayer de singer l'air préoccupé de l'employeur. J'ai étudié les notes que j'avais prises sur un post-it collé sur la page de garde, sans savoir si je serais capable de le faire. Ma boîte, appelée « Rose Recrutement », existait depuis quatre ans. C'était une petite structure de quatre personnes, dont une secrétaire, Gemma. Je ne voulais pas la licencier, mais en raison d'une pression financière personnelle croissante il fallait que je l'envisage. Je lisais mes notes quand on frappa à la porte. Gemma entra.

— Gemma ! couinai-je en tripotant maladroitement le livre pour tenter de le lui cacher.

Alors que j'essayais de le faire rentrer de force sur l'étagère déjà bourrée, il m'échappa et je l'envoyai valser par terre, aux pieds de Gemma.

Elle rit et se baissa pour le ramasser. À la vue du titre, elle devint toute rouge. Elle me regarda, tandis que son visage exprimait tour à tour la surprise, la peur, la confusion et la souffrance. J'ouvris et refermai la bouche sans un mot, en essayant de me rappeler dans quel ordre le livre m'avait dit d'annoncer la nouvelle, de l'intonation et de l'expression correctes, des conseils qu'il donnait : la clarté, l'empathie, pas trop de sentiment, communiquer avec franchise. Mais cela me prit trop de temps, et à ce moment-là elle avait déjà compris.

— Eh bien, finalement, l'un de vos idiots de bouquins a marché, dit Gemma, les yeux remplis de larmes alors qu'elle fourrait le livre dans mes bras et tournait les talons, attrapait son sac à main et sortait en trombe du bureau.

Mortifiée, je ne pus m'empêcher de me sentir insultée par l'emphase du *finalement*. Je vivais à travers ces livres. Ils fonctionnaient.

— Maguire ! aboya une voix revêche au bout du fil.

— Agent Maguire, c'est Christine Rose.

J'enfonçai un doigt dans mon oreille libre pour ne pas entendre à travers la cloison le téléphone qui sonnait à la réception. Gemma n'était toujours pas revenue après sa sortie spectaculaire, et comme je n'avais pas été capable de convaincre les autres qu'il faudrait envisager une répartition de ses tâches entre nous, mes collègues Peter et Paul refusaient de faire le travail de quelqu'un qui avait été injustement renvoyé. Tout le monde était contre moi, même si je reconnaissais que j'avais fait une erreur. « Je ne voulais pas la virer… *aujourd'hui* » n'était pas une bonne défense.

C'était une matinée désastreuse de bout en bout. Cependant, même s'il était évident qu'il fallait que je garde Gemma, et j'étais sûre que celle-ci essayait de le prouver en ce moment même, mon compte en banque me disait le contraire. Je devais encore payer la moitié du crédit pour le logement que Barry et moi possédions en commun, et à partir de ce mois-ci il faudrait que je sorte six cents euros supplémentaires pour louer un studio le temps de tirer les choses au clair.

Étant donné que nous aurions à vendre un appartement dont personne ne voulait, pour récupérer une somme avec laquelle aucun de nous ne pourrait vraiment s'en sortir, j'imaginais que j'allais piocher dans mes économies pendant très longtemps. Et même si à situation désespérée mesures désespérées, Barry avait déjà déclaré la guerre, fait main basse sur mes bijoux et repris ceux qu'il m'avait offerts. C'était la teneur de son message sur ma boîte vocale ce matin.

— Oui ? répondit Maguire, loin d'être aux anges au son de ma voix, j'étais d'ailleurs surprise qu'il se souvienne de mon nom.

— Je vous appelle depuis deux semaines. Je vous ai laissé des messages.

— Je les ai bien reçus, ils ont fait déborder ma boîte vocale. Il n'y a pas besoin de s'affoler. Vous n'avez pas le moindre ennui avec la police.

Je fus estomaquée. Cela ne m'était pas venu à l'esprit.

— Ce n'est pas pour ça que j'appelle.

— Non ? s'exclama-t-il en feignant la surprise. Pourtant vous ne m'avez toujours pas expliqué ce que vous fabriquiez dans un immeuble abandonné, sur une propriété privée, à onze heures du soir.

Je restai silencieuse, à ruminer. À peu près tous les gens que je connaissais m'avaient posé la même question, même ceux qui ne l'avaient pas demandé clairement, et je n'avais donné de réponse à personne. Il fallait que je change vite de sujet avant qu'il ne recommence à essayer de me coincer là-dessus.

— J'appelais pour en savoir plus sur Simon Conway. Je voulais savoir ce qui était prévu pour l'enterrement. Je n'ai rien vu dans les journaux. Mais c'était il y a deux semaines, j'ai donc dû le rater.

J'essayais de ne pas avoir l'air irritée. Je l'appelais pour obtenir plus d'informations. Simon avait laissé un énorme vide dans ma vie, et des questions innombrables dans ma tête. Je ne pourrais trouver la paix tant que j'ignorerais tout ce qui s'était passé et tout ce qui s'était dit après ce jour-là. Je voulais des informations sur les membres de sa famille, afin de pouvoir leur répéter toutes les belles choses qu'il avait dites sur elle, comment il les aimait, et comment son acte n'avait rien à voir avec eux. Je voulais les regarder dans les yeux et leur assurer que j'avais fait tout mon possible. Pour alléger leur douleur ou ma culpabilité ? Qu'y avait-il de mal à vouloir un peu des deux ? Je ne voulais pas aller jusqu'à poser ces questions à Maguire, et de toute façon je savais qu'il ne me répondrait pas, mais je ne pouvais pas tirer un trait sur ce que j'avais vécu. Je voulais en savoir *plus*, j'avais besoin d'en savoir *plus*.

— Deux choses. Tout d'abord, vous ne devriez pas tant vous impliquer avec une victime. Je suis dans ce jeu depuis un bon moment et...

— Ce jeu ? J'ai vu de mes propres yeux un homme se tirer une balle dans la tête. Ce n'est pas un jeu pour moi, repris-je.

Ma voix se brisa et je compris qu'il fallait que je m'arrête là.

Il y eut un silence au bout de la ligne. Je me contractai et me couvris le visage de mes mains. Je l'avais dit... Je me repris et m'éclaircis la gorge.

— Allô ?

J'attendais une réponse bien sentie, quelque chose de cynique et froid, mais rien ne vint. Au lieu de cela sa voix se radoucit, le silence se fit au bout de la ligne et je craignis que tout le monde autour de lui ne se soit arrêté pour m'écouter.

— Vous savez, ici nous avons des gens à qui l'on peut parler après un événement pareil, dit-il gentiment pour une fois. Je vous l'ai dit ce soir-là. Je vous ai donné une carte. Vous l'avez encore ?

— Je n'ai besoin de parler à personne, rétorquai-je avec colère.

— Bien sûr, fit-il cessant son numéro du type gentil. Écoutez, comme je l'ai dit avant que vous ne m'interrompiez, il n'y a pas de dispositions particulières. Il n'y a pas eu d'enterrement. Je ne sais pas où vous avez eu vos infos, mais on vous a raconté des craques.

— Qu'est-ce que ça veut dire ?

— Des craques, des mensonges, quoi.

— Comment ça ? Il n'y a pas eu d'enterrement ?

Il sembla exaspéré de devoir expliquer quelque chose qui lui semblait évident.

— Il n'est pas mort. Enfin, pas encore. Il est à l'hôpital. Je trouverai lequel. Je les appellerai pour leur notifier que vous avez le droit de lui rendre visite. Mais il est dans le coma, vous ne pourrez pas beaucoup bavarder.

Je me pétrifiai, incapable de dire quoi que ce soit.

Il y eut un long silence.

— Y a-t-il quelque chose d'autre ? reprit-il, visiblement pressé.

J'entendis une porte claquer et il fut de nouveau dans la pièce pleine de brouhaha.

Je tâchai en vain de trouver quoi dire alors que je m'affalai lentement dans mon fauteuil.

Parfois, quand vous êtes témoin d'un miracle, cela vous fait croire que tout est possible.

3

Comment reconnaître un miracle et que faire le cas échéant

La chambre était calme et silencieuse, les seuls bruits provenaient des battements réguliers du cœur de Simon sur le moniteur et du souffle du ventilateur qui l'aidait à respirer. Son apparence n'avait plus rien à voir avec la dernière fois que je l'avais vu. Il semblait désormais paisible, le côté droit de son visage et de son crâne bandés, le côté gauche serein et lisse comme si rien ne s'était passé. Je choisis de m'asseoir du côté gauche.

— Je l'ai vu quand il s'est tiré dessus, murmurai-je à Angela, l'infirmière de service. Il tenait son revolver juste là, dis-je en joignant le geste à la parole, et il a actionné la détente. J'ai vu sa... tout... se répandre partout... comment a-t-il survécu ?

Angela sourit, d'un sourire triste qui était plutôt de l'ordre du réflexe.

— Un miracle ?

— Quelle sorte de miracle est-ce là ? continuai-je sur le même ton pour éviter que Simon ne m'entende. Je n'ai pas arrêté de me repasser ça dans ma tête.

J'avais lu des livres sur le suicide et sur ce que j'aurais dû dire. Tous expliquent que si vous réussissez à faire réfléchir rationnellement une personne qui menace de se suicider, si elle arrive à penser à la réalité du suicide et aux conséquences, alors elle peut, *pourrait* renoncer à sa décision. Ce qu'elle cherche, c'est un moyen d'abréger ses souffrances, pas de mettre un terme à sa vie, donc si vous pouvez trouver un autre moyen de la soulager, vous êtes utile.

— Étant donné que je n'ai aucune expérience en la matière, je pense que j'ai fait ce qu'il fallait. Je crois que j'ai réussi à l'atteindre, et qu'il m'a vraiment répondu. Pendant un moment, de toute façon. Euh... je veux dire qu'il a posé son revolver et m'a laissée appeler la police. Mais je n'arrive pas à savoir ce qui l'a fait changer d'avis.

Angela fronça les sourcils, comme si elle entendait ou voyait quelque chose qui ne lui plaisait pas.

— Vous êtes bien consciente que ce n'est pas votre faute, n'est-ce pas ?

— Oui, je le sais, répondis-je avec un haussement d'épaules pour ne pas être obligée d'en dire plus.

Elle me scruta, pensive, et je concentrais mon attention sur la roue droite du lit d'hôpital, et les marques noires qu'elle créait à chaque fois qu'on la déplaçait. J'essayai de compter combien de fois il avait été déplacé. Des dizaines, au moins.

— Vous savez qu'il y a des gens à qui vous pouvez parler de ce genre de choses. Ce serait une bonne idée d'extérioriser vos sentiments.

— Pourquoi tout le monde me répète-t-il ça ?

J'éclatai de rire en essayant d'avoir l'air insouciant, mais au fond de moi je sentais la colère qui me consumait. J'étais fatiguée d'être analysée, fatiguée des gens qui me traitaient comme si j'avais besoin qu'on s'occupe de moi.

— Je vais parfaitement bien, insistai-je.

— Je vous laisse seule avec lui un moment, dit Angela en se retirant sans un bruit, comme si ses chaussures blanches flottaient sur le sol.

Maintenant que j'étais là, je ne savais pas trop quoi faire. Je voulus lui prendre la main, mais j'interrompis mon geste. S'il avait été conscient, il n'aurait peut-être pas voulu que je le touche, peut-être me tenait-il pour responsable de ce qui s'était passé. C'était mon travail de l'en empêcher, et je ne l'avais pas fait. Peut-être aurait-il voulu que je le fasse changer d'avis, que je trouve les bons mots, mais j'avais échoué. Je m'éclaircis la gorge, regardai autour de moi pour être sûre que personne n'écoutait, et me penchai vers son oreille gauche, sans trop approcher pour ne pas le surprendre.

— Salut, Simon, murmurai-je.

Je l'observai en attendant une réaction. Rien.

— Je m'appelle Christine Rose. Je suis la femme à qui vous avez parlé le soir de… l'incident.

J'espère que ça ne vous gêne pas que je m'assoie à côté de vous un moment.

J'écoutai à l'affût de quelque chose, n'importe quoi, et étudiai son visage, ses mains pour déceler des signes qui indiqueraient que ma présence le contrariait. Je ne voulais pas lui infliger plus de souffrance. Voyant qu'il demeurait calme et silencieux, je me calai dans la chaise et m'installai confortablement. Je n'attendais pas qu'il se réveille, je n'avais rien de spécial à lui dire, j'aimais juste être là, silencieuse à son chevet. Parce que quand j'étais là, je n'étais pas ailleurs à me demander comment il allait.

À neuf heures du soir, après les horaires de visite, on ne m'avait toujours pas demandé de partir. J'en déduisis que ces règles ne s'appliquaient pas à quelqu'un dans l'état de Simon. Il était dans le coma, sous assistance respiratoire, et son état ne s'améliorait pas. Je passai le temps de ma visite à réfléchir à ma vie, à celle de Simon, et à la façon dont notre rencontre avait irrévocablement changé le cours de nos deux vies. Sa tentative de suicide ne remontait qu'à quelques semaines, mais cela avait bouleversé le cours de ma vie. Je me demandais si c'était une simple coïncidence, ou si le destin avait voulu que je me retrouve dans cet endroit perdu.

« Qu'est-ce que tu faisais là-bas ? » m'avait demandé Barry, troublé, ensommeillé, en s'asseyant dans le lit avec son visage chiffonné. Il avait pris ses lunettes à montures noires sur la table de nuit et les avait mises : elles lui faisaient des yeux énormes. Je n'avais pas su lui répondre alors, et j'en serais tout aussi incapable aujourd'hui. Avouer pourquoi je me trouvais en ces lieux aurait été embarrassant, cela aurait souligné à quel point j'étais perdue – et je saisis toute l'ironie de cette remarque.

Outre ma présence là-bas, le fait que j'aie choisi d'intervenir dans la vie d'un homme armé, dans un immeuble abandonné, était suffisant pour que je me pose la question. J'aimais aider les gens, mais je n'étais pas sûre qu'il s'agissait seulement de ça. Je me considérais comme une personne qui aidait les autres à résoudre leurs problèmes, et j'appliquais ce principe à la plupart des aspects de la vie. Si quelque chose ne pouvait pas être réparé, au moins pouvait-on le changer, en particulier le comportement. Cette philosophie de vie me venait de mon père qui avait lui-même l'habitude de régler les problèmes des gens. C'était dans sa nature de les identifier et ensuite de s'atteler à les résoudre, le lot quotidien d'un père qui élevait seul ses trois filles orphelines de mère. Étant donné qu'il était dépourvu de l'instinct maternel qui lui aurait permis de savoir si tout allait bien pour nous ou pas, et qu'il n'avait personne d'autre avec qui en discuter, il nous posait des questions, écoutait la réponse, puis cherchait la solution. C'était sa manière de faire. Quand un père se retrouve seul avec trois enfants dont le plus jeune a à peine quatre ans et le plus âgé même pas dix, il fait tout ce qui est en son pouvoir pour les protéger.

Je dirige ma propre agence de recrutement, ce qui peut sembler plutôt prosaïque. Je préfère me définir comme une marieuse, qui trouve la bonne personne pour l'emploi qui lui convient. Il est important que l'énergie de la personne corresponde à celle de l'entreprise, et *vice versa*. Parfois c'est purement mathématique, l'emploi est disponible, la personne aussi, et son profil convient. À d'autres moments, quand je connais la personne, comme Oscar, par exemple, je dépasse réellement mon devoir professionnel pour lui trouver une place. Les gens dont je m'occupe ont des motivations et aspirations très différentes, certains ont perdu leurs emplois et subissent un énorme stress, d'autres simplement aspirent à un changement de carrière et sont impatients, mais pleins d'enthousiasme, et puis il y a ceux qui arrivent sur le marché du travail pour la première fois, excités par les nouvelles perspectives. En dehors de ces considérations, tout le monde est embarqué dans un voyage, et je me retrouve au milieu de tout ça. J'ai toujours ressenti la même responsabilité pour chacun d'entre eux : aider les gens à trouver leur place dans le monde. Et cependant, cette philosophie n'a pas empêché Simon Conway d'échouer dans cette chambre.

Je ne voulais pas le laisser seul et ça ne me disait rien du tout de retourner dans mon appartement sans télévision, avec pour seule occupation la contemplation des quatre murs. J'avais beaucoup d'amis qui auraient pu m'héberger, mais comme c'étaient des amis communs à Barry et moi, ils tardaient à proposer leur aide de crainte de se retrouver au milieu et de devoir prendre parti, surtout que c'était moi qui endossais le rôle de la vilaine de l'histoire, du grand méchant loup qui avait brisé le cœur de Barry. Il valait mieux que je ne leur impose pas ce stress. Brenda m'avait proposé de m'installer chez elle, mais je ne supportais pas l'idée que ma sœur m'interroge sur ce prétendu stress post-traumatique. Il fallait que je puisse aller et venir à ma guise sans qu'on me pose de questions, surtout pas sur mon état mental. Je voulais me sentir libre, après tout c'est pour cela que j'avais mis un terme à mon mariage. Le fait que je me sente plus chez moi dans un service de réanimation que n'importe où ailleurs en disait déjà beaucoup.

Tout ça, je ne pouvais pas le confier à l'agent Maguire, ni à Barry, ni à mon père, ni à mes deux sœurs, ni à personne, à vrai dire. J'essayais de trouver un endroit spécial qui me fasse me sentir mieux. J'avais appris cela dans un livre : *Comment vivre dans l'endroit qui vous rend heureux*. L'idée était de choisir un lieu réconfortant. Cela pouvait être un endroit que l'on associe à un souvenir agréable, ou qui rend heureux pour une raison inconsciente. Une fois ce lieu identifié, le livre proposait des exercices destinés à ressusciter à tout moment, chaque fois qu'on le désire, le sentiment de bonheur qui y était associé, peu importe l'endroit où on se trouve. Bien sûr, il fallait d'abord trouver le bon endroit sinon ça ne marchait pas. J'étais à sa recherche. C'était ce que je faisais dans l'immeuble abandonné le soir où j'avais rencontré Simon Conway. Ce n'était pas cet immeuble que je cherchais, mais ce qu'il y avait là avant qu'il ne soit construit. J'avais un bon souvenir de cet endroit.

C'était un match de cricket, Clontarf contre Saggart. J'avais cinq ans, ma mère était morte quelques mois plus tôt et, dans mon souvenir, c'était une journée ensoleillée, la première après un hiver long et froid. Mes sœurs et moi étions venues voir jouer papa. Tout le club de cricket était là, je me souviens de l'odeur de la bière, et je peux encore sentir sur mes lèvres le goût salé des cacahuètes que j'engloutissais par paquets. Papa lançait la balle, et on était presque à la fin du match. Je voyais son air concentré et sombre, celui qu'il arborait depuis quelques semaines, ses yeux noirs pratiquement enfouis sous ses sourcils. Il effectua son troisième lancer ; le batteur évalua mal la trajectoire et rata son coup. La balle toucha le guichet éliminant le type. Papa cria si fort et lança son poing en l'air avec tant de férocité que tout le monde autour de lui l'ovationna. Je fus tout d'abord effrayée par cette hystérie collective, comme si les gens avaient attrapé ce virus horrible que j'avais vu dans un film de zombies, et que j'étais la seule à ne pas avoir été infectée. Mais à la vue du visage de papa je compris que tout allait bien. Il faisait un grand sourire et je me rappelle la tête de mes sœurs. Elles n'étaient pas non plus très fans de cricket, d'ailleurs elles avaient râlé pendant tout le trajet en voiture parce que le match les empêchait de jouer avec leurs amies dehors, devant chez nous, mais elles regardaient en souriant les membres de son équipe qui le hissaient sur leurs épaules pour le porter en triomphe ; elles souriaient et je me rappelle que je m'étais dit : ça va aller.

Je suis allée dans le lotissement pour retrouver ce sentiment, mais quand je suis arrivée là-bas j'ai vu un immeuble abandonné, et j'ai rencontré Simon.

Quand j'ai quitté Simon à l'hôpital cette nuit-là, j'ai repris ma quête d'endroits réconfortants. Cela faisait alors environ six semaines que je m'y étais mise et j'étais déjà allée à mon ancienne école primaire, un terrain de basket où j'avais embrassé un garçon que je croyais inaccessible, mon université, la maison de mes grands-parents, le square où j'allais avec eux, le parc du coin, le club de tennis où j'avais passé tous mes étés, et quelques autres lieux que j'associais à de bons moments. Je m'étais arrêtée par hasard à la maison d'une ancienne camarade de l'école primaire et m'étais engagée dans une conversation des plus bizarres, regrettant aussitôt d'avoir eu l'idée de venir dans le coin. Je lui avais rendu visite car lorsque j'étais passée devant chez elle un souvenir m'était brusquement revenu : l'odeur douce, chaude et sucrée de pâtisserie qui sortait toujours de sa cuisine. À chaque fois que je jouais là-bas, il semblait que sa mère faisait un gâteau. Vingt-quatre ans plus tard, l'odeur avait disparu, tout comme sa mère, remplacées par les deux enfants de mon ancienne amie épuisée, qui lui grimpaient dessus sans arrêt et ne nous laissaient pas un instant de tranquillité pour parler, ce qui était en fait une bénédiction car nous n'avions rien d'autre à nous dire, que la question silencieuse sur ses lèvres : *Qu'est-ce que tu es venue faire ici, bon sang ? Nous n'étions même pas de bonnes amies.* Supposant que je traversais une mauvaise passe, elle avait été assez polie pour ne pas le demander tout haut.

Les premières semaines, même si mes recherches ne menaient à rien, cela ne me dérangeait pas, c'était une façon de passer le temps. Mais au bout de trois semaines un sentiment d'échec m'envahit. Au lieu de me redonner de l'énergie, cela détruisait en fait mes bons souvenirs.

Après cette visite à l'hôpital ma détermination avait redoublé. Il me fallait un coup de pouce, et je savais que retourner dans cet appartement de location avec son papier peint à motif de magnolia ne me serait d'aucun secours.

Voilà ce que je faisais lorsque cet événement dont on parierait qu'il ne peut arriver deux fois en un mois à la même personne se reproduisit.

4

Comment s'accrocher à la vie

Les rues de Dublin étaient calmes ce dimanche soir de décembre, et je me dirigeais vers le Ha'penny Bridge depuis le quai Wellington dans un froid glacial. Il ne neigeait pas encore, même si le temps était menaçant. Le Ha'penny Bridge, dont le nom officiel est pont Liffey, est un charmant pont en fer forgé de style ancien, réservé aux piétons, qui relie le nord au sud de la ville. Il a été surnommé le Ha'penny parce que c'était le tarif dont il fallait s'acquitter pour le traverser à sa construction en 1816. C'est l'un des monuments les plus connus de Dublin, il est particulièrement beau la nuit quand les trois lampadaires qui le décorent sont allumés. J'avais choisi cet endroit parce que dans le cadre de mes études de commerce et d'espagnol il m'avait fallu passer un an en Espagne. Je ne me souviens pas si nous étions très proches dans la famille avant la mort de maman, mais je me souviens extrêmement bien que cet événement avait resserré nos liens après. Ensuite, plus les années passaient, plus il nous semblait inconcevable que quiconque quitte le bercail. Quand je m'étais inscrite à la fac, je savais que je ne pourrais échapper à une année Erasmus. D'ailleurs, à cette époque, je ressentais le désir impérieux de couper les ponts avec ma famille et de déployer mes ailes. Dès mon arrivée en Espagne, j'avais saisi que c'était une erreur. Je pleurais tout le temps, j'étais incapable de manger, de dormir et j'arrivais à peine à me concentrer sur mes études. J'avais l'impression qu'on m'avait arraché le cœur de la poitrine, et qu'on l'avait laissé chez moi auprès de ma famille. Mon père m'écrivait tous les jours, me régalant d'anecdotes spirituelles sur sa vie quotidienne et celle de mes sœurs, pour tenter de me remonter le moral mais mon mal du pays n'en était que plus grand. Cependant, il m'avait envoyé un jour une carte postale qui m'avait aidée à sortir de cet état chronique. Ou plutôt, j'avais toujours le mal du pays mais j'avais fini par réussir à vivre normalement. C'était une vue de nuit du Ha'penny Bridge, avec les lumières de la ville en arrière-plan et des lueurs colorées qui se reflétaient dans la Liffey en contrebas. J'avais adoré cette image, j'avais scruté les gens, essayé de leur attribuer des noms et des histoires, de trouver où ils allaient, d'où ils venaient, d'après les noms et les lieux qui m'étaient familiers. Je l'avais punaisée sur mon mur avant de me coucher et la trimbalais dans mon livre de cours dans la journée. J'avais l'impression de transporter ma maison avec moi tout le temps.

Je n'étais pas bête au point de croire que ce sentiment exact se répéterait à la simple vue du pont, car je passais devant presque chaque semaine. Au point où j'en étais, j'avais acquis une certaine expérience dans la recherche de l'endroit idéal et je savais que je n'éprouverais pas un bonheur instantané. Mais j'espérais qu'en me tenant sur le pont, je pourrais au moins me rappeler mes émotions, mes expériences et mes sentiments de l'époque. C'était la nuit, on voyait les lumières de la ville en arrière-plan et même si, le long des docks, de nouveaux bâtiments, qui n'existaient pas sur ma vieille carte postale, avaient été construits, le reflet des lumières dans l'eau semblait toujours le même. Le paysage ressemblait en tous points à la carte postale.

À une différence près.

Un homme seul, vêtu de noir, avait enjambé le parapet et se cramponnait à la rambarde, les yeux fixés sur le fleuve froid aux courants forts et traîtres.

Un attroupement s'était formé sur les marches à l'entrée du quai Wellington. Les gens regardaient l'homme sur le pont. Je partageais leur étonnement et me demandai si c'était ce que Roy Cleveland Sullivan avait éprouvé quand il avait été frappé par la foudre une deuxième fois. *Ça ne va pas recommencer !*

Quelqu'un avait appelé la gardaí. Les gens discutaient pour savoir combien de temps elle mettrait à arriver, et si elle viendrait à temps. Tout le monde avait un avis sur la marche à suivre. Je revoyais le visage de Simon avant qu'il n'appuie sur la gâchette. Le même Simon en soins intensifs, la manière dont son expression avait changé, avant qu'il ne reprenne le revolver. Quelque chose avait déclenché ce changement. Était-ce ce que je lui avais dit ? Je ne me souvenais pas des mots que j'avais prononcés, peut-être était-ce ma faute. Je pensai à ses deux petites filles qui attendaient que leur papa se réveille, se demandant pourquoi, cette fois, il ne le faisait pas. Puis je regardai l'homme sur le pont et pensai au nombre de vies qui seraient affectées par son besoin de mettre un terme à sa souffrance, son incapacité à voir une autre issue.

Soudain, j'eus une poussée d'adrénaline et je sus que je n'avais pas le choix : il fallait que je sauve l'homme sur le pont.

Cette fois je m'y prendrai différemment. Depuis Simon Conway j'avais lu quelques livres, essayé de comprendre où je m'étais trompée, comment j'aurais pu le convaincre. D'abord, il fallait concentrer mon attention sur l'homme, ignorer l'agitation autour de moi. Les trois personnes à mes côtés commençaient à se disputer sur ce qu'il fallait faire, et cela n'était d'aucune utilité. Je posai le pied sur la marche. Je me persuadai que j'en étais capable, je me sentais confiante et en pleine possession de mes moyens.

Le vent glacial me frappa comme une gifle, comme pour me dire : « Réveille-toi ! Prépare-toi ! » Mes oreilles m'élançaient déjà à cause du froid, et mon nez engourdi commençait à couler. Les eaux de la Liffey étaient hautes, noires, opaques, malfaisantes, repoussantes. Je m'éloignai des gens qui attendaient derrière moi et essayai d'oublier que chaque mot que je prononcerais, chaque inspiration tremblotante que je prendrais pourrait parvenir aux oreilles des spectateurs. Je le distinguai plus nettement : un homme en noir, debout sur le rebord étroit du côté du vide, au-dessus de l'eau, cramponné à la balustrade. Il était trop tard pour reculer.

— Bonjour, dis-je doucement, pour ne pas risquer de le faire sursauter et tomber dans l'eau.

Même si j'essayais de me faire entendre à cause du vent, je tâchai de garder une voix calme et claire, avec un ton égal et une expression toute douce, me remémorant ce que j'avais lu : il fallait éviter d'être cassant et capter le regard de la personne.

— Ne vous inquiétez pas, je ne vais pas vous toucher.

Il se retourna pour me dévisager puis braqua aussitôt ses yeux sur l'eau. C'était évident : je n'avais aucune idée de ce qui se passait dans sa tête, il était trop perdu dans ses pensées pour faire attention à moi.

— Je m'appelle Christine, continuai-je en parlant lentement, tout en m'approchant de lui.

Je restais près du bord du pont car je voulais voir son visage pendant que je parlais.

— Ne vous approchez pas ! hurla-t-il d'un ton trahissant sa panique.

Je m'arrêtai, satisfaite : il était à ma portée. En cas de nécessité, je pourrais l'attraper.

— OK, OK, je reste là.

Il se tourna pour évaluer la distance à laquelle je me trouvais.

— Restez concentré, je ne veux pas que vous tombiez.

— Tomber ?

Il leva la tête vers moi, regarda en bas, me dévisagea de nouveau pour ne plus me quitter des yeux. Il avait une trentaine d'années, une mâchoire bien dessinée, les cheveux dissimulés sous un bonnet de laine noir. Il me regardait de ses grands yeux bleus où on lisait la terreur, ses pupilles étaient si dilatées qu'on ne voyait plus qu'elles, et je me demandai s'il avait pris une substance quelconque ou s'il était ivre.

— Vous entendez ce que vous dites ? s'exclama-t-il. Croyez-vous que je m'en soucie, si je tombe ? Croyez-vous que je suis là par hasard ?

Il essaya de faire abstraction de ma présence, reporta sa concentration sur le fleuve.

— Comment vous appelez-vous ?

— Laissez-moi tranquille ! aboya-t-il avant d'ajouter plus gentiment : S'il vous plaît.

Même dans sa détresse il restait poli.

— Je me fais du souci pour vous. Je vois que vous souffrez. Je suis là pour vous aider.

— Je n'ai pas besoin de votre aide.

Il détourna le regard et baissa de nouveau la tête vers l'eau. Je regardai les jointures de ses doigts, cramponnés à la rambarde, qui passaient du rouge au blanc selon qu'il raffermissait ou relâchait son étreinte. Mon cœur faisait des bonds à chaque fois qu'il serrait moins fort et je redoutais qu'il ne lâche complètement prise. Le temps était compté.

— J'aimerais vous parler, repris-je en m'approchant imperceptiblement.

— Allez-vous-en, s'il vous plaît. Je veux être seul. Ce n'était pas comme ça que ça devait se passer, je ne voulais pas de scène, je veux juste le faire. Tout seul. C'est simplement que... je ne pensais pas que ce serait si long.

— Écoutez, personne ne va s'approcher de vous à moins que je ne le demande. Alors pas de panique, ne vous précipitez pas, n'agissez pas sans réfléchir. Nous avons tout notre temps. Tout ce que je veux, c'est que vous me parliez.

Il se tut. D'autres questions posées d'une voix douce restèrent sans réponse. J'étais prête à écouter, prête à dire tout ce qu'il fallait, mais il opposait un silence mutique à chacune de mes interrogations. D'un autre côté, il n'avait pas encore sauté, c'était déjà ça.

— J'aimerais connaître votre nom, insistai-je.

Rien.

Je revis le visage de Simon quand il m'avait regardée au fond des yeux et appuyé sur la gâchette. Je fus submergée par une vague d'émotion, une envie de pleurer, d'exploser, d'éclater en sanglots. Je n'étais pas formée à ce genre de situation. La panique commença à me submerger. J'étais à deux doigts d'abandonner et de retourner vers le petit groupe de spectateurs pour leur dire que je ne pouvais pas le faire, que je ne voulais pas avoir un autre mort sur la conscience quand il prit la parole.

— Adam.

— OK, répondis-je, soulagée qu'il cherche à établir le contact.

Je me souvins d'une phrase que j'avais lue dans un de mes livres, qui disait que les personnes suicidaires avaient besoin d'entendre qu'il y avait des gens qui pensaient à eux, qui les aimaient, même si elles pensaient le contraire, mais je craignais que cela n'ait l'effet inverse. Et si c'était la raison de sa présence ici, s'il avait l'impression d'être un fardeau pour eux ? Mon cerveau carburait à toute vitesse tandis que j'essayais de trouver quoi faire. Il y avait tant de règles à observer, et moi, tout ce que je voulais, c'était aider.

— Je veux vous aider, Adam, finis-je par bredouiller.

— Ça ne sert à rien.

— J'aimerais entendre ce que vous avez à dire, insistai-je.

Écoutez attentivement, évitez les phrases comme « *ne faites pas ça* » ou « *vous ne pouvez pas* ». Je repassai dans ma tête tout ce que j'avais lu. Je n'avais pas le droit à l'erreur, il suffisait d'un mot pour que tout bascule.

— Vous n'arriverez pas à me convaincre de ne pas le faire.

— Laissez-moi vous montrer que ce n'est pas la seule issue possible, même si vous n'en voyez pas d'autre. Vos réflexions vous ont épuisé, laissez-moi vous aider à retrouver vos esprits. Ensuite nous pourrons réfléchir. Vous avez d'autres choix, même si vous ne vous en rendez pas compte pour l'instant. Mais là, tout de suite, descendons de ce pont, laissez-moi vous mettre hors de danger.

Il ne répondit pas. Au lieu de cela, il leva les yeux vers moi. Ce regard m'était familier. Simon aussi avait fait cette tête-là.

— Désolé.

Ses doigts relâchèrent leur prise sur la rambarde tandis que son corps s'écartait de la balustrade et penchait vers le vide.

— Adam !

Je me précipitai, passai mes bras à travers les barreaux et lui entourai la poitrine en le tirant en arrière si fort qu'il fut plaqué contre le fer forgé. Mon corps était pressé contre la rambarde, si près de lui que ma poitrine et son dos se touchaient. Je plongeai le visage dans son bonnet en laine, fermai les yeux très fort en le tenant aussi fermement que possible. Je m'attendais à ce qu'il se débatte, et me demandais comment j'arriverais à le retenir, sachant que je n'y réussirais pas très longtemps s'il faisait usage de sa force. J'espérais qu'un badaud intervienne et prenne ma place, que la *gardaí* était dans les parages pour que des professionnels puissent prendre le relais. Où avais-je la tête ? Je me forçai à garder les yeux fermés, et reposai mon visage contre sa nuque. Il sentait l'after-shave, le propre, comme s'il venait de prendre une douche. L'odeur d'une personne vivante, qui se rend à un rendez-vous, pas de quelqu'un qui s'apprête à se jeter d'un pont. Il avait aussi l'air fort et plein de vitalité. J'arrivais à peine à lui encercler la poitrine tant il était baraqué. Je m'accrochai à lui, déterminée à ne pas le lâcher.

— Qu'est-ce que vous faites ? me demanda-t-il en haletant, sa poitrine se soulevant et s'abaissant à un rythme irrégulier.

J'osai enfin lever les yeux et contemplai la foule derrière moi. Aucun signe des gyrophares de la *gardaí*, ni de quiconque qui viendrait à mon aide. Mes jambes flageolaient, comme si j'étais à sa place, au-dessus des profondeurs obscures de la Liffey.

— Ne faites pas ça, murmurai-je en commençant à pleurer, je vous en prie.

Il essaya de se retourner pour me voir, mais comme j'étais juste derrière lui, il ne pouvait pas distinguer mon visage.

— Est-ce que... est-ce que vous pleurez ?

— Oui, répondis-je en reniflant. Ne faites pas ça s'il vous plaît.

— Nom de dieu ! s'écria-t-il en essayant de nouveau de se retourner pour me regarder.

Je pleurais franchement maintenant, en sanglots irrépressibles, mes épaules tressautaient, toujours cramponnée à lui pour le garder en vie.

— Qu'est-ce qui se passe, bon dieu ? cria-t-il.

Il se déplaça encore un peu en glissant le long du parapet afin de pouvoir discerner mon visage.

— Est-ce que... est-ce que ça va ? me demanda-t-il avec un peu plus de douceur, comme s'il sortait d'un état de transe.

— Non.

J'essayais d'arrêter de pleurer. Je voulais me moucher car mon nez coulait abondamment, mais j'avais peur de le lâcher.

— Est-ce que je vous connais ? m'interrogea-t-il, troublé, curieux de savoir ce qui me mettait dans un état pareil.

— Non, répondis-je en reniflant de plus belle.

Jamais je n'avais serré quelqu'un aussi fort, à part peut-être ma mère lorsque j'étais enfant.

Il me regardait comme si c'était moi qui perdais mes esprits et lui qui gardait la tête froide. Nous étions presque nez à nez et il me scrutait, comme pour percer mes secrets.

Le charme fut rompu quand un abruti sur le quai hurla : « Vas-y, saute ! » L'homme en noir redoubla d'ardeur pour m'échapper.

— Lâchez-moi ! s'exclama-t-il en se débattant.

— Non. S'il vous plaît, écoutez...

Je tentai de me reprendre avant de continuer.

— Ça ne se passera pas comme vous le croyez, dis-je en regardant en bas.

Je tentais de me représenter ce qu'il ressentait à contempler cette eau sombre, prêt à en finir, et comme tout devait aller mal pour lui pour qu'il en arrive là.

Il me scrutait de nouveau avec intensité.

— Vous ne voulez pas vraiment mourir, vous voulez mettre fin à cette souffrance que vous ressentez en ce moment, et qui ne vous quitte pas du matin au soir. Peut-être personne dans votre entourage ne le comprend-il, mais moi, si, croyez-moi.

Je vis que ses yeux se remplissaient de larmes, j'avais touché un point sensible.

— Mais vous ne voulez pas que tout s'arrête, n'est-ce pas ? Parfois cette idée vous traverse l'esprit, sans doute plus souvent aujourd'hui qu'auparavant. C'est comme une habitude, penser aux différentes façons d'y mettre un terme. Mais ça passe, n'est-ce pas ?

Il me regarda plus attentivement, buvant mes paroles.

— C'est une passade, c'est tout. Ça ne va pas durer. Si vous vous accrochez, ça va passer et vous ne voudrez plus mettre un terme à votre vie. Vous pensez sans doute que tout le monde s'en fiche, ou que les gens se remettront vite de votre perte. Peut-être croyez-vous qu'ils n'attendent que ça. Ce n'est pas le cas. Personne ne peut souhaiter cela à quelqu'un. On pourrait avoir l'impression que c'est la seule solution, mais vous pouvez surmonter tout ça. Descendez, et parlons-en, murmurai-je, les larmes roulant sur mes joues.

Je le regardai longuement du coin de l'œil. Il semblait avoir du mal à déglutir, tête baissée vers l'eau. Il réfléchissait et pesait le pour et le contre. Vivre ou mourir. Je vérifiai subrepticement les accès au pont sur Bachelor's Walk et le quai Wellington : toujours pas de *gardaí*, et aucun membre de l'assistance ne semblait prêt à m'aider. Je m'en réjouis : j'avais réussi à entrer en contact avec lui, et je ne voulais pas qu'on le distraie, l'affole et le fasse revenir à sa case départ. Je réfléchissais à ce que j'allais lui dire, pour gagner du temps jusqu'à ce que des professionnels prennent le relais, quelque chose de positif qui ne risquait pas de le contrarier. Finalement, je n'eus rien à dire parce qu'il parla le premier.

— J'ai lu quelque chose sur un type qui a sauté dans le fleuve l'année dernière. Il était ivre et avait décidé d'aller nager, mais il s'est retrouvé coincé sous un caddie de supermarché et le courant l'a emporté. Il n'a pas pu remonter à la surface, dit-il d'une voix brisée par l'émotion.

— Et ça vous a donné envie ?

— Non, mais peu importe puisque ce sera fini après tout ça, ce sera fini.

— Ou ce sera le début d'un nouveau genre de souffrance. Dès que vous serez dans l'eau, même si vous voulez à tout prix en finir, vous commencerez à paniquer. Vous vous débattrez. Vous aurez envie d'inspirer de l'oxygène et vos poumons se rempliront d'eau parce que, même si vous êtes persuadé de vouloir en finir, votre instinct vous poussera à rester en vie. C'est en vous. Dès que l'eau pénétrera dans votre larynx, vous l'avalerez d'instinct. Elle entrera dans vos poumons, ce qui alourdira votre corps, et si vous changez d'avis, décidez de vivre et tentez de revenir à la surface, ce sera trop tard. Et puis, il y a tant de personnes autour de vous en ce moment, prêtes à plonger et vous sauver... et vous savez quoi ? Vous croirez que c'est fini, mais c'est faux. Même une fois que vous aurez perdu conscience, votre cœur continuera à battre. On pourra vous faire du bouche-à-bouche, expulser l'eau de vos poumons pour qu'ils se remplissent d'air à nouveau. On pourra vous sauver.

Son corps tremblait, et pas seulement à cause du froid. Je sentis que sa volonté commençait à mollir dans mes bras.

— Je veux que ça s'arrête, murmura-t-il d'une voix tremblante. Ça fait mal.

— Qu'est-ce qui fait mal ?

— En particulier ? De vivre, répondit-il avec un faible rire. Le réveil est le pire moment de ma journée. Depuis longtemps.

— Pourquoi ne pas parler de ça ailleurs ? lui proposai-je, inquiète, car je l'avais senti se raidir.

Ce n'était peut-être pas une bonne idée d'évoquer ses problèmes alors qu'il était cramponné à la rambarde d'un pont.

— Je veux entendre tout ce que vous avez à me dire, alors partons d'ici.

— Il y a trop de choses, dit-il en fermant les yeux, se parlant à lui-même. Je ne peux plus les changer maintenant, c'est trop tard, dit-il doucement en penchant sa tête en arrière, jusqu'à ce qu'elle touche ma joue.

Nous étions curieusement proches, pour deux étrangers.

— Il n'est jamais trop tard. Croyez-moi, vous pouvez changer le cours de votre vie. Je peux vous aider, dis-je dans un murmure.

Je n'avais aucune raison de brailler, son oreille était juste là, collée à mes lèvres.

Il me regarda dans les yeux et je dus soutenir son regard. Je me sentais piégée. Il semblait tellement perdu.

— Et que se passera-t-il si ça ne marche pas ?
Si rien ne change, comme vous l'avez dit ?

— Ça changera.

— Mais si ce n'est pas le cas ?

— Je vous dis que ça changera.

Fais-le descendre de ce pont, Christine !

Il me dévisagea longuement, sa mâchoire se contractant au fil de sa réflexion.

— Si ça ne change pas, je jure que je recommencerai, menaça-t-il. Pas ici, mais je trouverai un moyen, parce que je refuse de me retrouver dans la même situation.

Je ne voulais pas qu'il recommence à broyer du noir, quelles que soient les raisons qui l'avaient conduit ici.

— Bien, répondis-je d'un ton qui se voulait enthousiaste. Si votre vie ne change pas, cette décision vous appartiendra. Mais je vous dis que ça peut changer. Je vous montrerai. Vous et moi, nous le ferons ensemble, nous verrons combien la vie peut être merveilleuse. Je vous le promets.

— Marché conclu, murmura-t-il.

Je fus immédiatement submergée de terreur. Un marché ? Je n'avais jamais eu l'intention d'en passer un avec lui, mais ce n'était pas le moment d'ergoter. J'étais fatiguée. Je voulais juste qu'il descende du pont. Je voulais être au lit, bien enroulée dans ma couette, et que tout ça ne soit qu'un mauvais souvenir.

— Il faut que vous me lâchiez pour que je puisse repasser de l'autre côté, dit-il.

— Je ne vous lâche pas. Pas question, dis-je d'un ton sans appel.

Il rit à moitié, c'était imperceptible, mais il avait ri.

— Écoutez, j'essaye de revenir sur le pont, et maintenant c'est vous qui m'en empêchez.

J'évaluai la hauteur de la rambarde qu'il devrait enjamber, et celle du pont. La manœuvre semblait dangereuse.

— Laissez-moi demander de l'aide, le priai-je.

Je retirai avec lenteur une main de sa poitrine, sans être totalement convaincue qu'il allait tenir parole.

— Je suis arrivé ici tout seul, je peux revenir sur le pont tout seul, affirma-t-il.

— Je n'aime pas cette idée, laissez-moi demander de l'aide, m'obstinai-je.

Indifférent à mes conseils, il essayait de se retourner, déplaçant ses grands pieds sur l'étroit rebord. Il tendit la main droite vers un barreau plus éloigné et fit un pas pour être dos au vide. Mon cœur battait la chamade pendant que je le regardais, avec un sentiment d'impuissance. Je voulais hurler aux badauds de venir m'aider, mais à ce moment précis crier l'aurait effrayé et précipité dans l'eau. Soudain le vent se renforça, l'air se refroidit et j'eus une conscience plus aiguë du danger qu'il courait. Il se pencha sur la droite, fit porter son poids sur sa hanche pour lancer son pied gauche au-dessus de la balustrade, mais son pied droit ripa sur le rebord étroit. Par miracle, de sa main gauche il réussit à rattraper la rambarde juste à temps, et se retrouva suspendu par une main au-dessus du vide. J'entendis tous les spectateurs qui retenaient leur souffle tandis que je saisissais sa main droite et la serrais en tirant de toutes mes forces pour le hisser par-dessus bord. À ce moment, je lus avec terreur la peur dans ses yeux, mais à la réflexion ce fut ce regard qui me donna la force de tenir : l'homme qui quelques instants plus tôt voulait se suicider se battait désormais pour survivre.

Je l'aidai à retrouver l'équilibre et il se cramponna aux barreaux, les yeux fermés, en respirant très fort. J'essayais toujours de reprendre mes esprits quand l'agent Maguire se précipita vers nous l'air furibond.

— Il veut remonter sur le pont, dis-je d'une toute petite voix.

— Je vois ça.

Il m'écarta et je n'eus pas le courage de le regarder mettre Adam en sûreté. Dès qu'il atterrit sur le pont nous nous écroulâmes tous les deux par terre, vidés de toute énergie.

Adam était assis le dos contre la rambarde, je lui faisais face, de l'autre côté, attendant que mon vertige s'arrête. Je mis la tête entre les jambes et pris de profondes inspirations.

— Vous allez bien ? me demanda-t-il, sou-cieux.

— Oui, répondis-je en fermant les yeux. Merci.

— Merci de quoi ?

— De ne pas avoir sauté.

Il grimaça : l'épuisement se trahissait sur son visage et son corps.

— À votre mine, on dirait que c'était plus important pour vous que pour moi.

— Eh bien, je vous remercie, dis-je avec un sourire hésitant.

— Je suis désolé, je n'ai pas retenu votre nom, dit-il en haussant les sourcils.

— Christine.

— Adam.

Il se pencha et tendit la main. Je me rapprochai, et quand je la serrai il la retint et me regarda droit dans les yeux.

— J'ai hâte de savoir comment vous allez me convaincre que c'était une bonne idée, Christine. Mon anniversaire serait une bonne date limite.

Une date limite ? Je me pétrifiai, sans lâcher sa main. Il avait dit cela sur un ton badin, mais je le pris comme un avertissement. Soudain je me sentis toute faible, idiote même, en pensant au marché que j'avais accepté. Dans quel pétrin m'étais-je fourrée ?

Même si j'avais envie de me rétracter, je hochai la tête avec nervosité. Il me donna une poignée de main, une seule, bien ferme, au milieu du pont, et me lâcha.

5

Comment passer
à l'étape supérieure

— Qu'est-ce que vous fichez là, bon sang ?
rugit l'agent Maguire en approchant son visage
du mien.

— J'essaye d'aider.

— Comment se fait-il que vous le connaissiez,
lui ?

Et dans sa bouche, ça voulait dire « lui aussi ».

— Je ne le connais pas.

— Bon, qu'est-ce qui s'est passé, ici ?

— J'étais dans les parages, et j'ai vu qu'il
avait un problème. Nous craignions que vous
n'arriviez pas à temps, alors j'ai décidé d'aller
lui parler.

— Parce que votre bavardage a été d'une belle
efficacité la dernière fois, persifla-t-il, avant de
sembler regretter aussitôt ses mots. Sérieusement,
Christine, vous pensez que je vais croire cette histoire ? Vous étiez juste « dans les parages » ?
Deux fois en un mois ? Vous vous imaginez que

je vais conclure à une coïncidence ? Si vous jouez à la justicière de bande dessinée...

— Non. J'étais au mauvais endroit, au mauvais moment. J'ai pensé que je pourrais aider.

Furieuse de me faire traiter de cette manière, j'ajoutai :

— Et ça a marché, n'est-ce pas ? Je l'ai ramené sur le pont.

— Tout juste, fulmina-t-il en faisant les cent pas autour de moi.

Je pouvais voir au loin Adam qui m'observait d'un air soucieux, et je lui adressai un sourire timide.

— Je ne trouve pas ça drôle, râla Maguire.

— Mais je ne plaisante pas ! rétorquai-je.

Maguire me regarda attentivement, l'air de se demander ce qu'il pourrait bien faire de moi.

— Vous allez tout me raconter du début à la fin, au poste de police.

— Mais je n'ai rien fait de mal !

— Vous n'êtes pas en état d'arrestation, Christine, j'ai un rapport à faire, c'est tout.

Il s'éloigna, persuadé que j'allais lui emboîter le pas jusqu'à la voiture.

— Vous ne pouvez pas l'embarquer ! protesta Adam.

Tout dans son apparence et le ton de sa voix trahissait son épuisement.

— Ne vous occupez pas d'elle, dit Maguire en s'adressant à Adam avec une voix douce dont je ne le pensais pas capable.

— Vraiment, je vais bien, répliqua Adam alors que Maguire le conduisait vers la voiture. C'était un moment de folie. Je vais très bien maintenant. Je veux juste rentrer chez moi.

Maguire lui prodigua des paroles réconfortantes mais l'installa quand même dans la voiture, sans lui demander son avis. On installa Adam dans un véhicule, et moi dans un autre, direction le poste de Pearse Street, où l'on me demanda de raconter à nouveau mon histoire. Visiblement, Maguire n'était pas entièrement convaincu que je disais la vérité. En fait, je ne disais pas tout, et il le savait. Je n'arrivais pas à me résoudre à lui avouer ce que je faisais réellement sur le pont ou dans l'immeuble. Et je ne parvins pas davantage à l'avouer à la dame charmante qui lui succéda dans la pièce, désireuse de me faire parler de mon expérience.

Au bout d'une heure, l'agent Maguire m'informa que j'étais libre de m'en aller.

— Et Adam ?

— Ce n'est plus votre problème.

— Mais où est-il ?

— Il est examiné par un psychologue.

— Alors quand pourrai-je le voir ?

— Christine…, m'avertit-il, essayant de se débarrasser de moi.

— Quoi ?

— Qu'est-ce que je vous ai dit la dernière fois, concernant ceux qui se mêlent des affaires des autres ? Il y a un taxi dehors. Rentrez chez vous. Allez dormir. Essayez de ne pas vous fourrer dans le pétrin.

Je quittai donc le poste de la *gardaí*. On était dimanche, il était minuit, et le froid me glaça jusqu'aux os. Il n'y avait aucune voiture à part ce taxi incongru. Trinity College s'élevait devant moi, sombre et désert comme une présence tutélaire. J'ignore combien de temps je restai plantée là en essayant de tout repasser dans ma tête, assommée par le choc, quand la porte derrière moi s'ouvrit. Je sentis la présence de Maguire avant même qu'il ouvre la bouche.

— Vous êtes encore là.

Aucun mot ne me vint, aussi me contentai-je de le regarder.

— Il vous a demandée.

Mon cœur fit un bond.

— Il va aller se coucher. Puis-je lui donner votre numéro ?

Je hochai la tête.

— Montez dans ce taxi, Christine, dit Maguire, et il me lança un regard si menaçant que je m'y précipitai.

Je rentrai chez moi.

Sans surprise, je fus incapable de trouver le sommeil. Je restai assise avec ma machine à café pour seule compagnie, les yeux braqués sur mon téléphone, à me demander si l'agent Maguire avait donné le bon numéro à Adam. Sur le coup des sept heures, j'entendis des voitures dehors, je finis par m'assoupir. Un quart d'heure plus tard, mon réveil sonna, indiquant l'heure d'aller au travail. Adam ne m'appela pas de la journée, lorsque, à six heures du soir, au moment d'éteindre mon ordinateur, mon téléphone sonna.

Nous étions convenus de nous retrouver sur le Ha'penny Bridge, un choix qui nous avait semblé évident à ce moment-là car c'était la seule chose que nous avions en commun, mais une fois là-bas, vingt-quatre heures après l'incident, cela sembla déplacé. Il n'était pas sur le pont, mais à côté, sur Bachelor's Walk, en train de regarder l'eau. J'aurais donné n'importe quoi pour savoir ce qu'il pensait.

— Adam !

Surpris par le son de ma voix, il se tourna. Il portait le duffle-coat et le bonnet en laine noirs de la nuit dernière et avait les mains profondément enfoncées dans les poches.

— Vous allez bien ? lui demandai-je.

— Oui, bien sûr, répondit-il, encore sous le choc. Je vais bien.

— Où vous ont-ils emmené hier soir ?

— Ils m'ont posé quelques questions au poste, puis ils m'ont emmené à St John of Gods pour un bilan psychologique. Je l'ai passé haut la main, plaisanta-t-il. Bref, je vous ai appelée parce que je voulais vous remercier, en personne, expliqua-t-il en se balançant d'un pied sur l'autre. Alors, merci.

— OK, eh bien, de rien, répondis-je maladroitement, sans savoir si je devais lui serrer la main ou le serrer dans mes bras.

Tout indiquait qu'il valait mieux le laisser tranquille.

Il hocha la tête et fit demi-tour pour traverser la rue en direction de Lower Liffey Street. Il ne regardait pas devant lui. Une voiture faillit le renverser et donna un coup de klaxon rageur. Indifférent au bruit, il continua à marcher.

— Adam !

Il se retourna.

— C'est un accident, promis !

Je sus alors qu'il me faudrait le suivre. L'hôpital avait peut-être cru à son histoire, mais il était hors de question que je le laisse tout seul après ce qu'il avait vécu. J'appuyai sur le bouton piéton pour faire passer le feu au rouge, mais il tardait à se déclencher. De crainte de le perdre, j'attendis que la circulation se calme pour traverser en courant. Une autre voiture klaxonna. Je courus pour me rapprocher de lui, avant de ralentir le pas pour le surveiller de loin. Il tourna à droite au milieu d'Abbey Street. Quand il arriva au coin de la rue et fut hors de vue, je piquai un sprint pour le rattraper. Lorsque je tournai à mon tour au coin, il s'était volatilisé, comme par magie. À cette heure-ci tous les magasins étaient fermés, il n'avait pas pu s'y cacher. Je parcourus la rue sombre et déserte en me maudissant de l'avoir perdu, regrettant de ne pas avoir au moins son numéro de téléphone.

— Bouh ! cria-t-il en surgissant soudain de l'ombre.

— Dieu du ciel, Adam ! Vous voulez que je fasse une crise cardiaque ?

Il me sourit, amusé.

— Arrêtez vos trucs de sitcom débiles avec moi.

Je me sentis devenir écarlate dans le noir.

— Je voulais être sûre que vous alliez bien. Je ne voulais pas vous harceler.

— Je vous l'ai déjà dit, je vais bien.

— Je ne vous crois pas.

Il se détourna, clignant des yeux pour retenir ses larmes. Je les voyais briller à la lumière du lampadaire.

— Il faut que je sois sûre que vous irez bien, repris-je. Je ne peux pas vous laisser, juste comme ça. Allez-vous vous faire aider par un professionnel ? lui demandai-je.

— Et comment ces conversations fascinantes que les gens veulent tant avoir avec moi pourraient-elles arranger quoi que ce soit ? Ça ne changera pas ce qui est en train de se passer.

— Et qu'est-ce qui est en train de se passer ?

Il se recula.

— OK, vous n'êtes pas obligé de me le dire. Mais êtes-vous soulagé, au moins ? De ne pas avoir sauté ?

— Ça, c'est sûr. C'était une grosse erreur. Je regrette d'être allé sur le pont.

— Vous voyez ? fis-je en souriant. C'est bien, c'est un bon début.

— J'aurais dû aller là-haut, répliqua-t-il en levant les yeux vers Liberty Hall, un bâtiment de seize étages, le plus haut du centre de Dublin.

— À quelle date est votre anniversaire ? l'interrogeai-je, en me remémorant notre marché.

Il éclata de rire.

— Où allons-nous ? demandai-je en accélérant le pas pour rester à sa hauteur alors qu'il descendait O'Connell Street à grandes enjambées.

J'avais les pieds et les mains engourdis, j'espérais que nous n'allions pas trop loin. Il semblait marcher sans but précis, sans destination en tête, ce qui me poussa à me demander si la mort par hypothermie n'était pas sa prochaine technique de suicide.

— Je suis descendu à l'hôtel Gresham, expliqua-t-il en regardant la flèche du Spire. J'aurais pu sauter en parachute et atterrir là-dessus, ça m'aurait transpercé le ventre. Ou même mieux, le cœur.

— OK, je commence à comprendre votre humour. Et il est un peu tordu.

— Dieu merci, ils n'étaient pas de cet avis à l'hôpital.

— Comment en êtes-vous sorti ?

— Ma joie enfantine et mon insouciance ont suffi à les séduire, dit-il, toujours imperturbable.

— Vous leur avez menti, dis-je d'un ton accusateur.

Il haussa les épaules.

— Où habitez-vous ?

— Ces jours-ci ? À Tipperary, dit-il après un instant d'hésitation.

— Et vous êtes spécialement venu à Dublin pour...

— Sauter du Ha'penny Bridge, compléta-t-il, de nouveau amusé. Vous êtes si arrogants, vous les gens de Dublin ! Il y a quantité de ponts qui font l'affaire dans le reste du pays, vous savez. Non, j'étais ici pour voir quelqu'un.

Arrivé devant l'hôtel Gresham, Adam se tourna vers moi.

— Eh bien, merci encore. De m'avoir sauvé la vie. Je ne sais pas, ce serait bizarre de vous embrasser ou de vous serrer dans mes bras, attendez... je sais !

Il leva la main en l'air, et j'hésitai un instant avant de taper dans sa paume.

Qu'étais-je censée lui dire ensuite ? Bonne chance ? Profite de la vie ?

Il n'en savait pas plus que moi, aussi continua-t-il sur sa lancée sarcastique.

— Je devrais vous décerner une médaille d'or, persifla-t-il, ou un insigne.

— Je préférerais vraiment ne pas vous laisser tout seul, maintenant.

— Mon anniversaire est dans deux semaines. Je ne pense pas que vous puissiez changer grand-chose dans un laps de temps aussi court, mais j'apprécie que vous mentiez pour moi.

— On peut y arriver, insistai-je, même si au fond je n'en menais pas large.

Deux semaines ? J'avais espéré une bonne année, mais si je devais faire avec ce délai, je m'en contenterais.

— Je vais prendre tous mes congés, comme ça, je pourrai vous voir tous les jours. C'est tout à fait possible, ajoutai-je avec optimisme.

Il eut le même sourire amusé.

— Je préférerais vraiment rester seul maintenant.

— Pour pouvoir vous tuer tranquillement.

— Pourriez-vous parler moins fort ? m'enjoignit-il alors qu'un couple passait à côté de nous et nous jetait un coup d'œil suspicieux. Encore une fois, merci, répéta-t-il, sans grande conviction.

Puis il me planta sur le trottoir et disparut par la porte tambour. Je le regardai traverser le hall d'entrée avant de le suivre à l'intérieur. Il allait avoir du mal à se débarrasser de moi. Il entra dans l'ascenseur. J'attendis que les portes soient sur le point de se refermer pour m'y engouffrer à mon tour. Il me regarda d'un air inexpressif et appuya sur le bouton.

Nous montâmes au dernier étage et je le suivis dans la suite « Grace Kelly », qui disposait d'un toit terrasse. Quand nous entrâmes dans le salon, je humai une senteur de fleurs. La porte de la chambre était ouverte. Je vis un lit jonché de pétales de roses, et une bouteille de champagne dans un seau argenté au bout du lit, avec deux flûtes aux pieds entrecroisés. Adam regarda le lit, puis se détourna comme si sa simple vision ravivait de douloureux souvenirs. Il alla vers le bureau et y prit une feuille de papier. Je le suivis.

— C'est votre lettre d'adieu ?

— Vous avez vraiment besoin d'utiliser ce mot ? s'indigna-t-il en grimaçant.

— Que voulez-vous que je dise d'autre ?

— Au revoir, Adam, ravie d'avoir fait votre connaissance ?

Il se débarrassa de son manteau et le jeta par terre, puis retira son bonnet et le lança en l'air. Il faillit atterrir dans le feu qui se consumait dans la cheminée en marbre. Il s'écroula sur le divan, épuisé.

J'étais stupéfaite. Je ne m'attendais pas à découvrir une telle masse de cheveux blonds sous le bonnet en laine.

— Quoi ? demanda-t-il.

Je réalisai que je contemplais sa beauté.

Assise sur le canapé en face du sien, je retirai mon manteau et mes gants dans l'espoir que le feu me décongèle rapidement.

— Je peux la lire ?

— Non.

Il la plaqua sur sa poitrine et la plia.

— Pourquoi ne la déchirez-vous pas ?

— C'est un souvenir de mon voyage à Dublin, répondit-il en la rangeant dans sa poche.

— Vous n'êtes pas très drôle.

— Un autre truc à ajouter à la liste des choses pour lesquelles je ne suis pas doué.

Je regardai la pièce autour de moi et essayai de le percer à jour.

— Attendiez-vous quelqu'un ici ce soir ?

— Bien sûr. Je prépare toujours des roses et du champagne pour les jolies femmes qui m'empêchent de sauter des ponts.

C'était ridicule, je le savais, mais je ne pus m'empêcher de me réjouir qu'il m'ait qualifiée ainsi.

— Non, ça date d'hier soir, objectai-je en guettant sa réaction.

Malgré les plaisanteries et l'air sûr de lui, il était fébrile. Je compris que c'était sa façon de ne pas craquer sous le poids de l'accablement.

Il alla vers la télévision, puis ouvrit le placard en dessous, qui dissimulait un minibar.

— Je ne crois pas que l'alcool soit une très bonne idée, suggérai-je.

— Je vais opter pour un soda, alors.

Il m'adressa un regard blessé qui me fit me sentir coupable. Il prit une mignonnette de Jack Daniel's puis me toisa avec insolence en la rapportant vers le canapé.

Je ne fis pas de commentaire, mais je remarquai que ses mains tremblaient tandis qu'il se servait un verre. Je l'observai un moment, puis, incapable de tenir plus longtemps, j'allai en prendre une aussi, mais que je mélangeai avec un soda. J'avais fait un pacte avec un homme qui avait essayé de se tuer, je l'avais suivi dans sa chambre d'hôtel, alors autant me saouler avec lui ! S'il existait un manuel des règles en matière d'intégrité morale et de civisme, je venais de toutes les transgresser allègrement, donc pourquoi ne pas aller jusqu'au bout et le balancer par la fenêtre ? En plus, j'étais frigorifiée et j'avais besoin de quelque chose pour me réchauffer. J'avalai une gorgée, qui me brûla la gorge et l'estomac, et ça me fit du bien.

— Ma petite amie, dit-il de but en blanc, interrompant mes pensées.

— Qu'est-ce qu'elle a ?

— C'est la personne que j'attendais. Je suis venu à Dublin pour lui faire une surprise. Elle m'avait dit que je n'étais pas très attentionné ces derniers temps. Absent, même quand j'étais avec elle, ou un truc de ce genre, ajouta-t-il en se frottant vigoureusement le visage. Elle a dit qu'on avait des problèmes. « Que nous étions en danger », pour reprendre ses termes.

— Alors vous êtes venu à Dublin pour sauver votre relation, dis-je, heureuse d'apprendre enfin quelque chose sur lui. Que s'est-il passé ?

— Elle était avec un autre type, dit-il en contractant sa mâchoire. Au Milano. Elle m'avait dit qu'elle y allait avec ses copines. Nous vivons dans un appartement sur les quais, mais ça fait un moment que j'étais à Tipperary... bref, elle n'était pas avec les filles, continua-t-il avec amertume, sans quitter son verre des yeux.

— Et comment pouvez-vous dire qu'ils étaient plus que des amis ?

— Oh, mais ils étaient déjà amis ! C'est moi qui les avais présentés. Sean, mon meilleur ami. Ils se tenaient la main sur la table. Ils ne m'ont même pas vu entrer dans le restaurant. Elle ne s'attendait pas à ce que je débarque, j'étais censé être encore à Tipperary. Je les ai mis face au fait accompli, ils n'ont pas nié, conclut-il en haussant les épaules.

— Qu'avez-vous fait ?

— Que vouliez-vous que je fasse ? Je suis parti, tel un parfait imbécile.

— Vous n'avez pas eu envie de frapper Sean ?

— Non, dit-il en s'enfonçant dans le canapé, la mine décomposée. Je savais ce qu'il me restait à faire.

— Une tentative de suicide ?

— Allez-vous arrêter, avec ce mot ?

Je restai silencieuse.

— De toute façon, à quoi bon lui taper dessus ? Vous vouliez que je fasse un esclandre ? Histoire d'avoir l'air encore plus con ?

— Ça vous aurait soulagé, objectai-je.

— Vous prônez la violence, maintenant ? fit-il en secouant la tête. Si je l'avais frappé, vous auriez demandé pourquoi je n'avais pas fait un tour pour me calmer.

— Donner une bonne correction à votre soi-disant ami qui le méritait de toute évidence, ça vaut mieux que le suicide. Ça marche à tous les coups.

— Allez-vous arrêter avec ce mot, dit-il calmement. Bon Dieu !

— C'est ce que vous avez essayé de faire, Adam.

— Et je recommencerai si vous ne respectez pas notre marché ! hurla-t-il.

Son accès de fureur me prit par surprise. Il se leva et alla vers la baie vitrée qui donnait sur un balcon surplombant O'Connell Street et les toits du Northside.

J'étais sûre que l'histoire d'Adam ne tenait pas à une petite amie infidèle qui l'avait poussé au suicide. Son esprit était certainement dérangé et l'événement avait dû précipiter son passage à l'acte, mais ce n'était pas le moment de l'interroger à ce sujet. Il semblait de nouveau tendu et nous étions tous les deux fatigués, nous avions besoin de dormir.

Il accepta sans faire d'histoire. Le dos tourné, il me dit :

— Vous pouvez dormir dans la chambre, je prendrai le canapé.

En l'absence de réponse de ma part, il se retourna vers moi.

— J'imagine que vous voulez rester.

— Ça ne vous dérange pas ?

— Je crois que ce serait une bonne idée, répondit-il, après un instant de réflexion.

Puis il se tourna pour regarder la vue de la ville.

Il y avait tant de choses que j'aurais pu dire pour récapituler la journée, et lui offrir des paroles d'encouragement positives. J'avais lu assez de livres consacrés à l'épanouissement personnel, il n'y avait que l'embarras du choix pour ce genre de phrases toutes faites. Mais aucune d'elles ne semblait convenir. Si je voulais l'aider à s'en sortir, il faudrait savoir choisir les bons mots mais aussi apprendre à les dire au bon moment.

— Bonne nuit, dis-je.

Je laissai la porte de la chambre entrouverte, car ça ne me plaisait qu'à moitié de le savoir dans la pièce avec balcon. Je l'observai par l'entrebâillement tandis qu'il enlevait son pull, révélant un tee-shirt moulant. Incapable de détourner le regard, je tentai de me convaincre que j'agissais pour sa propre sécurité au cas où il tenterait de s'étouffer avec son pull. Il s'assit sur le canapé puis s'y allongea. Il était trop grand et dut poser ses pieds sur l'accoudoir. Je me sentis alors coupable d'occuper le lit. J'allais le lui dire quand il prit la parole.

— Vous vous rincez l'œil ? demanda-t-il, les yeux fermés, bras croisés sous la tête.

Les joues en feu, je levai les yeux au ciel et m'éloignai de la porte. Je m'assis sur le lit à baldaquin : les flûtes cliquetèrent à côté de moi, puis le seau de glace pilée se renversa et l'eau se répandit sur le lit. Je le reposai sur le bureau et tendis la main vers une fraise enrobée de chocolat quand je remarquai la carte déposée à côté, qui disait : « Pour ma belle *fiancée*, avec tout mon amour, Adam. » Il avait écrit fiancée en français. Il était donc venu à Dublin pour demander sa main. Convaincue que je ne faisais qu'effleurer la surface du problème, je résolus de retrouver cette lettre d'adieu.

J'avais cru que la nuit où j'avais vu Simon Conway se tirer dessus, la nuit où j'avais quitté mon mari et toutes celles qui avaient suivi avaient été les plus longues de ma vie.

Je me trompais.

6

Comment se vider la tête
pour trouver le sommeil

Je n'arrivais pas à dormir. Ce n'était pas inhabituel. Depuis le jour quatre mois auparavant où j'avais réalisé que je voulais mettre fin à mon mariage, j'étais atteinte d'insomnie quasi chronique. Cette pensée n'avait rien de réconfortant. Jusqu'alors, j'avais cherché la voie du bonheur, de la satisfaction, de l'épanouissement, des moyens de sauver mon mariage, pas l'inverse. Mais dès que l'idée que je pouvais m'échapper se forma dans ma tête, elle ne me quitta plus, surtout la nuit, quand je n'avais plus les problèmes des autres pour me distraire du mien. D'habitude, je finissais par suivre les préceptes de mon livre de chevet, *42 trucs pour vaincre l'insomnie* : mariner dans des bains chauds, nettoyer mon frigo, me vernir les ongles, faire du yoga, parfois les deux ou les trois en même temps, à n'importe quelle heure de la nuit, dans l'espoir de trouver le répit. D'autres fois, je m'attelais simplement à cette lecture jusqu'à ce que mes yeux picotent trop et se ferment d'eux-mêmes. Je n'éprouvai jamais le sentiment de partir à la dérive que décrivait le livre. Rien qui ressemblât à cette sensation légère et cotonneuse de « dériver ». J'étais soit réveillée frustrée et épuisée, soit endormie frustrée et épuisée, sans jamais faire l'expérience de ce délicieux glissement d'un monde vers l'autre.

J'avais beau avoir conscience que je ne voulais plus de ce mariage, je n'avais en fait jamais pensé à y mettre un terme. Longtemps j'avais passé mes nuits à me demander comment vivre en étant si malheureuse, jusqu'à ce que je finisse par me rendre compte qu'il pouvait en être autrement. Les conseils que je donnais à mes amis pouvaient s'appliquer à moi-même. Après en avoir pris conscience, j'occupai un nombre incalculable de nuits à fantasmer sur une vie avec quelqu'un d'autre, que j'aimerais vraiment, qui m'aimerait vraiment : nous serions l'un de ces couples chez qui le moindre contact physique, le moindre regard provoque une décharge électrique. Puis je fantasmai sur des relations avec tous les hommes qui m'attiraient, et qui étaient pour la plupart ceux qui avaient montré un peu de gentillesse. Parmi eux Léo Arnold, un client que je me réjouissais d'avoir en rendez-vous. Léo était devenu le sujet de bon nombre de mes fantasmes, ce qui me faisait monter le rose aux joues à chaque fois qu'il entrait dans mon bureau.

Je suis prête à reconnaître qu'au fond, cette situation m'angoissait, je craignais de ne pas être capable de l'affronter, mais puisque désormais j'en avais pris conscience, impossible de faire marche arrière. Le moindre problème entre nous prenait des proportions énormes jusqu'à devenir un signe supplémentaire que notre relation était condamnée. Par exemple lorsque Barry avait fini sa petite affaire avant moi au lit, une fois de plus. Quand il dormait avec ses chaussettes parce qu'il avait toujours froid aux pieds. Et quand il laissait ses rognures d'ongles de pieds dans un petit bol, dans la salle de bains, et ne pensait jamais à le vider à la poubelle. Sans compter cette façon qu'on avait de s'embrasser à peine : les baisers passionnés d'autrefois s'étaient réduits à de petits bisous sur la joue. Et puis j'en avais ras-le-bol de l'entendre ressasser les mêmes histoires, invariablement de vieilles anecdotes de rugby. Si je devais attribuer une couleur à ma vie, ce que j'avais appris dans un livre, notre relation était passée d'une nuance vive, dans les premiers temps de notre relation, à un gris fade et monotone. Je n'étais pas niaise au point de croire que la flamme brillerait éternellement avec la même vigueur tout au long de notre vie conjugale, mais je pensais qu'il aurait dû quand même y rester quelques étincelles après moins de un an de mariage. Avec le recul, je crois que je suis tombée amoureuse de l'idée d'être amoureuse. Et aujourd'hui mon histoire d'amour avec ce rêve était terminée.

Cette nuit-là, dans la suite de l'hôtel Gresham, incapable de trouver le sommeil, tous mes soucis se rappelèrent à moi. L'angoisse de ma rupture avec Barry, les problèmes d'argent qui avaient suivi, ce que les gens pensaient de moi, la peur de ne plus jamais rencontrer quelqu'un et de rester seule toute ma vie, Simon Conway... et maintenant Adam, dont je ne connaissais pas le nom de famille, qui avait tenté de se suicider vingt-quatre heures auparavant, et qui était à présent allongé sur un canapé dans la pièce attenante, à côté d'un balcon très plongeant, d'un minibar plein, et qui attendait de moi que j'arrange ses problèmes avant son trente-cinquième anniversaire dans deux semaines, ainsi que je l'avais promis, sinon il se tuerait.

Cette pensée me donna la nausée. Je sortis de mon lit et allai de nouveau jeter un œil sur lui. Le son de la télévision était coupé et les couleurs clignotantes et changeantes de l'écran dansaient dans la pièce. Je pouvais voir sa poitrine se soulever et s'abaisser. Selon *42 trucs*, de nombreuses options s'offraient pour apaiser mon esprit et dormir ; je choisis de boire des infusions à la camomille en tendant l'oreille vers la chambre d'Adam. J'enclenchai la bouilloire pour la quatrième fois.

— Bon sang, vous ne dormez donc jamais ? me héla-t-il.

— Désolée, je vous ai dérangé ?

— Vous non, mais cette chose à vapeur que vous utilisez, oui.

J'ouvris la porte.

— En voulez-vous une tasse ? Oh, je vois que vous avez assez à boire !

Il y avait trois petites bouteilles vides de Jack Daniel's sur la table basse.

— « Assez » ? Non, pas vraiment, répliqua-t-il. Vous ne pouvez pas me surveiller vingt-quatre heures sur vingt-quatre. À un moment ou un autre, il faudra bien que vous dormiez.

Il finit par ouvrir les yeux et me regarder. Il n'avait absolument pas l'air fatigué. Ni ivre. Juste beau. Parfait.

Je ne voulais pas lui avouer la vraie raison, ou les raisons de mon insomnie.

— Je préférerais dormir ici avec vous, dis-je.

— Cool. Mais c'est un peu trop tôt après ma rupture, donc si vous permettez, je vais décliner l'offre.

Je m'assis quand même sur le canapé.

— Je ne vais pas sauter du balcon, ajouta-t-il.

— Mais vous y avez pensé ?

— Bien sûr. J'ai passé en revue tous les moyens dont je disposais pour me tuer dans cette pièce. Imaginez. J'aurais pu m'immoler.

— Il y a un extincteur, j'aurais éteint l'incendie.

— J'aurais pu me servir de mon rasoir dans la salle de bains.

— Je l'ai caché.

— Me noyer dans la baignoire, ou prendre un bain avec le sèche-cheveux.

— Je vous aurais surveillé dans le bain, et de toute façon il n'y a pas de sèche-cheveux dans les hôtels.

— J'aurais pu me servir de la bouilloire.

— Elle arrive à peine à faire chauffer l'eau. Elle ne pourrait même pas électrocuter une souris. Beaucoup de bruit pour pas grand-chose.

Il émit un petit rire.

— Et ces couteaux peuvent à peine trancher une pomme, alors une veine n'y pensez même pas, ajoutai-je.

Il examina les couverts près de la coupe de fruits.

— Je vais peut-être mettre celui-là de côté quand même, dit-il.

— Vous pensez tout le temps à vous tuer ?

Je me blottis, les jambes repliées sous les fesses, dans le coin du canapé.

Il finit par lâcher le morceau.

— Je n'arrive pas à m'en empêcher. Vous aviez raison sur le pont, c'est vraiment devenu un passe-temps morbide.

— Ce n'est pas exactement ce que j'ai dit. Mais vous savez, il n'y a probablement pas de mal à y songer, tant que vous ne passez pas à l'acte.

— Merci. Au moins vous ne m'empêchez pas de penser.

— Cela vous réconforte, c'est un soutien, je ne vais pas vous en priver, mais ça ne devrait pas être votre seule façon de faire face. Avez-vous déjà parlé à quelqu'un ?

— Bien sûr, c'est le meilleur sujet de conversation quand vous faites du speed-dating. Qu'est-ce que vous croyez ?

— Avez-vous pensé à une thérapie ?

— Je viens d'y avoir droit pendant une nuit et un jour.

— Je crois que vous pourriez y consacrer plus de temps.

— La thérapie, très peu pour moi.

— C'est probablement la meilleure solution en ce moment.

— Je croyais que c'était vous, la meilleure solution, rétorqua-t-il en me regardant. Ce n'est pas ce que vous avez dit : Restez avec moi, et je vous montrerai combien la vie peut être merveilleuse ?...

Je sentis à nouveau la panique m'envahir à l'idée qu'il place toute sa confiance en moi.

— Je compte bien le faire. Je me demandais seulement... votre petite amie sait-elle comment vous vous sentez ?

— Maria ? Je ne sais pas. Elle n'arrêtait pas de dire que j'avais changé, que j'étais distrait, en retrait. Que je n'étais plus le même. Mais, non, je ne lui ai jamais dit ce que je ressentais.

— Vous étiez déprimé.

— Appelez ça comme vous voulez. Ça n'aide pas, quand vous faites de votre mieux pour être enjoué et que quelqu'un n'arrête pas de vous dire que vous n'êtes plus le même, que vous êtes déprimé, pas excitant ou spontané. Bon Dieu, qu'est-ce que je pouvais bien faire d'autre ? J'essayais de garder la tête hors de l'eau, expliqua-t-il en soupirant. Elle croyait que ça avait un rapport avec mon père. Et avec le boulot.

— Ce n'était rien de tout ça ?

— Ah, je ne sais pas !

— Et personne ne vous a aidé ?

— Non, personne.

— Alors parlez-moi de ce boulot qui vous stresse.

— Ça ressemble à une séance de thérapie, avec moi qui suis allongé ici et vous assise là, dit-il en levant les yeux au plafond. J'ai obtenu un congé de ma boîte pour aller donner un coup de main à l'entreprise de mon père pendant sa maladie. Je le déteste, mais ça allait parce que c'était temporaire. Sauf que la maladie de père s'est aggravée, et j'ai dû rester plus longtemps. Cela a été difficile de convaincre mes employeurs de prolonger mon congé, et maintenant le médecin dit que l'état de mon père ne s'améliorera pas. Il est en phase terminale. Et j'ai appris la semaine dernière que j'ai été licencié, mes employeurs ne peuvent plus se permettre de m'accorder davantage de congés.

— Donc, vous avez perdu votre père et votre boulot. Et votre petite amie. Et votre meilleur ami, dis-je pour résumer. Le tout, en une semaine.

— Eh bien, merci de me le rappeler avec tant de délicatesse.

— J'ai quatorze jours pour tout arranger, je n'ai pas le temps de tourner autour du pot, répliquai-je d'un ton léger.

— En fait, treize.

— À la mort de votre père, ce n'est pas vous qui allez lui succéder, si ?

— C'est bien le problème. C'est une entreprise familiale. Mon grand-père a laissé l'entreprise à mon père, ensuite elle me reviendra, et ainsi de suite.

Le simple fait d'en parler fit grimper la tension de quelques degrés. Réalisant qu'il me fallait prendre des gants, je lui demandai :

— Avez-vous dit à votre père que vous ne vouliez pas du poste ?

Il éclata d'un rire amer.

— Vous ne connaissez pas ma famille, manifestement. Quoi que je puisse lui dire, ça n'a aucune importance : le poste me revient, que ça me plaise ou non. Selon le testament de mon grand-père, l'entreprise appartient à mon père de son vivant, puis revient à ses enfants. Si je ne prends pas cette fonction, elle sera transmise au fils de mon oncle, et sa famille en héritera.

— Voilà qui vous sauve.

Il enfouit sa tête dans ses mains et se frotta les yeux de frustration.

— Ça ne fait que m'enfoncer. Écoutez, j'apprécie vos efforts, mais vous ne comprenez pas la situation. C'est trop compliqué pour que je vous l'explique, mais disons juste que cette merde familiale dure depuis des années et que je me retrouve propulsé en plein milieu de ça.

Ses doigts tremblaient. Il ne cessait de les frotter nerveusement sur son jean sans même s'en rendre compte. Il était temps de trouver un moyen d'alléger l'atmosphère.

— Quel est ce travail que vous aimez tant ?

Il me regarda, d'un air taquin.

— À votre avis ?

— Mannequin ? fis-je après l'avoir longuement dévisagé.

Il se leva d'un bond, si brusquement que je crus qu'il allait se jeter sur moi. À la place, il me considéra d'un air stupéfait.

— Vous plaisantez ?

— Vous n'êtes pas mannequin ?

— Pourquoi diable pensez-vous que je suis mannequin ?

— Parce que...

— Parce que quoi ?

Il était complètement scié. C'était la première fois que je le voyais réagir avec autant de passion.

— Ne me dites pas qu'on ne vous a jamais posé la question ?

— Jamais de la vie ! dit-il en secouant la tête.

— Oh ! Même pas votre petite amie ?

— Non !

Il éclata soudain de rire, un beau rire qui donnait envie de l'entendre à nouveau.

— Vous vous moquez de moi ! dit-il en s'allongeant de nouveau sur le canapé les pieds en l'air.

Son rire et son sourire avaient disparu.

— Non. Il se trouve que vous êtes le plus bel homme que j'aie jamais vu, donc j'ai pensé que vous pourriez être mannequin, expliquai-je posément. Ça ne sortait pas de nulle part.

Il me regarda, radouci, un peu gêné, cherchant à comprendre si je plaisantais. Mais je ne plaisantais pas. Le moins qu'on puisse dire, c'est que j'étais mortifiée. Je n'avais pas voulu dire ça comme ça, juste qu'il était séduisant, mais j'avais tout débité de travers parce que en fait j'avais vraiment sorti ce que je pensais.

— Alors, quel est votre métier ? repris-je pour changer de sujet, en faisant semblant d'enlever des peluches de mon jean pour ne pas avoir à croiser son regard.

— Ça va vous plaire.

— Allez-y.

— Je délivre des messages que j'accompagne de strip-tease. Je suis une sorte de Chippendale. Parce que je suis tellement beau, et tout ça...

J'écarquillai les yeux et me redressai dans le canapé.

— Ah, je plaisante, c'est tout ! Je suis pilote d'hélicoptère chez les gardes-côtes irlandais.

Je restai bouche bée.

— Vous voyez, je vous avais dit que ça vous plairait, dit-il en me regardant attentivement.

— Vous sauvez des gens, bredouillai-je.

— Nous avons tellement de choses en commun, vous et moi !

Impossible qu'Adam reprenne son travail dans cet état. Hors de question que je l'y autorise ; ni moi ni ses employeurs ne pouvions le laisser faire.

— Vous avez dit que l'entreprise familiale revenait aux enfants de votre père après sa mort. Vous avez des frères et sœurs ?

— J'ai une sœur aînée. C'est la première sur la liste de succession, mais elle a déménagé à Boston. Elle a dû partir là-bas quand on a découvert que son mari avait volé des millions à ses amis en montant une escroquerie fondée sur la chaîne de Ponzi. Il était censé investir pour eux, mais au lieu de cela il a dépensé l'argent. Il m'en a pris un peu à moi aussi. Et beaucoup à mon père.

— Oh, votre pauvre sœur !

— Lavinia ? C'était sans doute elle le cerveau derrière tout ça. Mais ce n'est pas tout, c'est beaucoup plus compliqué que ça. L'entreprise aurait dû autrefois revenir à mon oncle, qui était l'aîné des frères, mais c'est un salopard égoïste et mon grand-père savait qu'il ruinerait l'entreprise s'il s'en occupait, alors il l'a léguée à père. Résultat, la famille se scinda entre ceux qui défendaient oncle Alan, et ceux qui prenaient parti pour mon père. Donc si je ne prends pas la suite, et que l'entreprise tombe dans les mains de mon cousin… c'est compliqué à expliquer à quelqu'un qui ne fait pas partie de la famille. Vous ne pouvez pas savoir à quel point c'est difficile d'abandonner quelque chose, même si c'est quelque chose qui ne vous inspire que du mépris. C'est sans doute une question de loyauté.

— J'ai quitté mon mari la semaine dernière, intervins-je soudain.

C'était sorti tout seul ! Mon cœur tambourinait dans ma poitrine. Cela devait être la première fois que je le formulais tout haut à quelqu'un. Je voulais le quitter depuis très longtemps, sans oser le faire parce que je voulais être la femme loyale qui respectait ses vœux. Je savais exactement ce que voulait dire Adam quand il parlait de loyauté.

Il me regarda, surpris, et me scruta un moment, comme s'il se demandait si je disais vrai.

— Qu'est-ce qu'il faisait ?

— Il est électricien, pourquoi ?

— Non, je veux dire, pourquoi l'avez-vous quitté ? Qu'a-t-il fait de mal ?

J'avalai ma salive et je m'absorbai dans la contemplation de mes ongles.

— Il n'a rien fait de mal, en fait. Il... je n'étais pas heureuse.

Il souffla très fort, et reprit son sérieux.

— Donc vous cherchez votre bonheur à ses dépens.

Je savais qu'il pensait à sa petite amie.

— Ce n'est pas une philosophie que j'ai envie de prêcher, me justifiai-je.

— Mais vous la pratiquez.

— Vous ne pouvez pas savoir à quel point c'est dur de quitter quelqu'un.

— Touché.

— Il faut évaluer les risques, dis-je. Ensemble, nous aurions été malheureux le reste de notre vie. Il s'en remettra. Bien plus vite qu'il ne le croit.

— Et si ce n'est pas le cas ?

Je ne sus que répondre. Je n'y avais jamais réfléchi. J'étais sûre que Barry se remettrait de mon départ, forcément.

Adam disparut après cela. Il était toujours dans la pièce, mais il était perdu dans ses pensées, sans doute pour envisager l'avenir entre lui et sa petite amie. L'oublier était hors de question, il voulait la reconquérir. Et si sa petite amie ressentait pour Adam la même chose que j'éprouvais pour Barry, il n'y avait pas le moindre espoir.

— Alors, et vous, qu'est-ce que vous faites dans la vie ? s'enquit-il, comme s'il venait soudain de réaliser qu'il ne savait rien sur la femme qui avait décidé de lui sauver la vie.

— Qu'est-ce que vous croyez que je fais ? dis-je en rentrant dans son jeu.

Il ne réfléchit pas très longtemps.

— Vous travaillez pour une œuvre de charité ?

Je m'esclaffai.

— N'importe quoi !

J'examinai ma tenue, me demandant si mon jean, ma chemise en denim et mes Converse avaient l'air de sortir de ce genre d'endroit. C'était décontracté, d'accord, mais tout était neuf, et le total look denim revenait à la mode.

— Ce n'est pas une question de vêtements, dit-il en souriant. C'est plutôt que... vous me paraissez être une personne altruiste. Peut-être vétérinaire, ou quelque chose en rapport avec des soins aux animaux ? Je brûle ? ajouta-t-il en haussant les épaules.

— Je travaille dans le recrutement, répondis-je en me raclant la gorge.

Son sourire disparut. Sa déception était palpable, son inquiétude encore plus. Et il ne fit rien pour le dissimuler.

Dans quelques heures il me resterait douze jours. Et jusqu'à présent, pas le moindre progrès.

7

Comment construire une amitié et gagner la confiance de quelqu'un

Si on m'avait posé la question, j'aurais juré que je n'avais pas fermé l'œil de la nuit, j'en aurais mis ma main à couper mais au lieu de me réveiller parce que le matin était enfin arrivé, je fus tirée du sommeil par le bruit de l'eau. Comme je ne pensais pas m'être endormie, il me fallut un moment pour me rappeler où j'étais. Je fus tout de suite en pleine possession de mes moyens, sans passer par la phase brumeuse. Quand je découvris que le canapé où Adam avait dormi était vide, je bondis, me précipitai dans la chambre en me cognant au passage le genou contre la table basse et le coude contre le chambranle de la porte. Sans réfléchir, je déboulai dans la salle de bains où je me retrouvai face à une paire de fesses toutes nues, ravissantes et musclées qui n'avait pas dû voir le soleil depuis longtemps. Adam tourna la tête, ses boucles blondes aplaties plaquées sur son visage, plus foncées car elles étaient mouillées. Je ne pouvais pas m'empêcher de le dévorer des yeux.

— Ne vous inquiétez pas, je suis vivant, dit-il, de nouveau amusé.

Je sortis de la salle de bains en vitesse, refermai la porte en retenant un gloussement incongru et me dépêchai d'aller dans les toilettes pour invités afin de retrouver une apparence décente après une nuit en total look denim. Quand je ressortis du salon, l'eau coulait toujours dans la salle de bains. Au bout de dix minutes, elle coulait encore. Je me mis à faire les cent pas dans la chambre. Que faire ? Entrer une première fois était une erreur, une seconde serait vraiment louche, mais je n'étais pas sûre qu'il soit opportun de me soucier de l'image que je renvoyais devant un homme qui avait tenté de se suicider la veille, d'autant plus qu'à part rétrécir au lavage je ne voyais pas quel mal il pourrait se faire làdedans. J'avais enlevé les verres posés près du lavabo pour qu'il ne puisse pas se blesser et je n'avais pas entendu de bruit de miroir brisé. J'allais ouvrir de nouveau la porte de la salle de bains quand j'entendis le bruit. Ténu, tout d'abord, puis étouffé, si chargé de douleur, si profond et désespéré que je retirai la main de la poignée et plaquai mon oreille contre la porte, profondément désireuse de le réconforter. J'écoutai ses sanglots avec un sentiment d'impuissance.

Puis je me rappelai la lettre d'adieu. Si je ne mettais pas la main dessus avant qu'il ne sorte de la douche, je ne la verrais jamais. Je balayai la pièce du regard et repérai ses vêtements éparpillés dans un coin, son jean jeté sur son sac de voyage. Je palpai chaque poche et finis par trouver la feuille pliée. Je la dépliai en espérant mieux comprendre les raisons de sa tentative de suicide, mais au lieu de cela je tombai sur des mots gribouillés dans tous les sens, dont certains étaient raturés, d'autres soulignés et je compris vite que ce n'était pas du tout une lettre d'adieu : c'était sa déclaration à Maria, écrite et réécrite jusqu'à être parfaite.

Le téléphone d'Adam vibra, détournant mon attention. Il était posé à côté des vêtements propres qu'il avait préparés pour aujourd'hui. Le téléphone arrêta de sonner et je lus sur l'écran *dix-sept appels manqués*. Il sonna de nouveau. *Maria*. Je pris une décision rapide, qui ne demandait pas beaucoup de réflexion. Je répondis.

J'étais en pleine discussion avec elle quand je réalisai que la douche avait arrêté de couler. D'ailleurs, ça faisait un moment que je ne l'entendais plus. Je me retournai, le téléphone toujours à l'oreille. Adam était dans l'encadrement de la porte de la salle de bains, depuis un moment manifestement, la serviette nouée autour de la taille, la peau sèche et l'air furieux. Je m'excusai rapidement et raccrochai. Je pris la parole sans lui laisser le temps de me reprocher quoi que ce soit.

— Vous aviez dix-sept appels manqués sur votre téléphone. J'ai pensé que c'était peut-être important, alors j'ai répondu. Et puis, si l'on veut que ça marche entre nous, vous allez devoir tout me dire de votre vie, pas de rétention d'informations ni de secrets.

Je fis une pause pour m'assurer qu'il comprenait bien. Il ne fit aucune objection.

— C'était Maria. Elle était inquiète pour vous. Elle avait peur que vous ne vous fassiez du mal après la nuit dernière. Cela fait un an qu'elle s'inquiète pour vous, et c'est pire depuis neuf mois. Elle avait l'impression de ne plus parvenir à communiquer avec vous, alors elle s'est tournée vers Sean pour lui demander de l'aide, afin qu'ils cherchent une solution à deux. Elle a résisté, mais elle a craqué pour Sean. Ils ne voulaient pas vous blesser. Ils sont ensemble depuis six semaines, et elle ne savait pas comment vous le dire. Elle pensait que vous étiez déprimé par le départ de votre sœur d'Irlande, par la perte de votre travail, et par la maladie de votre père. Et à chaque fois qu'elle était sur le point de vous parler, une mauvaise nouvelle tombait. Elle voulait vous avouer pour elle et Sean, mais vous avez appris que la maladie de votre père était incurable. Elle avait fini par organiser un rendez-vous avec vous la semaine dernière pour vous le dire enfin, à la place vous lui avez révélé que vous aviez été licencié. Elle aurait voulu que vous l'appreniez autrement.

Je guettai sa réaction alors qu'il digérait ces informations. Il était fou de rage, la colère transpirait par tous les pores de sa peau mais je voyais aussi son chagrin, il était vraiment si fragile, si délicat, si dévasté qu'il semblait sur le point de s'écrouler.

— Elle a semblé décontenancée que je réponde, continuai-je. Elle semblait vexée, presque furieuse contre moi d'ignorer mon existence. Elle a dit qu'en six ans de vie commune elle pensait connaître tous vos amis. Elle était jalouse.

Sa colère eut l'air de s'atténuer, à la pensée qu'elle était jalouse de lui et d'une autre femme, comme si on avait versé de l'eau sur le brasier de sa colère.

J'hésitai à finir, mais me fis le pari que ça pourrait faire de l'effet.

— Elle a dit qu'elle ne vous reconnaissait plus. Qu'avant, vous étiez drôle, drôle et spontané. Et que vous aviez perdu l'étincelle qui faisait votre charme.

Ses yeux se remplirent de larmes, mais il toussa et secoua la tête, retrouvant l'aspect mec macho.

— Nous allons vous remettre sur les rails, Adam, je vous le promets. Qui sait, peut-être qu'elle reconnaîtra l'homme dont elle était tombée amoureuse, et retombera amoureuse. Nous rallumerons cette petite étincelle.

Je lui laissai le temps de la réflexion et attendis dans le salon en me rongeant nerveusement les ongles. Il apparut sur le seuil vingt longues minutes plus tard, habillé, les yeux secs, dissimulant toute preuve visible de son désespoir.

— Petit déjeuner ? dit-il.

Le buffet du restaurant était particulièrement bien garni et les clients faisaient plusieurs allers-retours pour rentabiliser la formule « buffet à volonté ». Nous lui tournions le dos, et faisions face à deux tasses de café noir et des assiettes vides.

— Alors vous ne mangez pas, vous ne dormez pas et nous aimons tous les deux sauver des gens. Qu'avons-nous d'autre en commun ? demanda Adam.

J'avais perdu l'appétit depuis trois mois, quand j'avais réalisé que mon mariage ne me rendait pas heureuse. Résultat, j'avais perdu du poids, même si je travaillais à y remédier avec mon livre *Comment retrouver l'appétit*.

— Des ruptures, suggérai-je.

— C'est vous qui êtes partie. Moi, on m'a quitté. Ça ne compte pas.

— N'en faites pas une affaire personnelle, que j'aie quitté mon mari.

— Je fais ce que je veux.

Je poussai un soupir.

— Alors parlez-moi de vous. Maria a dit que depuis un an vous aviez perdu votre petite étincelle de fantaisie, ça m'a marquée.

— Oui, moi aussi, interrompit-il avec un intérêt feint. Je me demande si elle s'est rendu compte de ça avant ou après avoir baisé mon meilleur ami, ou peut-être pendant. Ce ne serait pas super ?

Je ne répliquai pas, le laissant faire son show.

— Qu'avez-vous ressenti quand votre mère est décédée ? Comment vous êtes-vous comporté ?

— Pourquoi ?

— Parce que cela m'aide à y voir plus clair.

— Et moi, ça va m'aider ?

— Votre mère est morte, votre sœur est partie très loin, votre père est malade, votre petite amie a rencontré quelqu'un d'autre. Je crois que son départ a tout déclenché. Peut-être ne pouvez-vous pas assumer que les gens vous quittent, que vous vous sentez abandonné. Vous savez, si vous apprenez à identifier l'origine du problème, cela peut vous aider à prendre conscience de ces pensées négatives, avant qu'il ne soit trop tard. Peut-être que quand quelqu'un vous quitte aujourd'hui cela vous ramène à ce que vous avez ressenti quand vous aviez cinq ans.

Je m'impressionnai moi-même, mais apparemment j'étais la seule.

— Je crois que vous devriez arrêter de jouer les psys.

— Et moi, que vous devriez aller en voir un vrai, mais pour une raison que j'ignore vous vous y refusez, et je suis votre meilleure chance pour l'instant.

Ça le fit taire. Mais j'espérais quand même l'y conduire, un jour ou l'autre.

Adam soupira et s'enfonça sur sa chaise, les yeux fixés sur le lustre comme si c'était de là que venait la question.

— J'avais cinq ans, Lavinia en avait dix. Maman avait un cancer. C'était très triste pour tout le monde, même si je ne comprenais pas. Je n'étais pas triste, je savais que c'était comme ça, c'est tout. J'ignorais qu'elle avait un cancer, ou, si je le savais, ça ne voulait rien dire pour moi. Ce dont j'étais certain, c'était qu'elle était malade. Elle avait été installée dans une pièce au rez-de-chaussée, où nous n'avions pas le droit d'aller. Cela a duré quelques semaines ou quelques mois, je ne m'en souviens pas vraiment. Ça m'a paru une éternité. Nous ne devions pas faire de bruit près de la porte. Des messieurs entraient et sortaient avec des sacoches de médecins, et m'ébouriffaient les cheveux au passage. Père entrait rarement dans la pièce. Puis un jour, la porte est restée ouverte. J'y suis entré, il y avait un lit qui n'était pas là avant. Il était vide, mais à part ça la pièce avait exactement le même aspect que d'habitude. Le médecin qui m'ébouriffait toujours les cheveux m'a dit que ma mère était partie. Je lui ai demandé où, il m'a répondu au Ciel. Alors, j'ai compris qu'elle ne reviendrait pas. C'était là que mon grand-père était allé un jour, et il n'était jamais revenu. J'ai pensé que cela devait être un super-endroit pour qu'on ne veuille jamais en revenir. Nous sommes allés à l'enterrement. Tout le monde était très triste. Je suis resté quelques jours chez ma tante. Puis on m'a envoyé en pension.

Il raconta tout cela avec détachement, sans manifester le moindre signe d'émotion, comme s'il se barricadait pour s'éviter une souffrance insupportable. Je me dis que c'était trop difficile à supporter pour lui d'endurer cette douleur. Il semblait lointain, absent, et je croyais à la sincérité de chaque mot qu'il prononçait.

— Votre père n'a pas parlé avec vous de ce qui est arrivé à votre mère ?

— Mon père n'exprime pas ses émotions. Par exemple, après avoir été informé qu'il ne lui restait que quelques semaines à vivre, il a demandé qu'on installe un fax dans sa chambre d'hôpital.

— Votre sœur était-elle expansive ? Pouviez-vous en parler ensemble, afin de comprendre la situation ?

— Elle a été envoyée en pension à Kildare, et nous ne nous voyions que quelques jours pendant les vacances. Le premier été où nous sommes revenus à la maison après la mort de ma mère, elle a installé un stand au vide-greniers du village et a vendu les chaussures de ma mère, ses sacs, ses manteaux de fourrure, ses bijoux, tout ce qui avait un peu de valeur et elle s'est fait une petite fortune. Elle a tout vendu, et on n'a rien pu racheter quand on s'est rendu compte de ce qu'elle avait fait quelques semaines plus tard. Elle avait déjà presque tout dépensé. C'était pratiquement une étrangère pour moi, et ça n'a rien arrangé. Elle est de la même étoffe que mon père. Elle est plus intelligente que moi, c'est seulement dommage qu'elle n'utilise pas cette intelligence à meilleur escient. C'est elle qui devrait prendre la place de père, pas moi.

— Vous êtes-vous fait de bons amis en pension ?

J'espérais que le petit Adam avait atterri dans un cercle où il aurait été chéri et aimé, je voulais un dénouement heureux quelque part.

— C'est là que j'ai rencontré Sean.

Ce n'était pas l'événement heureux que j'espérais, puisque cette personne en qui il avait confiance l'avait trahi. Incapable de me retenir, je tendis ma main et la posai sur la sienne. Ce geste le fit se raidir, aussi la retirai-je vite.

— Bon, si on laissait tomber ces fadaises et qu'on allait directement au cœur du problème ? dit-il en croisant les bras.

— Ce ne sont pas des fadaises. Je crois que le décès de votre mère quand vous aviez cinq ans est fondamental, cela a affecté votre comportement passé et présent, vos émotions, la façon dont vous appréhendez les choses.

C'était ce que disait le livre, et d'après mon expérience personnelle c'était vrai.

— À moins que votre mère ne soit morte quand vous aviez cinq ans, je crois que c'est le genre de chose qui ne s'apprend pas dans les livres. Je suis grand, passons à autre chose.

— C'est le cas.

— Quoi ?

— Ma mère est morte quand j'avais quatre ans, bredouillai-je.

— Je suis désolé, dit-il, visiblement très surpris.

— Merci.

— Alors, comment cela vous a-t-il affectée ? demanda-t-il doucement.

— Ce n'est pas moi qui veux me suicider pour mes trente-cinq ans, alors passons à autre chose, dis-je d'un ton sec pour qu'il recommence à me parler de lui.

À son air étonné, je compris que j'avais eu l'air bien plus furieuse que prévu. Je fis un effort pour me reprendre.

— Désolée. Je voulais dire que si vous ne me parlez pas, Adam, comment voulez-vous que je vous aide ? Qu'attendez-vous de moi ?

Il se pencha vers moi, baissa le ton et se mit à marteler la table du doigt pour montrer l'importance de ses propos.

— Je vais avoir trente-cinq ans samedi prochain, je n'ai pas particulièrement envie de faire la fête, mais je ne sais pas pourquoi c'est ce que ma famille a prévu pour moi, et par famille je n'entends pas ma sœur Lavinia, parce que la seule manière pour elle de se montrer en Irlande sans qu'on lui passe les menottes aux poignets, c'est sur Skype. Je veux dire la famille de l'entreprise. La soirée aura lieu à l'Hôtel de Ville de Dublin, c'est l'événement, et je préférerais ne pas y être. Mais je n'ai pas vraiment le choix parce que le conseil d'administration a choisi ce jour-là pour annoncer officiellement que je prends les rênes de l'entreprise alors que mon père est encore en vie, pour montrer implicitement que j'ai son approbation. C'est dans douze jours. Étant donné la gravité de son état, ils ont tenu une réunion la semaine dernière pour voir si l'on ne pouvait pas avancer la date de ma soirée d'anniversaire. Je leur ai dit qu'il n'en était pas question. D'abord, je ne veux pas de ce poste. Je n'ai pas encore réfléchi aux détails, mais j'annoncerai le nom de quelqu'un d'autre pour le poste ce soir-là. Et si je dois traverser cette foutue salle de l'Hôtel de Ville devant tout le monde, je veux que Maria revienne, soit à mes côtés et me tienne la main, comme c'était prévu.

Sa voix se brisa et il lui fallut un moment pour se reprendre.

— J'y ai réfléchi et j'ai compris, continua-t-il. J'ai changé. Je n'ai pas été là pour elle quand elle avait besoin de moi, elle était inquiète, elle s'est tournée vers Sean et il a profité de la situation. Je suis allé à Benidorm avec lui quand nous avons eu notre diplôme de fin d'études, et j'ai fait la fête avec lui tous les week-ends depuis nos treize ans. Croyez-moi, je sais comment il peut se comporter avec les femmes. Pas elle.

J'ouvris la bouche pour protester, mais Adam leva un doigt en signe d'avertissement et poursuivit.

— J'aimerais aussi récupérer mon boulot chez les gardes-côtes, et que tous les gens qui travaillent dans l'entreprise de mon père depuis une centaine d'années me lâchent la jambe parce que c'est moi qu'on a nommé pour le remplacer et pas l'un d'eux. Si j'avais le choix, je laisserais cette saleté de poste à n'importe lequel d'entre eux. Aujourd'hui ça semble improbable, mais vous allez m'aider. Il faut que nous changions les volontés de mon grand-père. Lavinia et moi ne pouvons pas reprendre l'entreprise, mais elle ne doit pas non plus tomber entre les mains de mon cousin Nigel. Ce serait la fin de la boîte. Il faut que je trouve une solution. En l'absence de solution, je suis prêt à me noyer dans un putain de fleuve s'il le faut, mais je refuse qu'il en soit autrement.

Il martela la table avec un couteau à beurre pour souligner ces derniers mots. Il me regarda, les yeux écarquillés, tendus, menaçant, comme pour me mettre au défi de m'en aller et de le laisser tomber.

Le moins qu'on puisse dire c'est que c'était tentant. Je me levai.

Une expression de satisfaction se peignit sur son visage : il avait réussi à décourager une nouvelle personne, ce qui lui laissait libre cours dans ses projets d'autodestruction.

— OK ! m'exclamai-je en tapant des mains, comme pour ordonner l'évacuation de la salle. Nous avons fort à faire si nous voulons y arriver. J'imagine qu'il est hors de question de retourner à votre appartement pour le moment, alors vous pouvez habiter chez moi. Il faut que je rentre me changer, puis récupérer certaines choses au bureau, et que j'aille dans un magasin, je vous expliquerai plus tard. Mais d'abord, je dois récupérer ma voiture. Vous venez ?

Il me regarda, surpris que je ne l'abandonne pas comme il se l'était imaginé, puis il prit son manteau et me suivit.

Mon téléphone se mit à sonner quand nous fûmes dans le taxi.

— C'est le troisième appel de suite. Vous n'écoutez jamais vos messages. Ce n'est pas très encourageant pour moi, quand je serai en équilibre sur un pont quelque part à la recherche d'une oreille à qui parler.

— Ce ne sont pas des appels, ce sont des messages sur ma boîte vocale.

— Comment le savez-vous ?

Je le savais parce qu'il était huit heures du matin. Et il ne se passait qu'une seule chose dans ma vie à cette heure-là.

— Je le sais, c'est tout.

— Vous avez dit « pas de secrets », vous vous rappelez ? dit-il d'un air inquisiteur.

Je réfléchis à ça, et dévorée par la culpabilité d'avoir lu sa « demande », qui était en ce moment dans ma poche, je lui tendis mon téléphone.

Il composa le numéro de ma messagerie et écouta. Dix minutes plus tard, il me rendit le téléphone.

Je guettai sa réaction.

— C'était votre mari. Mais vous êtes sûrement déjà au courant. Il a dit qu'il gardait le poisson rouge et qu'il demandait à son avocat d'effectuer les démarches administratives nécessaires pour que vous n'ayez plus jamais légalement le droit d'en posséder un. Il pense aussi pouvoir vous faire interdire l'entrée dans les animaleries. Il n'est pas certain d'avoir gain de cause pour l'interdiction de fréquenter les fêtes foraines, mais il veillera personnellement à vous y suivre et vous battre à chaque stand, pour être sûr que vous ne gagnerez aucun lot.

— C'est tout ?

— Dans le second message il vous a traitée vingt-cinq fois de salope. Je n'ai pas compté. Lui, si. Il a dit que ça faisait vingt-cinq fois, que vous étiez une salope multipliée par vingt-cinq. Et après, il l'a dit vingt-cinq fois.

Je lui repris le téléphone et soupirai. Barry ne semblait pas du tout se calmer. En fait, c'était de pire en pire. Il semblait gagné par l'hystérie. C'était le poisson rouge, maintenant ? Il l'avait en horreur. Sa nièce le lui avait offert pour son anniversaire, parce que le frère de Barry détestait aussi les poissons rouges, donc techniquement c'était un cadeau qu'elle se faisait à elle-même, en dépôt chez nous pour qu'elle puisse le voir et le nourrir quand elle venait nous voir. Qu'il garde son satané poisson !

— En fait, fit Adam en me reprenant le téléphone avec un air malicieux, je voudrais compter, parce que ce serait drôle s'il avait mal compté, non ?

Il écouta de nouveau la boîte vocale, sur haut-parleur, et chaque fois que Barry crachait le mot d'un ton venimeux où, à chaque syllabe, on entendait suinter la méchanceté, l'amertume et la tristesse, Adam faisait le compte sur ses doigts avec un grand sourire. À la fin du message il eut l'air déçu.

— Non. Vingt-cinq salopes.

Il me rendit le téléphone et regarda par la vitre. Nous restâmes silencieux quelques minutes avant que mon téléphone sonne de nouveau.

— Et moi qui croyais avoir des problèmes, dit-il.

8

Comment présenter
des excuses sincères à une personne
que l'on estime avoir blessée

— Alors, c'est lui ?

— Oui, murmurai-je en m'asseyant sur la chaise à côté du lit de Simon Conway.

— Il ne peut pas vous entendre, vous savez, dit Adam en élevant la voix au-dessus de la normale. Ce n'est pas la peine de chuchoter.

— Chut !

J'étais irritée par son manque de respect, et son besoin évident de prouver qu'il n'était pas affecté par ce qu'il voyait. Eh bien, moi j'étais profondément affectée, et je n'avais pas peur de le reconnaître. Je me sentais à fleur de peau. À chaque fois que je regardais Simon, je revivais le moment où il s'était tiré dessus. J'entendais le « bang » qui m'avait laissé des bourdonnements dans les oreilles. Je passais en revue les mots que j'avais prononcés qui l'avaient décidé à reposer son revolver sur le comptoir de la cuisine. Ça se passait bien, sa résolution avait faibli, le courant passait entre nous. Mais j'avais été grisée par un sentiment d'euphorie et j'avais perdu le fil de mes paroles, d'ailleurs je ne saurais dire si j'avais dit quoi que ce soit. Je fermai les yeux très fort et essayai de me souvenir.

— Je suis donc censé ressentir quelque chose, en ce moment ? s'enquit Adam, me tirant brusquement de mes pensées. Est-ce un message, de la psychologie de comptoir pour me faire comprendre la chance que j'ai d'être là alors que lui est ici ? dit-il d'un air de défi.

Je le foudroyai du regard.

— Qui êtes-vous ?

Je bondis de ma chaise à la vue de la femme qui était entrée dans la chambre et nous interpellait. La trentaine bien avancée, elle tenait deux petites filles blondes par la main, qui la regardaient avec de grands yeux bleus interrogateurs. Jessica et Kate. Je me souvins que Simon m'avait parlé d'elles. Jessica était triste que son lapin de compagnie soit mort, et Kate lui faisait tout le temps croire qu'elle le voyait quand Jessica regardait ailleurs, pour lui remonter le moral. Il s'était demandé si Kate ferait pareil pour lui quand il aurait disparu et je lui avais dit qu'il ne fallait pas se poser la question, et qu'elles n'auraient pas à vivre ça s'il restait en vie pour elles. La femme avait l'air bouleversée. L'épouse de Simon, Susan. Je ressentis des palpitations dans la poitrine et une douleur lancinante à la pensée de mon rôle dans cette histoire. J'essayai de me rappeler ce qu'avait dit Angela, ce que tout le monde avait dit : ce n'était pas ma faute, j'avais seulement tenté d'aider, ce n'était pas ma faute.

— Bonjour, bredouillai-je en guise d'entrée en matière maladroite.

Il y eut à peine quelques secondes de silence, mais cela me sembla une éternité. Le visage de Susan n'était ni avenant ni chaleureux et n'inspirait pas la confiance. Cela ne fit rien pour calmer ma nervosité et je me sentis encore plus coupable. Je sentais le regard d'Adam posé sur moi, sa sauveuse, qui donnait des leçons de confiance en soi et de force intérieure et qu'il voyait s'empêtrer devant ses yeux.

Je m'avançai, tendis la main, déglutis péniblement et entendis le tremblement dans ma voix quand je pris la parole.

— Je m'appelle Christine Rose. J'étais avec votre mari le soir où..., commençai-je en regardant les deux petites filles qui me dévoraient des yeux. La nuit de l'accident. J'aimerais juste dire que...

— Sortez, dit doucement Susan.

— Pardon ?

J'avalais ma salive, la bouche soudain sèche.

Mon pire cauchemar devenait réalité ! J'avais vécu cette scène un millier de fois, avec des variantes à travers les yeux de nombreuses personnes, elle hantait mes nuits ou me réveillait à l'aube mais je ne pensais pas que cela se produirait ainsi un jour. Je croyais que mes peurs étaient irrationnelles, la seule chose qui les avait rendues supportables, c'était de savoir qu'elles n'étaient pas réelles.

— Vous m'avez bien entendue, répéta-t-elle en poussant ses filles devant elle dans la chambre, pour me dégager le passage jusqu'à la porte.

Je restai pétrifiée. Ça ne pouvait pas se passer ainsi ! Il fallut qu'Adam pose une main sur mon épaule et me pousse doucement pour que je reprenne mes esprits. Nous n'échangeâmes pas une parole avant d'être remontés dans la voiture. Adam voulut prendre la parole, mais je le devançai.

— Je ne veux pas parler de ça, marmonnai-je en retenant mes larmes.

— OK, concéda-t-il avec gentillesse.

Il sembla sur le point d'ajouter quelque chose, mais il s'arrêta et regarda par la fenêtre.

J'aurais bien voulu savoir ce qu'il s'apprêtait à dire.

J'ai grandi à Clontarf, une banlieue sur la côte, au nord de Dublin. Quand j'ai rencontré Barry, j'ai gentiment accepté de déménager à Sandymount, de son côté de la ville. Nous vivions dans sa garçonnière parce qu'il voulait être proche de sa mère, qui ne m'aimait pas car je faisais partie de l'Église d'Irlande, même si je n'étais pas pratiquante. D'ailleurs, je ne sais pas trop ce qui la dérangeait le plus des deux. Après être sorti avec moi pendant six mois, Barry m'avait demandée en mariage, sans doute parce que c'était la mode dans notre entourage à ce moment-là, et j'avais dit oui, comme tout le monde, car cela semblait être ce que les gens adultes et matures faisaient à notre âge. Six mois plus tard j'étais mariée et je vivais dans un nouvel appartement que nous avions acheté en commun à Sandymount. Le temps de la fête était révolu et devant moi s'étendait la vie réelle, à perte de vue. Je travaillais toujours à Clontarf, et effectuais un court trajet de train de banlieue tous les matins. Barry n'avait pas réussi à vendre sa garçonnière, alors il la louait, et le loyer payait une partie du crédit. Cela résoudrait bon nombre de nos problèmes actuels si Barry retournait dans ce studio qu'il avait fait toute une comédie pour quitter, me permettant ainsi de rester dans notre appartement. Mais non, il en revendiquait la propriété. Il en était de même pour notre voiture, ce qui me contraignait à utiliser celle d'une amie. Julie avait émigré à Toronto et n'avait toujours pas réussi à s'en débarrasser alors qu'elle était en vente depuis un an. En échange de la permission de la conduire, j'étais censée m'occuper de la vente, en apposant dessus une affichette « à vendre » à l'avant et à l'arrière, avec mon numéro de téléphone, ce qui me valait de nombreux coups de fil assortis d'innombrables questions et d'essais de conduite. Je me rendais compte que les gens avaient tendance à appeler à des heures indues, pour se faire préciser les mêmes détails que ceux spécifiés dans les magazines automobiles où j'avais posté l'annonce, comme s'ils s'attendaient à une réponse totalement différente.

Mon bureau était situé sur Clontarf Road, au premier étage d'un immeuble qui en comptait trois, et qui avait été le domicile des trois tantes, Brenda, Adrienne et Christine, des vieilles filles dont mes deux sœurs et moi avions hérité des prénoms. Aujourd'hui, le bâtiment abritait le cabinet de mon père et mes sœurs, *Cabinet de conseil juridique Rose et Filles*, ainsi nommé parce que mon père était féministe. Il y travaillait depuis trente ans, depuis le jour où la dernière des tantes avait décidé de s'installer dans un appartement indépendant de l'entresol au lieu de s'occuper d'une si grande maison toute seule. Dès l'obtention de leur diplôme mes sœurs intégrèrent le cabinet. J'avais redouté le jour où je devrais lui avouer que je ne voulais pas travailler au sein de l'entreprise familiale, mais il avait été plus que compréhensif. D'ailleurs, il ne voulait pas que je travaille avec lui.

« Tu es une cérébrale, avait-il dit. Alors que les filles et moi, nous sommes des personnes d'action, qui mettons les mains dans le cambouis. Tu es comme ta mère, tu penses. Alors vas-y, pense. »

Brenda s'occupait du droit immobilier, Adrienne du droit de la famille et papa aimait récupérer les accidents, parce qu'il était convaincu que c'était là qu'on pouvait gagner de l'argent. Ils occupaient le dernier étage, mon bureau était au premier, comme celui d'un comptable qui travaillait là depuis vingt ans et cachait une bouteille de vodka dans un tiroir de son bureau, persuadé que personne ne le savait. L'odeur dans la pièce et son haleine le trahissaient, mais je le savais surtout à cause de Jacinta, la femme de ménage, qui rapportait à papa les commérages de tous les bureaux qu'il louait. Ce n'était pas un accord formel, mais un accord tacite : plus elle fournissait d'informations, plus papa la payait. Je me demandais souvent ce qu'elle lui racontait sur moi.

Les bureaux du rez-de-chaussée avaient changé si souvent d'occupants ces dernières années que je ne savais plus qui était qui quand je les croisais dans les couloirs. À cause de la crise, les entreprises partaient aussi vite qu'elles s'installaient. L'entresol qui avait été le dernier domicile de ma grand-tante Christine avait été tour à tour le siège d'une compagnie d'assurances, un bureau de change, puis un atelier de graphiste, avant de devenir aujourd'hui mon domicile. D'une Christine à l'autre. Mon père avait accepté de me le laisser avec réticence et l'avait meublé pour moi. Le jour de mon arrivée, j'avais trouvé un lit simple dans la chambre, une seule chaise dans la cuisine et un fauteuil dans le salon. Il avait fallu que je m'occupe du reste en faisant une descente dans les maisons de mes sœurs. Brenda avait trouvé hilarant de me faire don du duvet Spiderman de son fils. Elle avait pensé me remonter le moral, mais cela ne fit qu'accroître mon chagrin quant à ma situation. Je pouvais sans problème me payer un duvet, aussi avais-je eu l'intention de m'en procurer un autre les premiers jours, mais à force d'oublier, j'en étais arrivée au point où je n'y faisais même plus attention.

La boutique voisine était une librairie, *La Petite Librairie*, *La Dernière Librairie* pour les intimes, en raison de sa tendance obstinée à rester ouverte et en activité alors que sur des kilomètres à la ronde toutes les autres petites librairies de quartier avaient dû mettre la clé sous la porte. Elle était tenue par Amélia, une amie très proche, et je soupçonne que commander des livres pour moi était la seule ressource qui lui maintenait la tête hors de l'eau, car sa boutique était pratiquement toujours vide. Elle n'avait pas beaucoup de stock, et il fallait commander la plupart des choses qu'on voulait, ce qui signifiait que ce n'était pas très attirant pour ceux qui aiment feuilleter les livres. Amélia vivait au-dessus de la boutique avec sa mère, qui avait besoin de soins constants à la suite d'une grave attaque. Le plus souvent, quand la sonnette retentissait dans le magasin, ce n'était pas pour annoncer l'entrée d'un nouveau client, mais parce que sa mère avait besoin de quelque chose à l'étage. Amélia était encore enfant quand sa mère avait fait son attaque, et s'était occupée d'elle depuis. Elle me semblait avoir désespérément besoin de changer d'air, de prendre du temps pour elle. Comme la plupart des gens qui s'occupent de quelqu'un, elle aurait eu besoin à son tour d'une personne qui la protège et s'occupe d'elle. La librairie semblait presque secondaire dans les journées d'Amélia, entièrement dévouée à sa mère, et qui lui consacrait toutes ses pensées et tout son temps.

— Salut, ma chérie !

Amélia bondit du tabouret où elle s'était installée avec un livre pour passer le temps dans sa boutique déserte. Par-dessus mon épaule elle vit

Adam qui m'avait suivie, et ses pupilles se dilatèrent.

— Je croyais que vous m'attendiez dans la voiture, dis-je à ce dernier.

— Vous avez oublié de baisser un peu la vitre pour me laisser de l'air, répondit-il d'un air impassible, en examinant la boutique.

— Amélia, je te présente Adam. Adam, Amélia. Adam est un... client.

— Oh ! s'exclama Amélia, déçue.

Je savais ce que je voulais et me dirigeai tout de suite vers la section de livres de développement personnel, tandis qu'Adam déambulait dans les rayons. Il semblait un peu hagard, renfermé, et regardait autour de lui d'un air absent.

— Il est sublime, chuchota Amélia.

— C'est un client, rétorquai-je sur le même ton.

— Il est sublime quand même.

— Fred n'aimerait pas t'entendre dire ça, fis-je en riant.

Elle étudia ses ongles et haussa les sourcils.

— Il m'a invitée à déjeuner au *Pearl*.

— Au *Pearl* ? C'est très chic.

Je fus troublée, car Fred n'était pas du genre spontanément romantique, puis j'eus un déclic.

— Il va te demander en mariage ?

Amélia n'y tenait plus : il était évident qu'elle pensait la même chose.

— Oh, peut-être pas, il ne le fera probablement pas, mais tu sais...

— Oh mon Dieu ! hoquetai-je. Je suis tellement heureuse pour toi !

Nous nous enlaçâmes, très excitées.

— Rien n'est encore fait, répliqua Amélia en me donnant une petite bourrade. Arrête, tu vas me porter malheur !

— Tu peux mettre ça sur ma note ?

Amélia examina le livre que j'avais choisi.

— C'est pas trop tôt ! Christine, c'est génial ! s'exclama-t-elle avec soulagement.

— Ce n'est pas pour moi, fis-je en fronçant les sourcils. Qu'est-ce que tu crois ?

— Oh, désolée ! Rien. Non. Ce n'est... rien, bredouilla-t-elle en rougissant avant de changer de sujet. Barry m'a appelée hier soir.

— Oh ?

Je sentis des sueurs froides dans mon dos.

— Il était assez tard. Je crois qu'il avait bu quelques verres.

Je me rongeai les ongles.

Adam nous rejoignit. Tel un requin attiré par le sang, il avait le chic pour se trouver dans les parages chaque fois que je me trouvais en mauvaise posture.

— Je suis sûre que ce n'était pas vrai, ou peut-être que ça l'était, mais... il n'aurait pas dû me le dire de toute façon. Ce dont vous parlez tous les deux devrait vraiment rester entre vous, même si cela me concerne, alors je ne t'en veux pas pour ce que tu as dit sur moi.

Elle avait l'air blessée, et son expression contredisait ses propos du tout au tout.

— Amélia, qu'a-t-il dit ?

Elle respira un grand coup et se lança.

— Il a dit que tu penses que je suis une ratée qui vit encore chez sa mère, qu'il faut que je vive ma vie et que je m'en aille. Que je devrais la mettre en maison de retraite et m'installer avec Fred, sinon tu ne serais pas surprise qu'il me quitte.

— Oh, mon Dieu ! m'écriai-je en me cachant le visage dans mes mains. Je suis tellement désolée qu'il t'ait dit ça !

— Oh, ça va. Je lui ai répondu que je savais qu'il souffrait mais qu'il était répugnant. J'espère que tu ne m'en veux pas.

— Bien sûr que non, tu as absolument le droit de dire ce que tu veux.

J'étais cramoisie et je le savais, cela trahissait ma culpabilité. Je ne pouvais pas nier que Barry et moi en avions parlé, mais comment avait-il osé le révéler à Amélia ? Et combien de coups de fil avait-il passés hier soir, à combien de personnes que j'aimais avait-il dit leurs quatre vérités pour leur faire du mal, et à moi à travers eux ?

Amélia attendait que je nie.

— Écoute, je ne l'ai pas formulé de cette façon, c'est sûr, me justifiai-je.

Elle eut l'air vexée.

— Je m'inquiète seulement de te voir t'occuper toujours des autres et jamais de toi-même. Et je trouve que ce serait bien que toi et Fred viviez ensemble, que vous ayez une vie commune.

— Mais c'est comme ça depuis que j'ai douze ans, Christine, tu le sais bien ! rétorqua Amélia, qui commençait à devenir agressive. Je ne vais pas envoyer maman en maison de retraite pour aller faire la java de mon côté !

— Je sais, je sais, mais tu n'es jamais sortie du pays... jamais. Tu n'as jamais pris de vacances. C'est tout ce que j'ai dit, promis. Je me faisais du souci pour toi.

— Ne t'en fais pas, dit-elle en relevant le menton. Fred n'y trouve rien à redire. Il comprend.

Nous fûmes interrompues par le tintement familier de la clochette. Amélia s'excusa promptement et monta voir sa mère. Je quittai la boutique, le livre dans mon sac, cherchant à échapper au regard d'Adam, plus mal que jamais.

— Ainsi, maintenant il appelle vos amis. C'est futé, dit Adam. Votre journée s'améliore d'heure en heure.

Je relevai le menton.

— Oui, mais vous savez que ce qui compte, c'est la façon dont vous le gérez, Adam. Il faut affronter la situation avec optimisme.

— Je ne suis pas tout à fait d'accord, expliqua-t-il en écarquillant les yeux. Par exemple, je pense que votre amie ne devrait pas se mettre dans tous ses états à propos de ce déjeuner.

— Vous écoutiez !

— Vous étiez en train de piailler !

— Il l'a invitée au *Pearl* !

— Et alors ?

— Eh bien, c'est là qu'on fait les demandes en mariage.

— C'est aussi là que l'on déjeune. Elle ne devrait pas s'emballer avant que cela ne soit le cas. Ça pourrait ne pas se faire.

Je soupirai, épuisée par l'énergie qu'il déployait.

— Vous voyez, c'est là-dessus qu'il faut travailler, lui dis-je. Vous êtes négatif. Vous n'arrêtez pas de penser à tout ce qui pourrait arriver de négatif tout le temps. Et forcément, plus vous y pensez, plus il y a de chance que cela arrive. Vous connaissez les lois de l'attraction ?

Je repensai à ma rencontre avec la femme de Simon, comment j'avais joué et rejoué cette scène à l'infini dans ma tête, jusqu'à ce qu'elle se produise.

— Si vous pensez que la vie c'est de la merde, alors la vie sera de la merde.

— Encore une fois, je ne suis pas sûr qu'un psy utiliserait cette terminologie.

— Allez en voir un vrai !

— Non.

Nous entrâmes dans l'immeuble et prîmes l'escalier jusqu'au premier.

Je m'arrêtai devant la porte de mon bureau et bataillai avec la clé dans la serrure. J'en essayai une autre, puis une autre, jusqu'à ce que les dix de mon porte-clés y soient passées.

— Vous êtes quoi, exactement ? Gardienne de prison ?

Je l'ignorai et poussai une nouvelle clé dans la serrure.

— Bon sang ! Ils ont recommencé ! Venez ! lui ordonnai-je avant de reprendre l'escalier pour monter à l'étage supérieur.

Mes sœurs et mon père étaient installés autour de la table de réunion quand nous entrâmes. Papa était très élégant en costume à fines rayures, chemise rose, cravate et pochette. Ses chaussures noires étaient si bien cirées qu'elles rutilaient, pas un cheveu de travers, ses ongles manucurés et limés brillaient. Il était petit et ressemblait plus à un tailleur qu'à un conseiller juridique.

— Je savais que c'était parce qu'elle avait rencontré un autre type ! commença Brenda en claquant des doigts dès qu'elle vit Adam. Doux Jésus, Barry va en mourir quand il le verra ! Comment son petit crâne chauve va-t-il pouvoir rivaliser avec ça ? ajouta-t-elle.

Elle faisait référence à la tignasse de boucles blondes d'Adam.

— Bonjour, chère famille ! m'écriai-je. Voici Adam. C'est un client. Adam, voici mon père Michael et Brenda et Adrienne, les deux sorcières.

— Prénommées ainsi en hommage à deux des sorcières qui ont vécu ici, lui précisa Adrienne avant de me regarder et d'ajouter : la troisième étant Christine. Donc, en fait, tu es l'une d'entre nous, que tu le veuilles ou non.

— Elles avaient les cheveux violets et elles fumaient comme des pompiers, ajouta Brenda sans cesser de détailler Adam.

— Elles ne se sont jamais mariées, intervint papa.

— Elles étaient lesbiennes, déclara Adrienne.

— Non, répliqua Brenda. Adrienne était une traînée. On l'a demandée cinq fois en mariage.

— C'était le même type à chaque fois ? demandai-je.

— Non, c'était des hommes différents, répondit papa. Je crois que le troisième a fini par tuer quelqu'un. Mais peut-être que je confonds, ajouta-t-il en fronçant les sourcils.

— Une traînée, confirma Brenda.

— Elle n'a pas couché avec eux, protesta papa. Les demandes en mariage se passaient différemment, à l'époque.

— Une lesbienne, insista Adrienne.

J'attendis qu'ils terminent. Dès qu'ils avaient quelqu'un de nouveau sous la main, ils jouaient à « traînée ou lesbienne ».

— Tu crois que toutes les femmes sont lesbiennes parce que tu l'es, lança papa à Adrienne.

— Je suis bisexuelle, papa.

— Tu as eu cinq copines et un copain. L'homme était une expérience. Tu es lesbienne. Plus vite tu l'admettras, plus vite tu pourras te caser et fonder une famille normale, déclara-t-il.

— Alors, comment avez-vous rencontré Christine ? demanda Brenda à Adam. Prenez donc une chaise, dit-elle en lui en avançant une.

Adam me regarda. Je haussai les épaules d'un air las et il s'assit.

Il passa rapidement ma famille en revue.

— Elle m'a empêché de sauter du Ha'penny Bridge la nuit dernière, expliqua-t-il.

— Elle a toujours été rabat-joie, m'accusa Adrienne.

— Il ne sautait pas pour s'amuser, précisai-je.

Tous les regards se braquèrent sur lui.

Il se trémoussa un peu, sans trop savoir comment interpréter ces regards après une telle révélation. Je suis sûre qu'il se demandait s'il avait dit ça au bon moment, ou s'il aurait seulement dû en parler. Mais ils étaient doués pour ça, dans ma famille : vous embobiner et vous amener à croire que ce qui était important ne l'était pas du tout. Et ils choisissaient ce qui l'était.

— Pourquoi le Ha'penny ? s'étonna Adrienne la mine chiffonnée, il n'est même pas très haut.

— Qu'est-ce que tu racontes ? rétorqua Brenda.

— Sauter de là, c'est rien du tout. Il est à combien, deux mètres cinquante au-dessus de l'eau, à tout casser ?

— Il ne pensait pas que le saut allait le tuer, Adrienne, expliqua Brenda. J'imagine qu'il voulait se noyer. C'est ça que vous vouliez ?

Tout le monde le regarda.

Il était si surpris qu'il resta pantois. J'avais l'habitude de toute une panoplie de réactions quand j'amenais des gens à la maison. Certains de mes amis étaient désemparés, d'autres avaient immédiatement des atomes crochus et se mettaient au diapason. D'autres encore, comme Adam, se contentaient de les observer se lancer des piques sans se vexer pour autant, puisqu'il était évident qu'il n'y avait là aucune mauvaise intention.

— Je disais que j'imagine que vous aviez l'intention de vous noyer ? répéta Brenda un peu plus fort.

— Il n'a pas d'eau dans les oreilles, Brenda, l'interrompit Adrienne. Elle l'a sauvé, tu te souviens ?

Ils laissèrent échapper un petit rire. Adam me dévisagea, stupéfait.

J'articulai « désolée », et il secoua la tête, perplexe comme s'il n'était pas nécessaire que je m'excuse.

— Bien joué, Christine ! me félicita papa pouces levés en signe d'approbation. C'est bien pour toi.

— Merci.

— Du coup, ça doit t'aider à passer à autre chose, non ?

Adam me dévisagea alors d'un air soucieux et protecteur.

— Mais la Liffey n'est pas si profonde que ça, si ? demanda Adrienne.

— Adrienne, on peut se noyer dans une flaque d'eau si l'on reste bloqué, si on se fracture une vertèbre, par exemple, ou je ne sais trop quoi d'autre, expliqua Brenda.

— Vous vous êtes fracturé une vertèbre ? demanda Adrienne à Adam.

— Non.

— Vous savez nager ? ajouta-t-elle en plissant les yeux.

— Oui.

— Alors je ne comprends pas. C'est comme si Brenda mangeait de la glace toute la journée pour maigrir.

Elle se tourna vers Brenda, prise d'une idée soudaine.

— Ce que tu tentes de faire, d'ailleurs, ironisa-t-elle.

— Andrew, voudriez-vous voir la pub que j'ai réalisée ? demanda papa.

— Il s'appelle Adam. Et, non, il n'en a pas envie, répliquai-je.

— Je suis sûr qu'il peut répondre tout seul, dit papa en se tournant vers lui

— Oui, bien sûr, pourquoi pas ?

Papa quitta la table et alla dans son bureau.

— Papa court derrière les ambulances, expliqua Brenda.

— Il s'occupe des préjudices personnels, précisai-je. Il se fait plus d'argent que ces deux-là réunies.

— Et il dépense tout en pédicure, persifla Brenda.

— Et en épilations intégrales, compléta Adrienne avant qu'elles ne se mettent à glousser de concert.

— J'ai entendu, et je ne l'ai fait qu'une fois, rétorqua papa en revenant de son bureau, une cassette vidéo à la main. C'était en Inde, il faisait une chaleur extrême, et c'est là toute la différence, expliqua-t-il posément. (Nous fîmes tous une grimace de douleur à cette image.) Vous êtes-vous fait mal sur le pont, Andrew ?

— C'est Adam. Et, non, répondit-il avec politesse.

— Pas de clous rouillés, de torticolis, ce genre de choses ?

— Non.

— Peu importe, dit papa avec un air déçu. Bien, où pouvons-nous visionner ce truc ?

— Notre télé n'a plus de magnétoscope, c'est un objet préhistorique.

Il eut de nouveau l'air déconfit.

— Vous savez très bien que cette pub était en avance sur son temps. Je l'ai tournée il y a vingt ans. L'Irlande n'était pas prête pour ça. Mais maintenant on voit ces types tout le temps à la télé. Surtout en Amérique. Si vous vous coupez le doigt de pied par accident avec un coupe-ongles, ils peuvent vous obtenir des dommages et intérêts, dit-il en hochant la tête avec admiration. Avez-vous un magnétoscope ? demanda-t-il à Adam. Vous pourriez aller le chercher chez vous et le rapporter ici.

— Il habite à Tipperary, expliquai-je.

— Pourquoi êtes-vous ici ?

— Papa, tu n'écoutes vraiment pas ?

— Il a tenté de sauter du Ha'penny Bridge, dit Adrienne pour clarifier la situation.

— Mais il y a des ponts formidables à Tipperary. Il y a le vieux pont à Carrick-on-Suir, le pont Madam à Fethard, celui-là est très joli, et le viaduc de chemin de fer à trois niveaux qui enjambe la Suir...

— C'est bon, ça suffit, l'interrompis-je.

— Ainsi, Adam, commença Brenda en calant son menton dans sa main pour bien le contempler, prête à commérer, Christine vous a-t-elle dit qu'elle avait quitté son mari ?

— Oui.

— Qu'en pensez-vous ?

— Je pense que c'est cruel de sa part. Il me semble qu'il n'a rien fait de mal, dit-il, comme si je n'étais pas là.

— C'est exact, je suis d'accord avec vous, dit Brenda.

— Mais il était inintéressant, intervint papa.

— Être ennuyeux n'est pas un motif de divorce, dit Adrienne. Si c'était le cas, Brenda n'aurait jamais fait de vieux os avec Bryan.

— Exact, concéda Brenda.

— Bryan n'est pas ennuyeux, rétorqua papa, pour défendre son gendre. Il n'est pas à la hauteur. Il est fainéant. C'est différent.

— C'est vrai aussi, approuva Brenda.

— Il faut qu'on y aille, déclarai-je. Je ne veux pas savoir qui a changé mon verrou. Je veux juste la nouvelle clé.

Les regards de Brenda et Adrienne convergèrent vers papa. Il se mit à rire.

— Désolé, je n'ai pas pu m'en empêcher. Elle le prend tellement mal que c'est drôle, dit-il à l'intention d'Adam. Je vais chercher la nouvelle clé.

Il se leva, retourna dans son bureau sans lâcher sa cassette.

— J'en conclus que Gemma n'est pas venue chercher la clé ? demandai-je.

Elle arrivait habituellement avant Peter, Paul et moi et je n'étais pas prête à affronter une nouvelle journée sans elle, pas après le chaos de la semaine dernière au bureau.

— Nous avons entendu dire que tu l'as virée en lui balançant *Comment virer quelqu'un* sur le pied. Ce n'est pas très sympa, Christine.

Adam me regarda, l'air mécontent.

— C'était un accident. Elle vous l'a dit ?

— Elle était là vendredi, à la recherche d'un emploi.

— Dites-moi que vous ne lui en avez pas donné !

— Nous y pensons.

— Tu ne veux plus d'elle, mais tu ne veux pas non plus que quiconque la récupère. Tu es un employeur aux pratiques abusives. Je vais l'engager, j'y mets un point d'honneur, répliqua Adrienne avec un sourire amusé.

Ils adoraient me taquiner. Ils se ressemblaient tous tellement ! Ils avaient un sens de l'humour particulier qui n'appartenait qu'à eux et avait toujours été unique. Je le comprenais mais il ne m'avait jamais amusée. Ils trouvaient ça encore plus hilarant, et ça ne faisait que les encourager. On aurait dit qu'ils étaient membres d'un club secret et faisaient tout leur possible pour divulguer son existence, dans l'espoir de m'y accueillir. Mais c'était impossible. J'étais trop différente. Me qualifier de brebis galeuse était un euphémisme. J'appartenais carrément à une autre espèce.

— Gemma a anticipé son licenciement. Je ne faisais qu'y songer, me défendis-je. Je vais peut-être faire des coupes budgétaires. L'appartement ici me coûte trop cher.

Je foudroyai papa du regard alors qu'il balançait la clé devant moi, et je la lui arrachai des mains.

— De toute ma vie, je n'ai jamais aidé qui que ce soit. Chacun sa croix, dit-il.

— Il n'y a rien de tel qu'une âme charitable, rétorquai-je à deux doigts de perdre mon calme.

— Alors retourne auprès de ton mari, répliqua-t-il. Il y a pire que d'épouser un type ennuyeux. Regarde Brenda. Ces gamins sont la meilleure pub pour la Super Glue que j'aie jamais vue.

— Viens habiter chez moi, proposa Brenda. Du sang neuf, ça ne se refuse pas.

— Non, je ne veux pas.

— Pourquoi ?

— Tu m'énerverais vite fait. Et puis, tu sais, Bryan, c'est comme si sa présence planait, avouai-je.

Adrienne et papa éclatèrent de rire. Adam eut l'air amusé, même s'il n'avait pas la moindre idée de qui était Bryan.

— C'est vrai, il plane dans le coin, gloussa Adrienne. Je ne m'en étais jamais rendu compte jusqu'ici.

— Il est toujours comme ça – Papa lança un regard pervers par-dessus l'épaule d'Adrienne et fit une grimace, déclenchant de nouveau leur hilarité.

Adam se mit à rire aussi.

— C'est vrai, reconnut Brenda.

— Tout ce que je veux dire, c'est que j'apprécierais que le propriétaire soit un peu plus indulgent, insistai-je.

— J'ai un crédit à payer, lança papa en interrompant son numéro de pervers pour se rasseoir.

— Cet immeuble a été payé, en long, en large et en travers, et l'appartement est resté longtemps inoccupé. Ça pue l'humidité, la chasse d'eau fonctionne mal et il n'y a pour ainsi dire pas de meubles, donc que je sois là ou pas ça ne change rien, aucun locataire n'en voudrait.

— N'exagérons pas. Je te l'ai meublé.

— Mettre une petite cuiller dans un tiroir ce n'est pas ce que j'appelle meubler un appartement, exagérai-je.

— Quand on mendie, on ne fait pas la fine bouche.

— Je ne suis pas une mendiante, je suis ta fille.

— Ça non plus tu ne l'as pas choisi.

— Ce que tu dis n'a aucun sens, papa.

Il m'adressa un regard qui voulait dire que si, ça avait un sens et qu'il faudrait que je le comprenne.

— Et qu'est-ce que vous faites ensemble, tous les deux ? demanda Brenda à Adam. Va-t-elle vous trouver un nouveau travail avant de vous laisser voler de vos propres ailes ?

Adam avait l'air assez amusé par la situation, ses yeux brillaient.

— Elle doit me redonner goût à la vie avant mon trente-cinquième anniversaire.

Ils restèrent tous silencieux. Personne n'avait besoin de demander ce qui se passerait s'il n'avait pas retrouvé goût à la vie d'ici là, c'était implicite.

— Et quand est votre anniversaire ? demanda Adrienne.

— Dans deux semaines, répondis-je.

— Douze jours, corrigea Adam.

— Vous ferez une fête ? demanda Brenda.

— Oui, dit Adam, qui semblait dérouté par le tour que prenait la conversation.

— Pouvons-nous venir ? s'enquit Adrienne.

— Vous devriez acheter ces gâteaux qui ressemblent à des gâteaux, mais qui sont fabriqués avec du fromage. De gros fromages ronds, à plusieurs étages, c'est drôlement malin, dit papa.

— Papa, ça s'appelle des cheese cakes, c'est une obsession chez toi.

— Je trouve que c'est malin.

— Vous avez l'air triste, dit Brenda en scrutant Adam.

— C'est parce qu'il est triste, rétorqua Adrienne.

— Je ne sais pas si Christine est la personne qu'il vous faut, dit Brenda. Le cabinet *JJ Recrutement* est génial.

— Sinon, je connais un excellent psy, un vrai, pas comme Christine, proposa Adrienne en insistant sur la dernière partie de sa phrase.

— Si c'est le type avec qui tu sors, je ne le recommanderais pas, intervint papa.

— Eh, attendez un peu, vous doutez de mes compétences ? m'indignai-je. Le recrutement, ça va au-delà du simple fait de trouver un travail à quelqu'un. J'aide les gens tout le temps. Je trouve ce que les gens cherchent, puis je les mène d'un endroit de leur vie à un autre.

J'essayais de faire ma propre promotion auprès d'Adam sans oser le regarder.

— Comme un chauffeur de taxi, ironisa Brenda.

— Non... c'est plus que ça.

Je tentai de ne pas leur laisser voir ma frustration parce que je savais qu'ils ne faisaient que me taquiner.

— Personne ne remet tes compétences en question, assura Brenda.

— Elle veut dire que c'est parce que tu es triste toi aussi, expliqua Adrienne.

— Eh bien, peut-être qu'ils se rendront mutuellement heureux, conclut papa en se levant. La séance est suspendue, au travail ! Tous mes vœux, Martin, et jetez un œil à ces gâteaux au fromage. Très futé !

Il gratifia Adam d'un sourire d'une blancheur éclatante et retourna dans son bureau. Le bruit d'une radio, réglée sur la fréquence de police, retentit.

— C'est le meilleur candidat que tu nous aies jamais ramené, me dit Brenda posément au moment où Adam quittait les bureaux devant moi en secouant la tête, comme s'il n'était pas trop sûr de ce à quoi il venait d'assister.

— Brenda, il a essayé de se tuer, dimanche soir ! dis-je d'une voix sifflante.

— Et alors ? Au moins, il y avait de la vie à tuer en lui. Barry avait à peine un pouls, même dans ses meilleurs jours.

Je suivis Adam dans les escaliers.

— Oh, au fait ! hurla Brenda en se penchant dans la cage d'escalier, Barry m'a appelée hier dans la soirée pour me dire que TU PISSES DANS LA DOUCHE !

Adam et moi nous arrêtâmes net. Il se retourna lentement pour me regarder. Je fermai les yeux et respirai un grand coup. Puis je le devançai dans les escaliers.

— Je ne veux pas parler de ça non plus, dis-je très fort.

Je l'entendis émettre un petit rire. Ce bruit adorable que j'avais si peu entendu.

Quand nous arrivâmes dans mes locaux, Gemma avait laissé un message sur mon bureau. Elle y avait déposé l'un des livres de ma bibliothèque : *Comment présenter des excuses sincères à une personne que vous estimez avoir blessée.* J'en déduisis que Gemma me conseillait de le lire, et non qu'elle me présentait ses excuses.

Au fur et à mesure de la matinée, je fus submergée d'une quantité de coups de fil, textos et messages d'amis et de connaissances qui avaient parlé à Barry ou reçu un message de sa part la nuit dernière. Je me rendis alors compte que je devrais peut-être commencer à les lire. Apparemment, j'aurais quelques excuses à présenter.

9

Trente façons simples
de profiter de la vie

La première chose qu'il fallait que je fasse avant de m'installer avec Adam, c'était annuler tous mes rendez-vous pour les deux semaines à venir. Sans une Gemma pour m'aider avec la logistique, il faudrait que je délègue mon travail et mes rendez-vous à mes deux collègues Peter et Paul qui ne m'adressaient déjà plus la parole après le renvoi injuste de Gemma. Je m'installai au bureau de cette dernière et me mis au travail. Ce qui me prit le plus de temps, ce fut d'annuler le rendez-vous avec Oscar, car je l'appelai juste au moment où il venait de laisser passer trois bus sans monter dedans. Il fallut que je lui reparle de la marche à suivre pour prendre le bus : s'asseoir et pratiquer des exercices de respiration, puis je dus lui raconter une histoire pour lui changer les idées, et lui donner mon numéro de portable parce qu'il était extrêmement perturbé que je ne sois pas au bureau pendant les quinze prochains jours. Mais à la fin de l'appel lorsque je lui dis au revoir, c'était un homme exalté qui se sentait prêt à conquérir le monde après être resté dans le bus pendant trois stations. Sa tâche suivante consistait à rentrer chez lui, ce qu'il ne manquerait pas de faire d'un pas léger. Dès que j'eus raccroché, Adam m'appela en hurlant depuis mon bureau.

— *Quarante-deux trucs pour entretenir des pensées positives quand tout va mal...*

Un autre titre de ma collection.

— *Quarante-cinq façons d'être optimiste...*, dit-il en pouffant de rire. Ces nombres m'intriguent. Pourquoi sont-ils si précis ? Pourquoi quarante-*deux* et pas quarante ? Pourquoi ne pas arrondir ses pensées positives à dix environ ?

Il parcourut l'étagère.

— *Cinq façons de montrer votre amour*, *Cinq façons d'économiser votre énergie*. *Dix façons d'économiser votre énergie*, continua-t-il en riant. OK, je crois comprendre comment vous vous y prenez. Vous les rangez par ordre croissant, c'est ça ? Est-ce que vous vous dites : « Tiens, aujourd'hui je suis d'humeur pour un long voyage afin d'apprendre à économiser mon énergie », ou « Aujourd'hui je me sens vraiment fatiguée alors je vais prendre le raccourci pour apprendre à économiser mon énergie » ? Vous pencherez sûrement toujours pour *cinq* façons d'économiser votre énergie, parce que choisir de faire en dix étapes ce que vous pourriez accomplir en cinq ne contrarierait-il pas l'essence de la chose ? Pensez-vous que l'auteur de la méthode en cinq étapes a beaucoup plus ou moins d'énergie que celui qui a écrit la méthode en dix étapes ? Parce que celui-là décrit une méthode plus développée, mais il a écrit un livre plus court, ce qui est probablement moins fatigant. Ils devraient se rencontrer. Peut-être que ce type pourrait écrire un livre intitulé *Comment conseiller aux gens d'écrire des livres de développement personnel*. Six façons, douze façons, trente-neuf façons, soixante-six façons... Oui ! Nous avons un gagnant dans la salle !

Il brandit un livre en l'air.

— *Soixante-six façons de résoudre vos problèmes d'argent*. Soixante-six ? J'en connais une seule : allez bosser ! dit-il au livre, avant de continuer à parcourir l'étagère.

— Il y a des gens qui ne peuvent pas travailler.

— Bien sûr. Le stress, c'est le nouveau mal de dos.

— Vous n'êtes pas au travail vous-même. D'ailleurs, je serais curieuse de savoir où vos employeurs croient que vous êtes.

Il m'ignora.

— Est-ce comme de l'automédication ? poursuivit-il. Vous vous dites « J'ai besoin de six façons de perdre du poids », ou « Cette semaine il m'en faut vingt et une ». Cette semaine je suis d'humeur à lire *Neuf façons de monter un escalier*.

— Ce livre n'existe pas.

— Non, mais il pourrait. Vous devriez l'écrire. J'aimerais connaître neuf façons de monter un escalier. La façon la plus évidente de le faire n'est jamais celle que ces gens ont en tête, c'est clair.

Bien évidemment, j'avais pour ambition d'écrire un livre, mais je n'allais pas lui en faire part, étant donné son opinion sur les livres de développement personnel. J'avais néanmoins l'impression d'être sur le point d'y réussir. Pas plus tard que la semaine dernière, j'avais songé à prendre *Comment écrire un livre à succès* dans un des cartons défaits où était rangée ma vie dans l'appartement du dessous. Barry n'avait pas été d'un grand soutien dans mon rêve d'écriture, même si ce n'est pas ce qui aurait dû me dissuader de le faire. J'admets volontiers que par le passé je m'étais servi de son manque de soutien comme excuse parce que j'avais peur de le faire, mais la situation avait changé maintenant, et je m'étais promis d'essayer.

J'avais de nombreux thèmes en tête, mais mon titre provisoire était *Comment trouver le job de vos rêves*. Jusqu'ici j'avais trouvé treize variantes du titre en librairie, et après en avoir lu quatre j'avais toujours l'impression que je pouvais apporter quelque chose de plus. Ces livres-là semblaient avoir pour finalité l'enrichissement financier rapide, alors que j'avais toujours pensé que le but final devait être l'épanouissement personnel. Brenda m'avait assuré que l'épanouissement personnel n'était pas un sujet vendeur, que je devrais émailler le livre d'épisodes de sexe au bureau, ou du moins y dédier un chapitre. Une fois de plus, les conseils d'un membre de ma famille à propos de mes projets personnels s'étaient avérés infiniment inutiles.

Pendant ce temps, Adam explorait toujours ma collection de livres.

— Y a-t-il un coffre-fort secret ici, bourré de livres pour moi ? Peut-être *Cent façons de ne pas vous suicider* ?

Convaincu d'être irrésistiblement drôle, il s'effondra dans un fauteuil, qui se trouvait être le mien. Étant donné le chemin parcouru pour en arriver là, je ne fis aucune objection. Je m'installai sur la chaise que je destinais habituellement à mes clients. Je n'avais pas l'habitude de voir la pièce sous cet angle, et je me sentis aussitôt désorientée.

— Vous savez, vous êtes un peu dans le vrai, dis-je pour commencer la séance. Je ne vais pas vous proposer cent façons de ne pas vous suicider, mais nous allons établir ensemble un plan de crise.

— Un quoi ?

J'attrapai un livre derrière moi : *Comment faire face à vos pensées suicidaires*. Je le feuilletai jusqu'à la page voulue. Je l'avais lu de la première à la dernière page pendant les nuits qui avaient suivi l'expérience Simon Conway.

— En gros, c'est une liste de conseils à suivre quand vous avez une pensée suicidaire, ce que vous avez admis avoir en grand nombre. Puisque vous avez déjà fait une tentative, vous pourriez avoir envie de recommencer.

— Je vous l'ai dit, que je recommencerai si rien ne change.

— Mais jusqu'à votre anniversaire, vous êtes tout à moi, rétorquai-je d'un ton sévère. Nous avons conclu un marché. Ces douze prochains jours, je ferai de mon mieux pour honorer ma part du marché. Et vous, vous devez respecter la vôtre. Rester en vie. C'est votre boulot. Suivez les étapes et vous resterez en vie. Vous pourrez même commencer à avoir l'impression d'être vous-même. Comme ça, je peux vous aider à reconquérir Maria.

— Parfait.

— OK. Nous allons bientôt passer au plan, il nous faudra un moment pour l'établir. Mais d'abord, j'aimerais discuter. J'ai besoin de comprendre vraiment où vous en êtes dans votre vie, ce que vous ressentez.

Je laissai planer un silence. Il regarda à droite, puis à gauche, à la recherche d'une caméra cachée.

— Je me sens... suicidaire.

Il était sarcastique, je le savais, mais je ne ris pas.

— Pour information : être suicidaire, ce n'est pas un sentiment. C'est un état. La tristesse est un sentiment, la solitude est un sentiment, la colère est un sentiment. La frustration est un sentiment. La jalousie est un sentiment. Être suicidaire, ce n'est pas un sentiment. Vous pouvez nourrir des pensées suicidaires, mais une pensée n'est jamais rien d'autre qu'une pensée. Nos pensées fluctuent sans cesse, parce que c'est nous qui les contrôlons. Une fois que vous aurez saisi la différence entre des pensées suicidaires et vos sentiments, vous commencerez à comprendre vos sentiments. Vous pourrez séparer vos pensées suicidaires de vos sentiments. Vous ne penserez pas « Aujourd'hui j'ai envie de me tuer. ». Vous penserez « Aujourd'hui je me sens en colère que ma sœur ait quitté le pays et m'ait laissé avec la responsabilité des affaires. ». Ensuite vous pourrez gérer votre colère. « Aujourd'hui au travail je me sens dépassé par mes responsabilités », et vous pourrez gérer ce sentiment d'être dépassé. Je peux vous aider à apprendre comment remonter aux racines de vos pensées suicidaires, comment faire face à ces pensées et retrouver le contrôle sur vous-même. Alors, Adam, comment vous sentez-vous ?

Il eut l'air mal à l'aise. Il se trémoussa dans son fauteuil et examina la pièce. Finalement, son regard se posa sur quelque chose qu'il avait vu par la fenêtre et il se détendit un peu. Après quelques minutes de réflexion, il me dit :

— Je me sens... j'en ai marre.

— Bien. Pourquoi ?

— Parce que ma petite amie baise mon meilleur ami.

Ce n'était pas tout à fait ce que j'attendais, mais je lui fis signe de poursuivre.

— Je me sens... complètement con, de ne pas avoir compris ce qui se passait.

Il se pencha en avant, les coudes posés sur les cuisses, conscient de ce qu'il était sur le point de faire. Il se frotta le visage et se redressa.

— Mais j'ai l'impression de comprendre ce qui l'a poussée à faire ça. Ce que vous avez dit ce matin, que j'étais absent... elle a raison. J'ai perdu le fil, j'avais l'esprit occupé par plein d'autres choses, et ça a pris le pas sur le reste. Je n'étais pas bien. Mais je peux lui dire que j'ai changé, et espérons qu'elle changera d'avis.

— Quand allez-vous lui dire que vous avez changé ?

— Je ne sais pas. Aujourd'hui ?

— Ainsi vous avez changé du jour au lendemain. Le sentiment que vous étiez dépassé par le travail, abandonné par votre sœur, toute l'amertume et la colère à l'idée de devoir quitter un travail et une vie que vous aimez pour vous conformer à un devoir familial, toute la déception que vous éprouvez envers votre vie, envers la personne que vous êtes, tous ces sentiments auxquels il faut ajouter la phase terminale de la maladie de votre père et l'impression de ne plus vouloir vivre... Tout cela a disparu, purement et simplement ?

Il fixa le sol, sa mâchoire se crispa alors qu'il tournait tout ça dans sa tête.

— Non. Mais ça changera. Vous allez m'aider. Vous l'avez promis.

— Et cela commence ici, dans cette pièce. Les choses ne changeront pas à moins que *vous* ne changiez de votre propre initiative. Alors parlez-moi.

Nous parlâmes pendant deux heures. Quand Adam eut l'air suffisamment lessivé et que je commençais à avoir la migraine à la pensée de toutes les responsabilités qui lui incombaient, je décidai de faire une pause. Je connaissais les problèmes, il était temps désormais de prendre du recul, de lui redonner la joie de vivre. C'était la partie qui me stressait. Je n'étais pas très douée pour ça, je ne savais pas comment m'y prendre, ou à quel endroit l'emmener. D'autant plus que je ne me sentais pas moi-même d'humeur à faire la fête en ce moment.

— Alors, qu'est-ce qu'on fait maintenant ? demanda-t-il, l'air fatigué.

— Hum, attendez un instant.

Je sortis de mon bureau. Peter et Paul étaient enfin arrivés, mais ils refusaient toujours obstinément de prendre acte de ma présence. Ça m'était égal parce que j'avais d'autres trucs en tête. Je pris le livre que je venais d'acheter chez Amélia, *Trente façons simples de profiter de la vie*, celui qu'elle avait cru que j'achetais pour moi, et me remémorai sa réflexion, « Enfin ! ». Étais-je vraiment aussi barbante ? J'avais fait en sorte de garder mes ennuis pour moi, et de n'infliger ma tristesse à personne. J'étais convaincue de l'avoir bien dissimulée.

Je feuilletai les premières pages.

1. Prenez du plaisir à manger, ne vous contentez pas de vous nourrir. Savourez les aliments et la variété de leurs goûts.

De la nourriture… vraiment ? Mais qu'allais-je bien pouvoir faire d'autre avec lui ? Je fourrai de nouveau le livre dans mon sac à main.

— Venez, on y va, ordonnai-je.

— Où ça ?

— Manger, lui annonçai-je d'un ton guilleret.

Je n'étais pas sûre que Gemma revienné, mais au cas où, en guise d'explication, je déposai un exemplaire de *Comment partager vos problèmes d'argent avec les gens qui dépendent de vous* sur son bureau en espérant qu'elle comprendrait le message.

Le lieu que j'avais choisi pour le premier point sur ma liste était le *Bay Restaurant* à Clontarf, qui donnait sur la baie de Dublin.

— Ainsi, manger doit être un plaisir ? me demanda Adam, le menton posé sur la main, comme si sa tête était trop lourde pour son cou. Je croyais que c'était seulement un besoin vital.

Alors qu'il parcourait le menu avec indifférence, j'examinai la foule dans le restaurant. L'endroit était bourré, les conversations bruyantes, les assiettes débordantes de nourriture aux couleurs vives, et les arômes qui flottaient dans la salle faisaient sans doute saliver tout le monde, mais moi cela me retournait l'estomac.

— Oui, bien sûr, mentis-je.

Tout ce dont j'avais envie, c'était d'avaler une salade verte vite fait, mais il fallait que je montre le bon exemple à Adam.

— Je vais prendre le gigot d'agneau braisé avec les légumes tubéreux, le houmous à la harissa et au quinoa, s'il vous plaît, commandai-je à la serveuse avec un sourire forcé, tout en redoutant intérieurement le moment où il faudrait ingurgiter toute cette nourriture.

— Je prendrai juste un café noir, merci, demanda Adam en repliant la carte.

— Non, non ! objectai-je en le menaçant du doigt.

Je redépliai la carte et la lui rendis.

— Nourriture. Plaisir. Manger.

Les yeux dans le vague, Adam parcourut une seconde fois le menu.

— Que suggérez-vous ? demandai-je à la serveuse.

— J'aime beaucoup le filet de saumon mariné au four sur son lit de ratatouille méditerranéenne et purée onctueuse.

Adam avait l'air pris de nausées.

— Il prendra ça, merci.

— Pas d'entrées ? s'enquit-elle.

— Non, répondîmes-nous en chœur.

— Quand donc avez-vous perdu l'appétit ? voulus-je savoir.

— Je ne sais pas, il y a deux mois environ. Et vous ?

— Mais je ne l'ai pas perdu, rétorquai-je.

Il haussa un sourcil.

— L'alcool et la caféine, ce n'est pas une bonne idée pour quelqu'un qui est déprimé, ajoutai-je, pour reprendre le contrôle et garder la conversation focalisée sur lui.

— Et qu'avez-vous pris au petit déjeuner, ce matin ? ironisa-t-il.

Je repensai à mon café noir à l'hôtel.

— D'accord, mais je ne suis pas déprimée.

Il renifla.

— Vous, vous êtes déprimé. Vous avez essayé de vous tuer. Moi je suis juste un peu... à plat.

— À plat, répéta-t-il en me dévisageant. C'est peu de le dire. Bourriquet respire la joie de vivre, à côté de vous.

J'éclatai de rire malgré moi.

— Tout ce que je voulais dire, c'est que nous devrions surveiller votre alimentation, ça vous aidera. L'alimentation joue un grand rôle dans la dépression. De toute évidence, vous êtes en bonne forme physique, je veux dire que vous devez faire pas mal d'exercice, rectifiai-je en me sentant rougir. Je ne vous vois jamais manger, je me demande d'où vous vient cette énergie.

— Voulez-vous que je vous le dise en cinq ou en dix points ?

— Un seul, s'il vous plaît.

— C'est quand je fais mon strip-tease, vous voyez ? Quand je suis sur scène et que je danse avec les autres garçons.

— Je crois que vous confondez strip-tease et mannequinat, dis-je en riant.

— Eh bien, je ne sais pas trop ce que vous vous imaginez, répondit-il avec un sourire.

La serveuse disposa deux énormes assiettes pleines devant nous, que nous regardâmes tous deux avec terreur.

— Tout va bien ? s'affola la serveuse, remarquant notre réaction. Je ne me suis pas trompée dans la commande ?

— Non, pas du tout ! Ça a l'air... délicieux. Merci.

Je saisis ma fourchette et mon couteau, sans trop savoir par où commencer.

— Alors, Christine, c'était quand, la dernière fois que vous êtes allée manger quelque part, puisque vous trouvez ça si plaisant ? me demanda-t-il en détaillant son assiette, sans savoir plus que moi par quel bout la prendre.

— Ça fait très longtemps, mais c'est seulement parce que nous économisions pour le mariage. Hmmm, c'est bon. Et votre plat, il est bon ? *(Prenez du plaisir à manger, ne vous contentez pas de vous nourrir.)* Je ne sais pas ce que c'est, ce truc. Du gingembre ? C'est vraiment bon, et il me semble qu'il y a un goût de citron. Bref, après le mariage nous sommes partis en lune de miel, et après nous n'avions plus d'argent. Alors nous ne sommes pas sortis de l'année, à part quelques plats à emporter de temps en temps, mais ça allait parce que tous nos amis étaient dans le même bateau.

— Sympa, persifla-t-il. Vous êtes mariée depuis longtemps ?

— Mangez. C'est bon ? La purée est-elle onctueuse ?

— Oui, la purée est onctueuse, me singea-t-il, et les carottes ont le goût de carotte.

— Neuf mois, répondis-je en ignorant ses sarcasmes.

— Vous l'avez quitté au bout de neuf mois ? Je suis resté en couple avec des filles que je haïssais plus longtemps que ça ! Vous n'avez pas dû faire beaucoup d'efforts.

— J'ai fait beaucoup d'efforts.

Je baissai les yeux et jouai avec ma nourriture.

— Mangez. Votre agneau a-t-il un goût d'agneau ? m'interrogea-t-il. Bien, quand avez-vous su que ça n'allait pas ?

Il prit une bouchée de saumon, mâcha lentement et avala comme si c'était un comprimé géant à faire passer.

Je réfléchis un peu. Fallait-il lui dire la vérité, ou donner la réponse habituelle ?

— Pas de secrets entre nous, ajouta-t-il.

— J'avais déjà eu quelques doutes pendant un moment, mais j'ai eu la certitude que ça n'allait pas le jour de mon mariage, quand j'ai remonté l'allée de l'église.

Ça c'était la vérité.

Il s'arrêta de manger et me considéra avec surprise.

— Continuez à manger, lui dis-je. Je pleurais comme une madeleine en m'avançant vers lui. Tout le monde en parle encore, ils trouvaient ça tellement touchant ! Mais mes sœurs savaient. Ce n'étaient pas des larmes de joie.

— Alors pourquoi vous êtes-vous mariée ?

— J'ai paniqué. Je voulais tout arrêter, mais je n'en avais pas le courage. Je ne voulais pas le blesser. Je ne voyais pas comment m'en sortir. J'étais piégée, mais c'était moi qui m'étais embarquée là-dedans. Alors je me suis obligée à y aller tête baissée.

— Vous vous êtes mariée parce que vous ne vouliez pas lui faire de peine ?

— C'est aussi pour ça que je devais mettre fin à ce mariage, pour ne pas lui faire de peine.

Il réfléchit un moment, puis hocha la tête.

— Touché, dit-il.

— Si j'avais tout arrêté et que j'y avais réfléchi à ce moment-là, vraiment réfléchi, j'aurais trouvé une autre façon de m'en sortir. Une meilleure façon.

— Comme d'être sur un pont.

— Tout à fait, dis-je en tripotant toujours ma nourriture. Je l'aimais, vous savez, mais j'ai une théorie sur l'amour. Je crois que quelle que soit leur intensité, certaines amours ne sont pas faites pour durer toujours.

Il resta silencieux. Nous avalâmes tous deux quelques bouchées, puis il finit par reposer ses couverts dans son assiette.

— Je capitule ! annonça-t-il en levant les mains en l'air. Je ne peux plus rien avaler. Pouvons-nous arrêter, maintenant ?

— Bien sûr, dis-je en reposant aussi mon couteau et ma fourchette, soulagée. Bon Dieu, je vais éclater, gémis-je, les mains sur mon ventre gonflé, quittant mon rôle sans faire exprès. Vous vous rendez compte, il y a des gens qui font ça trois fois par jour !

Nous nous regardâmes avant d'éclater de rire.

— Qu'est-ce qu'on fait après ? me demanda-t-il en se penchant vers moi, les yeux brillants.

— Euh...

Je fouillai dans mon sac en faisant semblant d'y chercher un mouchoir et j'entrouvris discrètement le livre.

2. Allez faire un tour au parc. Ne vous contentez pas de marcher, admirez la vue, regardez comme la vie est belle autour de vous.

— Allons faire un tour, proposai-je comme si l'idée m'était venue tout naturellement.

Nous étions prêts à marcher pour digérer la nourriture que nous nous étions forcés à ingurgiter, aussi en dépit du froid nous nous dirigeâmes vers Ste Anne Park, le deuxième plus grand jardin public de Dublin. Emmitouflés pour nous protéger de l'air glacé, nous fîmes le tour du jardin clos, avant de nous diriger vers les écuries en brique rouge où se tenait un marché alimentaire le week-end, puis vers le temple d'Hercule près de l'étang aux canards, où je lui fis accélérer l'allure au cas où il aurait eu envie de se jeter dedans. La roseraie à cette époque de l'année fut une déception, et l'endroit ne se prêtait pas trop à une pause sur un banc. Nous contemplâmes les branches coupées, mornes, avec le vent glacial qui nous fouettait le visage, et le banc glacé nous gela les fesses à travers manteau et pantalon. Je sautais sur toutes les occasions de lui tirer les vers du nez.

— Achetiez-vous souvent des fleurs à Maria ?

— Oui, mais pas à la Saint-Valentin. J'ai interdiction absolue d'en acheter à la Saint-Valentin. Trop cliché.

— Alors, qu'est-ce que vous lui offrez ?

— L'année dernière, un pamplemousse. L'année d'avant, une grenouille.

— Bien, nous reviendrons au pamplemousse. La grenouille ?

— Vous savez, pour qu'elle puisse l'embrasser et trouver son Prince charmant.

— Beurk. C'est pathétique.

— Vous essayez de me redonner confiance en moi ou de me détruire ?

— Désolée. Je suis sûre qu'elle a adoré la grenouille.

— Oui. Nous adorions Hulk. Jusqu'à ce qu'elle s'échappe par le balcon.

Puis il sourit, comme s'il pensait à quelque chose de drôle.

— Qu'y a-t-il ?

— Non, c'est stupide... personnel.

Le sourire secret m'intrigua, c'était une expression qui révélait une facette de lui-même que je n'avais encore jamais vue, un côté plus tendre, l'Adam romantique.

— Allez, il faut me le dire. Pas de secrets, vous vous souvenez ?

— Ce n'est rien, pas de quoi en faire un fromage. C'était une blague entre nous, il n'y avait qu'une fleur que j'avais le droit de lui offrir.

— Quel genre de fleur ?

— Un nénuphar. Elle aimait les nymphéas de Monet, dit-il, laconique.

— Il doit y avoir quelque chose de plus, dans cette histoire, insistai-je.

— Eh bien, j'ai décidé de lui en offrir un. Je n'avais pas le droit de lui offrir de fleurs pour la Saint-Valentin, mais j'ai pensé que celle-ci faisait exception. J'étais dans le parc, je les ai vus et j'ai pensé à elle. Je suis donc allé en chercher un dans le lac.

— Tout habillé ?

— Oui, dit-il en riant. C'était plus profond que je ne le pensais. J'avais de l'eau presque jusqu'à la taille, mais je suis arrivé à mes fins. Les gardiens m'ont pratiquement fichu dehors.

— Je ne crois pas qu'on soit censé voler des fleurs de nénuphars.

— Eh bien, c'est là tout le problème. Je n'en ai pas volé. Je me suis trompé, je lui ai offert juste la feuille, dit-il en riant encore. Je me demandais ce qu'elle pouvait bien trouver à cette plante.

— Espèce d'andouille ! m'esclaffai-je. Qui est assez bête pour confondre feuille et fleur de nénuphar ?

— Oh, c'est facile de se tromper, croyez-moi ! Mais ça lui a plu quand même. Elle s'en est servi comme objet de décoration : elle a posé une photo de nous dessus, et des bougies.

— C'est charmant, approuvai-je en souriant. Vous êtes donc deux romantiques ?

— Si on peut dire, répondit-il en tentant d'éluder la question. On s'amusait bien. On s'amuse, se corrigea-t-il.

Étrangement, cette pensée m'attrista. Barry et moi ne partagions aucune histoire semblable. Je me creusai la tête pour en trouver une, pas pour la raconter, mais pour moi, pour me souvenir d'un bon moment passé. Mais rien ne me vint à l'esprit. Barry n'avait jamais fait ce genre de chose, moi non plus, mais je commençais à imaginer la relation d'Adam et Maria. Spontanée, marrante, unique, qui n'appartenait qu'à eux.

Nous nous retrouvâmes à moitié perdus dans les allées, alors que je faisais de mon mieux pour lui montrer des choses, lui montrer la vie autour de nous. Je ne connaissais aucun nom de plante, aussi m'arrêtais-je devant les pancartes en demandant à Adam de lire les noms en latin qui nous faisaient rire tant il les écorchait.

— Comme vous les prononcez, on dirait des noms de dinosaures ! m'exclamai-je.

— Ou de maladies, renchérit-il en enfonçant ses mains dans ses poches. Excusez-moi, docteur, j'ai un peu de *Prunus avium*.

— Qu'est-ce que c'est que ça ? lui demandai-je.

— Le cerisier, apparemment, dit-il en vérifiant la pancarte. Vous vous rendez compte, si vous aviez un nom comme ça !

— Au fait, quel est votre nom de famille ?

Ses yeux perdirent un peu de l'éclat qu'ils avaient retrouvé et je sus que j'avais touché un point sensible.

— Basil, répondit-il.

— Ah, comme le chocolat ! m'écriai-je avec entrain.

— Et le basilic[1].

— D'accord, mais ce chocolat c'est quelque chose, « Avec Basil, on jubile ! », dis-je en récitant d'une voix nunuche le slogan publicitaire.

C'était une marque de confiseries irlandaise très appréciée, depuis près de deux cents ans, et

---

1. En anglais, *basil* signifie basilic. (*N.d.T.*)

la simple mention de ce nom faisait immédiatement sourire petits et grands. Mais pas Adam. À la vue de son expression, j'ajoutai :

— Désolée, vous avez probablement entendu ça toute votre vie.

— Exact. Où est la sortie ? demanda-t-il, comme s'il en avait soudain assez de ma compagnie.

Mon téléphone sonna. Je lus le nom qui s'affichait sur l'écran.

— Amélia.

— Ah, oui ! La demande qui n'a jamais eu lieu, dit-il froidement.

Il s'écarta pour me laisser de l'intimité.

— Amélia, répondis-je d'une voix pleine d'espoir. (J'entendis un sanglot au bout du fil.) Amélia, qu'est-ce qui ne va pas ?

— Tu avais raison, dit-elle à travers ses larmes.

— Quoi ? En quoi est-ce que j'avais raison ?

Ma voix résonna dans le combiné.

Adam arrêta de chercher la sortie et me regarda fixement. D'après ma tête, il savait ce qui s'était passé et je savais exactement à quoi il pensait : allez vous faire voir avec vos pensées positives.

Je courus tout le long de la promenade de Clontarf, les joues fouettées par le vent. Il fallait que je me concentre sur ma foulée, je filai comme le vent en sautant pour éviter les flaques de glace, comme si le chemin jusqu'à la librairie était une course d'obstacles. Quelque part derrière moi, Adam rentrait lentement, la clé de mon appartement à la main. J'essayais de ne pas m'inquiéter de le laisser tout seul au bord de la mer. Je lui avais donné des instructions précises, en révisant rapidement le plan de crise avec lui, et j'étais partie en courant. Il fallait que je retrouve mon amie.

Amélia était blottie dans un fauteuil, dans un coin de la librairie, les yeux rouges. À l'autre bout de la pièce, une femme déguisée en Dracula, le visage maquillé de blanc, du sang dégoulinant de la bouche, était assise dans le coin des enfants, et lisait une histoire à un groupe de bambins de trois ans terrifiés.

— « Ils descendirent les marches de la cave dans le noir. Puis des flammes sur les murs éclairèrent leur chemin. Et devant eux, ils les virent : les cercueils », déclama-t-elle d'une voix caverneuse.

L'une des enfants éclata en sanglots et courut vers sa mère. Celle-ci rassembla ses affaires, foudroya du regard Madame Dracula et quitta la librairie.

— Amélia, tu es sûre que c'est de leur âge ?

Trop hagarde, la vue brouillée par les larmes, incapable de voir plus loin que le bout de son nez, elle sembla déroutée par la question.

— Elaine ? Oui, elle est parfaite. Je viens de l'engager. Viens, on va parler.

Nous quittâmes la boutique pour l'appartement qu'Amélia partageait avec sa mère, Magda.

— Je ne veux pas que ma mère le sache, dit-elle doucement en refermant la porte de la cuisine. Elle était convaincue qu'il allait se déclarer. Je ne sais pas quoi lui dire, dit-elle en se remettant à pleurer.

— Que s'est-il passé ?

— Il a dit qu'il a obtenu un job à Berlin et qu'il veut vraiment aller s'installer là-bas parce que c'est une excellente opportunité pour lui. Il m'a demandé de partir avec lui, mais il sait que c'est impossible. Je ne peux pas laisser maman, je ne peux vraiment pas quitter le pays. Et la boutique ?

Je me dis que ce n'était pas le bon moment pour lui rappeler que cette boutique était un gouffre financier depuis dix ans, car elle ne parvenait pas à concurrencer les grosses chaînes qui faisaient aussi café, sans parler des magasins en ligne et des tablettes. Tout ce que je pouvais faire, c'était empêcher Amélia de cracher sur les gens qu'elle voyait lire sur une tablette. Elle avait fait de son mieux, organisé des séances de contes pour les petits, des séances de dédicace et des clubs de lecture le soir, mais c'était un combat perdu d'avance. Tout ça pour honorer la mémoire de son père. La librairie avait été sa fierté et sa joie à lui, pas les siennes. C'était lui qu'elle aimait, pas ce travail. J'avais essayé de le lui faire comprendre en de nombreuses occasions, mais Amélia ne voulait rien entendre.

— Et emmener ta mère à Berlin, serait-ce une option envisageable ?

— Maman a horreur de voyager, objecta Amélia avec un signe de dénégation. Tu sais comment elle est, elle ne veut pas quitter le pays. C'est hors de question pour elle de vivre là-bas !

Elle me dévisagea, horrifiée que j'en aie seulement émis l'hypothèse. Je pouvais comprendre la frustration de Fred. Amélia n'aurait jamais envisagé cette possibilité une seconde.

— Allez, ça ne veut pas dire que c'est fini ! Les relations à distance, ça marche. Tu l'as déjà vécu quand il a passé six mois à Berlin, tu te souviens ? C'était dur, mais pas insurmontable.

— Tu vois, c'est bien le problème…, reprit-elle en s'essuyant les yeux. Il a rencontré quelqu'un quand il était là-bas. Je ne te l'ai pas dit à l'époque, mais nous avons surmonté cette épreuve. Je l'ai cru quand il m'a assuré que c'était fini avec elle, mais… Christine, il sait que je ne partirai jamais d'ici. Le restaurant, le champagne, c'était une mascarade ridicule pour me forcer à mettre moi-même un terme à notre relation. Il savait que je refuserais, il ne voulait pas porter le chapeau. S'il n'a pas déjà repris contact avec elle, il y pense, je le sais.

— Tu n'en sais rien du tout.

— T'est-il déjà arrivé de ne pas savoir quelque chose, tout en ayant le sentiment de l'avoir toujours su ?

Ses paroles me firent un choc : je savais exactement ce qu'elle voulait dire. J'avais utilisé les mêmes mots quand je réfléchissais à mes propres sentiments par rapport à mon mariage.

— Oh, mon dieu ! gémit Amélia, épuisée, en enfouissant sa tête dans ses bras, sur la table. Quelle journée !

— Je ne te le fais pas dire, murmurai-je.

— Quelle heure est-il ? s'étonna Amélia en jetant un coup d'œil sur l'horloge murale. C'est bizarre. Maman aurait déjà dû m'appeler pour que je lui apporte à dîner. Je ferais mieux d'aller voir. Ça se voit que j'ai pleuré ? demanda-t-elle en se frottant les yeux.

Elle avait les yeux tout rouges, assortis à sa tignasse rousse.

— Tu es parfaite, mentis-je.

Sa mère le verrait, de toute façon.

Dès qu'elle eut quitté la pièce, je vérifiai sur mon téléphone si j'avais des messages d'Adam. Je lui avais confié les clés de mon appartement et espérais qu'il allait bien, mais il n'y avait rien là-bas pour se distraire, pas de télévision ni de livres. Ça ne me disait rien qui vaille. Je composai rapidement son numéro.

— Christine ! Appelle une ambulance ! hurla Amélia de la pièce voisine.

Au ton de sa voix, je compris qu'il valait mieux ne pas poser de question. J'effaçai le numéro d'Adam et composai celui des urgences.

Amélia avait trouvé Magda gisant sur le sol à côté de son lit. Les ambulanciers constatèrent son décès dès leur arrivée. Elle avait fait une nouvelle attaque, fatale cette fois. Amélia était fille unique, elle n'avait pas d'autre famille, elle n'avait que moi, aussi l'assistai-je pendant cette épreuve, la laissant pleurer sur mon épaule et l'aidant dans ses démarches.

Il était dix heures du soir quand je trouvai enfin l'occasion de jeter un coup d'œil à mon téléphone. Six appels manqués et un message. Il provenait du poste de la *gardaí* de Clontarf, qui me demandait de les rappeler au sujet d'Adam Basil.

10

Comment faire une omelette
sans casser des œufs

— Je viens voir Adam Basil, annonçai-je en faisant irruption au poste de la *gardaí* de Clontarf.

Mon esprit déjà perturbé n'avait cessé de divaguer, traversé de « et si » et de pensées horribles et terrifiantes sur ce qu'il avait encore bien pu se faire. Je ne me souvenais même pas du voyage.

Au guichet, le policier me dévisagea.

— Pièce d'identité s'il vous plaît ?

— Il va bien ? Il est blessé ? demandai-je en lui passant ma carte.

— S'il était blessé, il serait à l'hôpital.

— Bien sûr, oui.

Je n'y avais pas pensé, et je me détendis avant qu'une nouvelle bouffée d'angoisse m'envahisse.

— A-t-il des ennuis ?

— Il est en train de se calmer, dit-il avant de sortir du bureau et de disparaître de ma vue.

J'attendis dix minutes. Finalement, la porte de la salle d'attente s'ouvrit et Adam pénétra dans la pièce. Il était dans un état épouvantable. Je compris à son expression qu'il me faudrait marcher sur des œufs. Il avait l'air sombre. Sa chemise était froissée comme s'il avait dormi avec, même si je compris à son air épuisé et furieux qu'il n'avait pas fermé l'œil de la nuit. Si Adam était dans cet état après s'être calmé, je frémis en imaginant son état quelques heures avant.

— Vous savez que ce n'est pas légal de me garder en détention aussi longtemps, aboya-t-il au policier. Je connais mes droits.

— Je ne veux plus jamais vous revoir ici, vous m'entendez ? cria le plus vieux des policiers en pointant vers lui un doigt menaçant.

— Vous allez bien ? lui demandai-je très calmement.

Il me foudroya du regard, puis sortit du poste comme une furie.

— Nous l'avons trouvé sur un banc du parc, en train de regarder les enfants sur le terrain de jeu. Les parents se sont inquiétés, ils sont devenus suspicieux et nous ont appelés pour qu'on vienne vérifier. Je suis allé lui poser des questions, et il a perdu la tête.

— Alors vous l'avez bouclé ?

— Vu comme il m'a parlé, il a de la chance que je n'aie pas porté plainte contre lui pour injure à agent. Il a besoin de voir quelqu'un, ce garçon. Vous devriez être prudente, m'avertit-il.

Je rejoignis Adam dehors, m'attendant à ce qu'il ait disparu. Mais il était là, à côté de la voiture.

— Je suis désolée de m'être absentée tout l'après-midi. Amélia était bouleversée d'avoir rompu avec son petit ami.

Il ne sembla pas très affecté par le malheur de mon amie, et je ne pouvais pas lui en vouloir après ce qu'il avait vécu cet après-midi.

— J'allais vous appeler pour vous dire que j'arrivais quand elle est montée voir sa mère et a découvert qu'elle venait de faire une nouvelle attaque. Nous avons appelé une ambulance, mais c'était trop tard, elle était morte. Je ne pouvais pas la laisser toute seule après ça.

Soudain, je me sentis fatiguée. Tellement, tellement fatiguée.

— Désolé d'apprendre ça, dit-il en desserrant la mâchoire.

Nous fîmes le court trajet jusqu'à l'appartement en silence et quand nous entrâmes, il fit le tour des pièces vides, découvrit les murs nus et mon duvet Spiderman.

— Je suis désolée, il n'y a que ça, déclarai-je, gênée. C'est une location. Toutes mes affaires sont retenues en otage.

— C'est super, dit-il en posant son sac par terre.

— Adam, le plan de crise est là pour les situations de détresse. Je sais que cela peut sembler inutile, mais si vous en suivez les étapes, je suis sûre que vous le trouverez utile à l'avenir.

— Utile ? hurla-t-il si fort que je sursautai.

Il sortit une feuille froissée de sa poche et commença à la déchirer avec frénésie. Je reculai de quelques pas, réalisant soudain que j'avais affaire à un parfait étranger manifestement déséquilibré, et que je l'avais laissé entrer chez moi. Comment peut-on être aussi stupide ? Il n'avait pas remarqué que je m'étais écartée.

— C'est à cause de ce truc que j'ai eu des ennuis. *Appelez quelqu'un sur votre liste des gens à contacter en cas d'urgence à chaque fois que vous avez une pensée suicidaire.* C'est écrit. Et j'en ai eu une. La première personne sur ma liste, c'est vous. Je vous ai appelée. Vous n'avez pas répondu. La deuxième devrait être ma petite amie, et la troisième mon meilleur ami, mais ils ne sont pas sur cette saleté de liste. Ma mère est morte et mon père est mourant. Ils ne sont pas sur la liste. Faute de conversation téléphonique, *Faites quelque chose qui vous rend heureux à chaque fois que vous avez une pensée suicidaire.*

Il roula en boule dans son poing ce qui restait de la feuille.

— Étant donné que j'avais déjà mangé et que je m'étais promené, quelle autre chose heureuse pouvais-je bien faire aujourd'hui ? Je me suis alors souvenu du terrain de jeu, j'ai entendu les enfants qui riaient et je me suis dit, ça c'est un putain de truc heureux, peut-être qu'ils vont remonter mon putain de moral. Je suis donc allé m'asseoir là-bas pendant une heure, sans que ça remonte mon putain de moral. Ensuite ce policier s'est pointé et m'a demandé si j'étais pédophile ! Évidemment que ça m'a énervé qu'il me prenne pour un pervers qui reluquait les gamins ! Alors vous pouvez reprendre votre putain de plan de crise et vous le foutre au cul ! hurla-t-il en lançant les bouts de papier en l'air. Le copain de votre amie l'a quittée, sa mère est morte et vous n'êtes pas en meilleur état vous-même. C'est ça, la beauté de la vie selon vous ? Merci bien.

— OK...

Je vacillai, essayant de ne pas avoir peur de cet homme que je ne connaissais pas, tout en bataillant pour me convaincre que je le connaissais, me rappeler que je l'avais vu se montrer gentil, dévoiler son côté romantique, son humour. Face à ce côté sombre et à cette rage, il était difficile de croire que cet autre Adam existait. Je regardai la porte discrètement. Je pouvais m'enfuir, appeler la *gardaí*, leur raconter ce qui s'était passé sur le pont, qu'il avait voulu se tuer, je pouvais mettre un terme à tout ça sur-le-champ, parce que j'avais échoué. J'avais fichu le bazar partout.

Je respirai calmement, à fond, pour tenter de retrouver un rythme cardiaque normal. Ses hurlements m'affolaient et m'empêchaient de garder la tête froide. Enfin, le silence revint. Il était planté là et me regardait. Il fallait que je dise quelque chose, quelque chose pour montrer que je compatissais. Sans risquer de déclencher une nouvelle crise de rage. S'il se faisait du mal, je ne le supporterais pas. Pas ici, pas en ma présence, jamais.

Je déglutis et fus surprise par la fermeté de ma voix.

— Je comprends que vous soyez furieux.

— Évidemment que je suis furieux, putain !

Mais il avait l'air moins énervé qu'avant. Mes paroles semblaient l'avoir un peu calmé. Du coup, moi aussi je me sentis plus calme. Peut-être que mes efforts allaient porter leurs fruits. Le moins que je puisse faire, c'était d'essayer encore un peu. Je ne voulais pas renoncer.

— J'ai un remède pour ça, dis-je.

Je le contournai, très vite, pour aller dans la cuisine. Je pris six œufs dans le frigo et écrivis dessus avec un marqueur noir, en remarquant combien ma main tremblait. J'y inscrivis « Basil », « Sean », « Maria », « Papa », « Lavinia » et « Christine ». Puis j'ouvris la porte de la cuisine qui donnait sur le jardin à l'arrière de la maison, tout en longueur.

— Venez ! l'appelai-je.

Il me regarda, les yeux sombres.

— Allez ! dis-je avec plus de fermeté, en essayant de cacher mon appréhension et de garder le mouvement.

C'était moi qui commandais, ici. Il fallait qu'il m'écoute. Il me suivit avec réticence.

— Voici six œufs, avec des mots qui représentent ce qui vous met en colère en ce moment. Lancez-les. Où vous voulez. Aussi fort que vous voulez. Écrabouillez-les. Débarrassez-vous de votre colère.

Je lui tendis la boîte et lui montrai la porte ouverte.

— J'en ai assez de vos trucs à faire, marmonna-t-il entre ses dents.

— Comme vous voulez.

Je reposai la boîte sur le comptoir et quittai la cuisine pour aller dans ma chambre. Même si j'avais très envie de m'enfermer à clé, je n'aimais pas trop le message que cela lui enverrait. À la place, je m'assis sur mon duvet Spiderman et contemplai le mur et ses motifs de magnolias, l'ombre à carreaux que la lune dessinait à travers ma fenêtre, et j'essayai de réfléchir à la suite. J'avais une énorme tâche devant moi, et aucune idée de la manière de procéder. Il fallait que je réussisse à le faire aller chez un psy d'une façon ou d'une autre. Mais comment ? Peut-être pourrais-je faire semblant d'aller quelque part avec lui et arriver à l'entrée d'un cabinet ? Mais si je faisais ça, si je le prenais pour un idiot ou si je tentais de le rouler, je perdrais sa confiance pour de bon. Il se rendrait compte que je ne servais à rien. Et il ne voudrait plus que je l'aide.

Pour la première fois depuis que j'avais accepté de relever ce défi, je commençais à croire que je ne pourrais pas tenir parole. L'imaginer en train de se tuer me rendait physiquement malade, aussi me précipitai-je dans les toilettes en fermant la porte à clef. Alors que j'étais pliée en deux au-dessus de la cuvette, je l'entendis gémir de douleur comme s'il avait reçu un coup de poing. Stupéfaite, je pris sur moi, m'aspergeai le visage d'eau et ressortis à toute vitesse. Je m'arrêtai net à la porte de la cuisine. La lumière derrière moi éclairait le jardin, qui avait été négligé depuis la mort de ma grand-tante Christine, la seule personne de la famille qui avait la main verte. Aujourd'hui il ne restait qu'un long rectangle d'herbe qui n'avait pas été entretenu correctement depuis au moins dix ans, et encore moins en ces mois d'hiver. Je me souvins qu'elle nous bourrait de fraises tout juste cueillies, de fleurs comestibles, d'ail sauvage et de menthe, que je mangeais plus pour la forme que pour le goût. Je me la représentai en train de cueillir des groseilles pour sa gelée, coiffée de son chapeau de paille à large bord qui la protégeait du soleil, la peau ridée flétrie de son cou et de son décolleté qui frémissait et se plissait quand elle travaillait, nous expliquant ce qu'elle faisait d'une voix rauque essoufflée par l'emphysème. Le jardin ne ressemblait plus du tout à cela aujourd'hui, cependant son souvenir restait dans un coin de ma mémoire, et cet épisode lumineux de ma jeunesse, ce jour ensoleillé où je me sentais au chaud et en sécurité, contrastait avec cette nuit sombre et froide où la peur et la panique s'étaient logées dans mon cœur.

Planté dans le jardin, Adam regardait fixement la boîte d'œufs qu'il tenait dans sa main, et faisait son choix qui nécessitait visiblement une longue réflexion. Il en choisit un et l'envoya d'un jet puissant jusqu'au fond du jardin. Il poussa un cri tandis que l'œuf s'écrasait contre le mur. Sa détermination redoubla, il examina de nouveau la boîte et en prit un autre. Il le lança, cria quand il vola dans les airs, et l'observa s'écraser lui aussi contre le mur du fond. Il répéta l'action trois fois encore. Quand il eut terminé, il se précipita dans la maison et claqua la porte de la salle de bains derrière lui. Je me retirai dans la chambre pour le laisser respirer. La douche se mit à couler. J'entendis ses sanglots de rage se confondre avec le bruit de l'eau.

Je sortis chercher la boîte. Il restait un œuf intact. Je m'accroupis, le ramassai et les larmes me montèrent aux yeux. Le nom inscrit sur l'œuf restant était « Christine ».

J'étais dans mon lit, calée contre mes oreillers, tendue et aux aguets, incapable de me détendre en le sachant dans cet état, quand il apparut à la porte de ma chambre. Je remontai instinctivement mes couvertures, comme pour me protéger. Il fit une drôle de grimace, comme si ma réaction le blessait.

— Je suis désolé, dit-il doucement. Je promets de ne plus me comporter comme ça. Je sais que vous essayez de m'aider.

Je vis que c'était un Adam différent de celui qui s'était mis en colère contre moi un peu plus tôt, et je me détendis.

— Je vais faire des efforts, lui dis-je.

— Ne faites pas attention à ce que j'ai dit. Vous vous en sortez très bien. Merci.

Je souris, et il me rendit mon sourire.

— Bonne nuit, Christine.

— Bonne nuit, Adam.

11

Comment disparaître
de la surface de la terre
et n'être jamais retrouvé

À quatre heures du matin, j'eus une illumination. Adam avait dit vrai la nuit précédente : il fallait que je fasse mieux. Complètement réveillée et désormais trop agitée pour dormir, je me levai et revêtis un jogging, puis traversai le séjour aussi silencieusement que possible. La pièce était plongée dans l'obscurité mais Adam était assis, le visage tourmenté illuminé par la lueur de son ordinateur portable.

— Je croyais que vous dormiez.

— Je regarde *La Folle Journée de Ferris Bueller*.

Sur le plan de crise, c'était l'une des choses à faire en cas de coup de blues : regarder un film comique.

— Ça va ? lui demandai-je.

J'essayai de scruter son visage mais la lumière de l'écran ne suffisait pas à percer à jour ses secrets les plus intimes.

— Où allez-vous ? dit-il en ignorant ma question.

— Au bureau. Je reviens dans cinq minutes, si ça vous va ?

Il hocha la tête.

À mon retour, son ordinateur était renversé par terre, le cordon du chargeur était enroulé autour de son cou et il était à moitié affalé sur le canapé, les yeux fermés et la langue pendante.

— Très drôle ! lançai-je sans cesser ma progression vers la chambre, les bras chargés de papier, stylos, surligneurs et d'un tableau blanc que j'avais l'intention d'y installer.

Adam prétendait qu'il ne voulait pas de soutien psychologique, insistait sur le fait que ses besoins étaient matériels, tangibles et physiques. Il voulait récupérer son travail chez les gardes-côtes irlandais, il voulait retrouver sa petite amie, il voulait que sa famille le lâche. Je m'étais figuré pouvoir m'attaquer à ça en lui offrant un soutien psychologique, mais j'avais très peu de temps. Peut-être fallait-il donc que je traite ses besoins physiques comme je le ferais avec ses besoins psychologiques. Pour ces derniers il avait un mode d'emploi, son plan de crise. Ce qui manquait, c'était un mode d'emploi pour répondre à ses besoins physiques, et j'allais le lui fournir.

N'y tenant plus, Adam apparut à la porte.

— Que faites-vous ?

J'échafaudais des plans et traçais des schémas, prise d'une véritable frénésie. Grilles, tableaux, traits de surligneurs, mots entourés, tout s'entremêlait sur les grandes feuilles blanches.

— Combien de cafés avez-vous bus ?

— Trop. Mais nous n'avons pas de temps à perdre. Ni vous ni moi ne dormons, de toute façon, donc pourquoi ne pas s'y mettre maintenant ? Il reste douze jours, annonçai-je, d'une voix qui trahissait mon inquiétude. Ça fait deux cent quatre-vingt-huit heures. La plupart des gens dorment huit heures par nuit. Pas nous, mais les gens normaux, si. Cela nous laisse seize heures par jour pour faire ce que nous avons à faire, donc cent quatre-vingt-douze heures. Ça ne fait pas tant de temps que ça. Et il est quatre heures du matin, donc officiellement il nous reste onze jours.

Je raturai mes chiffres et reportai aussitôt mon calcul en dessous. Nous avions du pain sur la planche à Dublin, et bientôt il nous faudrait aller à Tipperary pour nous occuper du reste des problèmes d'Adam.

— À mon avis, vous faites une crise de nerfs, dit-il, amusé, bras croisés, en m'observant.

— Non. J'ai eu une illumination. Vous voulez mes services à plein-temps, en tête à tête ? Vous allez être servi.

J'ouvris l'armoire et en sortis une torche, dont je vérifiai les piles. Je fourrai des serviettes et des vêtements de rechange dans un sac.

— Je vous conseille de mettre quelque chose de chaud et de prendre des vêtements de rechange, parce que nous sortons.

— Dehors ? Il gèle, et il est quatre heures du matin. Où allons-nous ?

— Mon ami, nous allons reconquérir Maria.

— Et comment ? demanda-t-il, presque souriant.

Je le poussai dans le couloir sans lui laisser d'autre choix que d'enfiler son manteau et me suivre.

Ste Anne Park est ouvert vingt-quatre heures sur vingt-quatre, mais ce n'est pas l'endroit le plus sûr où se retrouver à quatre heures et demie du matin. Des agressions y avaient eu lieu par le passé, et il arrivait qu'on y retrouve un cadavre ou deux. Ce n'était pas particulièrement bien éclairé la nuit, un détail que j'avais oublié depuis mes soirées adolescentes alcoolisées.

— Vous êtes dingue, dit-il en suivant le faisceau de ma torche. Vous ne croyez pas que c'est un peu dangereux de se balader par ici ?

— Si, absolument. Mais vous êtes grand, vous me protégerez, dis-je en claquant des dents à cause du froid.

À mesure que nous nous enfoncions dans le parc, l'effet de la caféine s'estompait. Les cannettes de bière vides par terre et les nouveaux graffitis que l'on retrouvait chaque matin laissaient penser que nous ne serions pas seuls dans le parc, mais avec le compte à rebours qui m'obsédait, il n'y avait pas une seconde à perdre. Je ne voulais pas avoir la mort d'Adam sur la conscience, ou je ne pourrais plus jamais trouver le sommeil.

Malgré la torche, je ne voyais qu'à quelques mètres devant moi, et le soleil ne viendrait pas nous aider avant des heures. Cependant, j'avais pour moi une grande expérience du parc. J'y avais grandi et j'en connaissais les deux cent cinquante hectares comme ma poche. Mais ça, c'était quand il faisait jour. Cela faisait bien quinze ans que je n'y avais pas traîné en pleine nuit, depuis l'époque où je buvais avec mes copains.

Soudain je m'arrêtai, et braquai la torche à droite puis à gauche. Ensuite je tournai sur moi-même, pour essayer de retrouver mon chemin.

— Christine, me dit Adam pour me mettre en garde.

Je l'ignorai et tentai de me représenter les lieux en plein jour. Je fis quelques pas vers la droite, puis m'arrêtai encore avant de partir dans la direction opposée.

— Mon Dieu, ne me dites pas que nous sommes perdus !

Je ne dis rien.

Adam frissonna à côté de moi. Sur notre gauche, nous entendîmes des voix sous les arbres, suivies de cliquetis de bouteilles.

— Par ici, couinai-je en m'éloignant du groupe sous les arbres.

Adam marmonnait dans sa barbe.

— Oh, qu'est-ce que ça peut vous faire ? Vous voulez mourir de toute façon ! lui lançai-je.

— Oui, mais comme je l'aurai choisi, protesta-t-il. Me faire tuer par un type bourré, ce n'est pas ce que j'avais prévu.

— Quand on mendie, on ne fait pas la fine bouche, dis-je, en citant mon père malgré moi.

Heureusement nous atteignîmes la mare aux canards, et heureusement les lampadaires étaient allumés, ce qui empêcherait les acolytes du groupe sous les arbres de nous tomber dessus.

— Vous voyez ? m'exclamai-je fièrement.

— J'appellerais ça de la chance. Une chance de cocu.

— Eh bien, ne restez pas planté là, allez chercher la feuille de nénuphar !

Je tapai des pieds et frottai mes gants l'un contre l'autre. Je sentais son regard posé sur moi.

— Pardon ?

— Et pour quelle autre raison pensiez-vous que je vous ai dit d'apporter des vêtements de rechange ?

— Il fait moins quatre ! Je suis même surpris que l'eau ne soit pas gelée. Je vais mourir d'hypothermie !

— Si vous n'étiez pas si difficile quant au choix des modalités de votre mort, vous rendriez les choses beaucoup plus faciles. Bon, si c'est comme ça...

Je retirai mon manteau et frissonnai aussitôt jusqu'aux os.

— Je vous interdis d'aller là-dedans.

— L'un de nous doit y aller, et vous n'en avez clairement pas envie, rétorquai-je.

Je me préparai, et examinai la mare à la recherche de la feuille idéale.

— Mais, Christine, pensez aux gens qui vous aiment ! dit-il, mi-figue, mi-raisin. Ils ne voudraient pas que vous fassiez ça !

Je l'ignorai. Je ne quitterais pas le parc sans la feuille de nénuphar. Depuis le bord de la mare je scrutai la surface, à la recherche de la plus belle. Certaines étaient déchirées, fanées, et je voulais la plus verte, la plus circulaire, une feuille dont Maria pourrait se servir pour y poser les choses qu'elle chérissait, et avec un peu de chance la photo d'Adam encadrée se retrouverait de nouveau dessus. Peut-être y déposerait-il sa petite monnaie quand il rentrerait du travail avant d'aller faire des galipettes avec Maria, ou y laisserait-il sa montre pendant qu'il prenait une douche, repensant de temps à autre à la folle qui l'avait aidé à la pêcher par cette nuit glacée, à l'époque où il avait des problèmes.

Je localisai enfin la feuille que je voulais. Hélas ! Ce n'était pas la plus proche, mais je pouvais nager là-bas et revenir vite fait. Ce serait l'affaire de quelques secondes. Dix secondes maximum. Et c'était une question de vie ou de mort, ce qui mit immédiatement un terme à mon indécision. Je ne connaissais pas la profondeur de l'eau, aussi fouinai-je vers les arbres à la recherche d'un bâton, que je plongeai dans l'eau pour en jauger la profondeur.

— Vous allez vraiment faire ça ?

Le bâton s'enfonça de moitié. Ce n'était pas profond du tout. À peine un mètre. Je pouvais le faire, et je n'aurais pas à nager, c'était à quelques enjambées à peine. La mare était trouble, verte et marécageuse, mais je pouvais le faire. Je roulai mon pantalon de jogging le plus haut possible au-dessus de mes genoux.

— Oh, mon Dieu ! s'écria Adam en riant, lorsqu'il comprit que j'allais vraiment y aller.

Regardez, il y en a une juste au bord. Je pourrais l'attraper.

J'examinai la feuille. Il lui suffisait de tendre le bras pour la cueillir sans problème.

— Vous pensez qu'elle va regarder ça et se dire : « Ouah, il m'aime vraiment ! » Elle est dégoûtante, avec ce truc velu qui pousse dessus. Oh, et regardez, il y a un mégot de cigarette. Je ne crois pas que ce soit le message que vous vouliez envoyer. Non, nous voulons celle-là, continuai-je en montrant la plus éloignée. Celle qui n'a jamais été touchée par la main de l'homme.

— Vous allez geler.

— Je sécherai. Je ne vais pas en mourir. Dès que je sors, on court à la voiture.

Je pénétrai dans l'eau. Elle montait bien plus haut que prévu, bien au-dessus de mes genoux et me trempa les fesses à travers mon jogging. Je la sentis qui allait jusqu'à ma taille. Le bâton m'avait induit en erreur, ou avait atterri sur une pierre. Je hoquetai. J'entendis Adam qui riait, mais j'étais trop concentrée pour le houspiller. Maintenant que j'y étais, je ne pouvais plus reculer. Le fond était moelleux et spongieux sous mes pieds. Je préférai ne pas penser à ce qu'il y avait là-dedans. Des roseaux, des feuilles mortes se collaient contre moi alors que je me frayais un chemin dans l'eau trouble. Je me demandais quelles maladies je pourrais bien attraper là-dedans, mais je persévérai. Dès que la feuille fut à ma portée, je tendis le bras et la tirai vers moi. Cinq grandes enjambées sur le fond gluant, et je me retrouvai au bord. Adam tendit le bras pour m'aider à sortir. Mon pantalon me collait au corps, mes vêtements dégoulinaient d'eau stagnante puante. Pataugeant vers mon sac, j'en sortis une serviette, retirai mon pantalon et mes chaussettes puis me séchai rapidement. Adam détourna le regard, toujours hilare, et je retirai ma petite culotte. J'enfilai un jogging sec, sans cesser de claquer des dents à cause du froid. Les mains tremblantes, j'enfilai des chaussettes, des baskets et échangeai mon pull contre une épaisse polaire. Il me tint mon manteau, j'y passai les bras et m'enroulai dedans. Il fourra son bonnet en laine sur ma tête et me serra dans ses bras pour essayer de me réchauffer. La dernière fois que nous nous étions retrouvés dans cette position, c'était sur le pont, et c'était moi qui entourais Adam de mes bras. Et maintenant, les rôles s'étaient inversés. Son menton reposait sur le sommet de mon crâne et il me frottait les épaules pour me réchauffer. Mon cœur battait la chamade, à me retrouver si proche de lui. Je ne savais pas trop si c'était le même sentiment que celui que j'avais éprouvé sur le pont ou si c'était seulement lui, sa proximité, son corps plaqué contre le mien, son odeur qui me tourneboulaient les sens.

— Ça va ? demanda-t-il, tout près de mon oreille.

J'avais presque peur de le regarder. Je n'osai parler, de crainte que ma voix ne révèle mon ébranlement intérieur. Alors je hochai la tête, en me frottant encore plus contre lui. Je ne sais pas si c'était un effet de mon imagination, mais je crus sentir ses bras se resserrer autour de moi.

Nous entendîmes des voix qui se rapprochaient, graves, masculines, pas très amicales. Le moment d'intimité cessa aussi vite qu'il avait commencé. Il relâcha son étreinte, prit mon sac et la feuille de nénuphar qui était par terre.

— Venez, dit-il, et nous repartîmes en courant par où nous étions arrivés.

Une fois dans la voiture, Adam mit le chauffage à fond. Il était inquiet, apparemment mes lèvres étaient devenues bleues et je ne pouvais pas m'arrêter de trembler.

— C'était vraiment une mauvaise idée, Christine, dit-il, le visage sombre, les sourcils froncés et l'air soucieux.

— Je vais bien, assurai-je en posant mes mains sur la grille du chauffage, il me faut juste une minute.

— Retournons à l'appartement, proposa-t-il. Vous pourrez prendre une bonne douche chaude et un café.

— Je connais un garage ouvert vingt-quatre heures sur vingt-quatre, qui vend un café infâme, réussis-je à bredouiller en claquant des dents. Nous n'avons pas encore fini.

— Nous ne pouvons pas lui donner ça maintenant, dit-il en regardant la feuille dégoulinante sur la banquette arrière. Elle sera encore au lit.

— Ce n'est pas là que nous allons.

Avec un café chaud dans l'estomac, et un autre qui m'attendait dans le porte-gobelet à côté de mon siège, je commençai finalement à me dégeler.

— Pourquoi allons-nous à Howth ?

— Vous verrez bien.

Une autre prescription de *Trente façons simples de profiter de la vie*, après avoir mangé et s'être promené, c'était de contempler un coucher ou un lever de soleil. J'espérais que la lumière de l'aurore aiderait à redonner de l'énergie à Adam. Et si par la même occasion, ça marchait aussi pour moi, je ne me plaindrais pas. Je remontai la route de la côte jusqu'à Howth Summit, où nous étions les seuls sur le parking. Six heures et demie du matin, ciel clair : un décor parfait pour admirer un lever du soleil sur la baie de Dublin.

Nous inclinâmes nos sièges, prîmes nos cafés, et baissâmes le volume de la radio pour contempler le ciel. Au loin, le ciel commença à se teindre de rose au-dessus de la mer.

— Et... action ! dit Adam.

Il ouvrit un sac en papier kraft et me le tendit. Ça sentait le sucre, mon estomac se révulsa et je fis non de la tête.

Il plongea la main dedans et prit un petit pain à la cannelle.

— Regardez comme la cannelle sent la cannelle, et comme l'écorce du citron ressemble à l'écorce du citron. Je goûte ma nourriture, et je la savoure, expliqua-t-il d'une voix robotique. Je prends part à l'une des nombreuses joies de la vie.

— Au moins, vous commencez à comprendre.

Il mordit dedans et mastiqua, avant de recracher la bouchée dans le sac en papier, d'y remettre le reste du petit pain et de refermer le sac.

— Comment les gens peuvent-ils manger cette cochonnerie ?

Je haussai les épaules.

— Racontez-moi une autre chose drôle que vous avez faite pour Maria, ou avec elle.

— Pourquoi ?

— J'ai besoin de le savoir.

C'était une réponse facile, mais à vrai dire je ne pouvais pas m'empêcher de penser tout le temps à ce qu'il avait fait pour elle, aux cadeaux insolites qu'il lui offrait. J'avais très envie d'en entendre plus.

— Oh ! s'exclama-t-il après un instant de réflexion. Elle était fan de « Où est Charlie ? ». Donc, quand j'ai voulu lui demander de sortir avec moi pour la première fois, je me suis habillé en Charlie et je n'ai pas arrêté d'apparaître, partout où elle se trouvait. Je ne la regardais pas. Elle était dans un magasin, hop, j'y entrais sans rien dire. Je l'ai suivie toute la journée, en me contentant d'apparaître.

Je le regardai, et haussai les sourcils très haut. Puis j'éclatai de rire.

Il était ravi.

— Heureusement, elle ressentait la même chose, et a accepté de sortir avec moi.

Puis son sourire s'évanouit aussitôt.

— Vous allez la reconquérir, Adam.

— J'espère.

Nous restâmes silencieux en regardant le ciel.

— Si cette feuille de nénuphar ne la fait pas revenir, je ne vois pas ce qu'on peut bien faire de plus, dit-il avec sérieux.

J'éclatai de rire à nouveau. Quand je me calmai enfin, le ciel était clair.

— Exact, approuvai-je en mettant le contact. Vous vous sentez mieux ?

— On ne peut mieux, assura-t-il, sarcastique. Je n'éprouve plus un besoin impérieux de me tuer.

— C'est bien ce que je pensais.

Je démarrai la voiture et pris la route de la maison.

J'étais assise sur l'unique chaise dont mon père avait équipé la cuisine, occupée à nettoyer la feuille de nénuphar, d'abord avec une lingette pour bébé, avant de la faire briller avec de la cire. C'était une feuille très impressionnante, avec une nervure parfaite qui courait sur les bords, j'avais même posé dessus la théière et des tasses pour en éprouver la solidité. Je l'avais cirée à la perfection, en me persuadant que le léger mal de tête et le rhume que je sentais monter en valaient la peine. J'admirais le résultat quand mon téléphone commença à sonner. Huit heures. Je me demandais si je devais écouter mes messages. Je savais que c'était Barry, encore des insultes et de la haine et qu'il ne fallait pas écouter mais je ne pus m'en empêcher. J'avais l'impression que je lui devais au moins ça, qu'ignorer sa souffrance serait un camouflet supplémentaire.

Adam me rejoignit dans la cuisine.

— C'est lui ?

Je hochai la tête.

— Pourquoi appelle-t-il à la même heure tous les jours ?

— Parce qu'à huit heures pile, après s'être levé et habillé, il est assis à la table de la cuisine, devant une tasse de thé, un toast et sa vie qui s'est effondrée, en train de consulter son téléphone et de réfléchir aux façons de m'entraîner dans sa chute.

Je sentis qu'Adam m'observait, mais je ne le regardai pas et me contentai de continuer à cirer la feuille de nénuphar, consciente du ridicule de la situation. Mon ex-mari était en pleine crise et moi je cirais une feuille de nénuphar volée dans un jardin public. Aucun de nous n'était sorti indemne de cette rupture.

— Vous allez les écouter ?

— Probablement, répondis-je avec un soupir en finissant par lever les yeux vers lui.

— Pour bien vous rappeler pourquoi vous l'avez quitté ?

— Non, objectai-je, avec sincérité. Parce que c'est mon châtiment.

Il fronça les sourcils.

— Chaque chose horrible qu'il me dit me blesse profondément, et si c'est là mon châtiment pour l'avoir quitté, cela me donne l'impression de mériter ma liberté. Donc, une fois de plus, je me comporte comme une personne totalement égoïste, qui se sert de la souffrance d'autrui pour se donner bonne conscience.

Il me considéra, les yeux écarquillés.

— Doux Jésus ! Vous n'analysez pas les choses à moitié, putain ! Je peux écouter ?

Je reposai la feuille de nénuphar et hochai la tête. Je le regardai s'asseoir sur le comptoir pour écouter les messages de Barry. Son expression ne cessait de changer, il fronçait les sourcils puis son visage se détendait, il plissait le front, ouvrait la bouche avec un air béat comme pour montrer à quel point il trouvait les insultes de Barry divertissantes. Puis il raccrocha, impatient de me rapporter ce qu'il avait entendu.

— Celui-là, vous allez l'adorer ! dit-il, les yeux brillants.

Le téléphone sonna dans sa main.

— Attendez, il vous en a laissé un autre ! Ce type est incroyable, gloussa-t-il, jubilant du spectacle, de cette intrusion dans ma vie privée. Bien joué, Barry !

Il recomposa le numéro de ma messagerie et écouta. Son sourire se figea, et l'éclat disparut aussitôt de ses yeux.

Mon cœur fit un bond.

Trente secondes plus tard, il sauta du comptoir, à peine un petit bond tant ses jambes étaient longues, et me rendit le téléphone. Il évita mon regard, puis entreprit gauchement de quitter la pièce.

— Qu'est-ce qu'il a dit ?

— Ah, rien d'intéressant.

— Adam ! Vous aviez l'air tellement impatient à l'idée de me répéter le premier message !

— Ah, oui ! C'était quelque chose d'idiot à propos de votre amie. Une fille qui s'appelle Julie, qu'il traite de pute – non, attendez, de salope. Il la voyait sortir avec plein de types différents. Il l'a croisée un soir sur Leeson Street, avec un type qu'il savait marié. Il avait des commentaires à vous faire sur ses choix vestimentaires, ajouta Adam en haussant les épaules.

— Et vous avez trouvé ça drôle ?

— Eh bien, son élocution était tout à fait exceptionnelle, dit-il avec un petit sourire, qui s'effaça rapidement.

Je secouai la tête. Julie était l'une de mes plus proches amies de fac, c'était elle qui avait déménagé à Toronto et m'avait laissé sa voiture à vendre. Les tentatives de Barry pour me faire du mal continuaient.

— Et l'autre message ?

Il continua à s'éloigner.

— Adam !

— Rien du tout. Ça n'avait pas de sens. C'était plus une tirade de colère... furieuse.

Il me regarda fixement, sans dire un mot puis quitta la pièce.

Cette façon dont il m'avait regardée, d'un air plein de sympathie, de pitié... est-ce qu'il me cachait quelque chose ? Je n'aurais pas su dire pourquoi exactement mais cela me perturbait. J'interrogeai ma messagerie.

« Vous n'avez aucun nouveau message. »

— Adam, vous avez effacé mes messages ? lui demandai-je en le suivant dans le séjour.

— Ah bon ? Désolé, s'excusa-t-il, sans lever les yeux de son ordinateur.

— Vous l'avez fait exprès.

— Ah bon ?

— Qu'est-ce qu'il a dit ? Dites-le-moi.

— Je vous l'ai déjà dit : votre amie Julie est une salope. D'ailleurs, j'aimerais bien la rencontrer, elle a l'air intéressante, plaisanta-t-il dans une vaine tentative de détendre l'atmosphère.

— Et le second message, insistai-je.

— Je ne m'en souviens pas.

— Adam, ce sont mes putains de messages, alors maintenant crachez le morceau ! hurlai-je, plantée devant lui.

Mes vociférations ne changèrent rien à son attitude. Je pensais qu'il prendrait ça comme une provocation, mais cela eut l'effet inverse. Il s'adoucit, devint sympathique, ce qui eut pour effet de me faire redoubler de colère.

— Il vaut mieux pour vous que vous ne sachiez pas ce qu'il a dit, d'accord ? décréta-t-il.

À la façon dont il me dévisageait, je me sentis terrifiée en pensant aux informations personnelles que Barry avait sans doute révélées. Manifestement, je n'obtiendrais rien de la part d'Adam, en tout cas pas en ce moment, donc je quittai la pièce. J'avais envie de prendre la fuite, loin de lui, de l'appartement, juste pour être seule et crier, hurler, pleurer de frustration ou me lamenter sur ma vie qui m'échappait, mais je ne pouvais pas. Je me sentais liée à lui, comme une mère à son enfant, incapable de l'abandonner, même si j'en mourais d'envie. J'étais responsable de lui, en permanence, jour et nuit. Il fallait que je le surveille même si en ce moment précis, grâce à je ne sais quelle chose que Barry avait révélée, il semblait estimer que c'était à lui de me protéger.

Il ne me fallut pas longtemps pour réaliser que les humeurs d'Adam étaient imprévisibles. Tantôt il était engagé dans une conversation, parfois commencée de sa propre initiative, tantôt il la tolérait à peine, et soudain il était ailleurs, complètement ailleurs. Il se réfugiait dans ses pensées, avec l'air si perdu, parfois si furieux que je n'osais m'imaginer ce qu'il avait en tête. Cela pouvait se produire en pleine discussion, au beau milieu d'une phrase, même au milieu de l'une des siennes, et durer des heures. C'est ce qu'il se passa après mon accès de colère pour avoir effacé mes messages. Je l'observai – qui s'installait sur le canapé pour une nouvelle heure de semi-coma, à ruminer sa haine de la vie, de lui-même, du monde et de tout ce qui l'entourait. Je décidai de prendre les choses en main.

— Bien, allons-y, lui ordonnai-je en lui lançant son manteau.

— Je ne vais nulle part.

— Oh, que si ! Vous voulez disparaître ?

Il me regarda, ahuri.

— Vous voulez disparaître, répondis-je à sa place. Vous voulez vous perdre. Parfait. Allons nous perdre.

Alicia, trois ans, était assise sur les marches de sa maison avec un siège auto à côté d'elle. Alicia était la petite dernière de Brenda. Je l'emmenais en promenade quelques heures chaque semaine pour m'acquitter de mes devoirs de tante, que j'adorais. Surtout avec Alicia, car je n'arrivais pas tout à fait à m'attacher aux garçons qui voulaient me ligoter chaque fois que je franchissais leur seuil et entonnaient ensuite des mélopées où il était question de me rôtir à la broche. Dans leur forme actuelle, nos balades avaient commencé quatre mois auparavant, sans doute au moment où je commençais à songer à mettre fin à mon mariage. J'avais pour habitude de conduire Alicia à un espace de jeu pour enfants où je pouvais la lâcher dans une salle entièrement tapissée de mousse et la regarder rebondir sur les murs, dévaler des toboggans qui déboulaient dans des piscines de balles, et ensuite cacher mon air horrifié quand elle s'assurait que je la regardais. Sur le trajet vers l'espace de jeu, Alicia avait annoncé un jour au feu rouge où nous tournions habituellement à droite qu'elle voulait que je prenne à gauche. Comme je n'étais pas très pressée de la voir ramper en se faisant écrabouiller entre deux cylindres tournants rembourrés pour rire, et que j'étais plongée dans mes pensées après mon fantasme de la nuit où je m'étais imaginée avec un autre homme, j'avais tourné à gauche, puis demandé à Alicia où aller ensuite. Nous avions conduit pendant une heure, tournant selon les indications d'Alicia. Depuis, nous faisions cela chaque semaine, et nous retrouvions toujours dans des endroits différents. Cela me permettait de réfléchir, cela faisait passer le temps et permettait à Alicia d'exercer son autorité sur un adulte, une expérience nouvelle pour elle.

L'un des conseils du manuel qui recensait des moyens simples de profiter de la vie était de *Passer du temps avec des enfants*. Il expliquait que des études avaient montré que le bonheur procuré par les enfants était immense. Même si j'avais lu d'autres études qui le classaient au même niveau que les courses au supermarché. J'imagine que cela dépendait si vous aimiez les enfants ou pas. J'espérais que ce serait là une autre manière de faire prendre conscience à Adam que la vie était belle.

— Salut, Alicia, dis-je en la serrant dans mes bras.

— Salut, caca boudin.

— Pourquoi es-tu dehors toute seule ?

— Lee fait un caca boudin.

Lee, sa nounou, qui avait Jayden, six mois, dans les bras, me fit signe par la fenêtre. Je l'interprétai comme le signal qui m'autorisait à emmener Alicia.

J'ouvris la porte côté passager, dérangeant Adam qui était dans un état proche du coma.

— Vous pouvez vous asseoir derrière à côté d'Alicia. Voici Adam, il vient se perdre avec nous.

Je voulais qu'il puisse engager la conversation avec elle, et à l'avant il lui aurait été facile de l'ignorer.

— C'est ton amoureux pour de vrai, caca boudin ?

— Non, caca boudin.

Alicia gloussa.

Je pris le siège auto et l'installai dans la voiture, puis aidai Alicia à s'asseoir. Toujours ailleurs, Adam monta à côté d'elle, et regarda par la vitre. Il interrompit son rêve éveillé pour jeter un coup d'œil à la mignonne petite de trois ans attachée à côté de lui. Ils se regardèrent tous les deux, sans rien dire.

— Comment ça s'est passé à l'école Montessori, aujourd'hui ? demandai-je à Alicia.

— Bien, caca boudin.

— Est-ce que tu vas dire caca boudin à chaque phrase ?

— Oui, gros pipi.

Adam avait l'air dérouté, mais amusé.

— Il y a des enfants dans votre famille ? lui demandai-je.

— Oui, ceux de Lavinia. Mais ce sont de petits merdeux prétentieux. Perdre leur maison, c'est sans doute ce qui leur est arrivé de mieux.

— Sympa, dis-je d'un ton sarcastique.

— Désolé, s'excusa Adam en se crispant un peu.

Je les observai tous les deux dans le rétroviseur central.

— Alors, quel âge as-tu ? demanda Adam à Alicia.

Alicia leva quatre doigts.

— Tu as quatre ans.

— Trois, rectifiai-je.

— Et de toute évidence, tu es une menteuse, l'accusa Adam.

— Regarde mon nez, ouououououh ! s'écria Alicia en faisant le geste de tirer dessus pour montrer qu'il s'allongeait.

— Où allons-nous ? demanda Adam.

— À gauche, dit Alicia.

— Elle a trois ans, et elle sait se diriger en voiture ?

Je souris et mis mon clignotant à gauche. Quand nous arrivâmes au bout de la rue, je regardai Alicia dans le rétroviseur.

— À droite, ordonna Alicia.

Je tournai à droite.

— Tu connais vraiment le chemin ? demanda Adam à Alicia.

— Ouais, répondit-elle.

— Mais, comment ? Tu as trois ans.

— Je connais tous les chemins. Pour aller partout. Dans le monde entier. Tu veux aller rue Caca-Boudin ?

Elle rejeta la tête en arrière, morte de rire.

Nous prîmes de nombreux tournants, à gauche, à droite, tout droit, toujours sur les instructions d'Alicia. Dix minutes s'écoulèrent.

— OK, puis-je savoir où nous allons, exactement ? insista Adam.

— À gauche, répéta Alicia.

— Je sais que nous allons à gauche, mais où, à gauche ?

— C'est comme ça qu'on fait pour se perdre, expliquai-je.

— Donc, on conduit n'importe où, en suivant les indications d'un enfant ? m'interrogea-t-il.

— Exactement. Et après, on essaye de retrouver le chemin de la maison.

— Pendant combien de temps ?

— Quelques heures.

— Et vous faites ça souvent ?

— Le dimanche, d'habitude. Aujourd'hui, c'est une sortie exceptionnelle. C'est mieux quand il n'y a pas beaucoup de circulation. C'est une expérience intéressante. La seule règle, c'est de ne pas prendre l'autoroute. Une fois on s'est retrouvées dans les collines de Dublin, une autre à la plage de Malahide. Quand on arrive dans un endroit qui nous plaît, on descend de voiture et on fait un petit tour. On découvre de nouvelles choses chaque semaine. Parfois on ne quitte pas Clontarf et on finit par tourner en rond, mais elle ne s'en rend jamais vraiment compte.

— À droite, réclama Adam.

— C'est la mer, caca boudin, ricana Alicia.

— Exactement, dit Adam, qui voulait que le jeu se termine.

Il resta silencieux pendant un quart d'heure, perdu dans ses pensées.

— Je veux essayer, dit-il soudain. Je peux indiquer la route ?

— Non ! cria Alicia.

— Alicia, l'avertis-je.

— Je peux indiquer la route, s'il te plaît, caca boudin ?

— OK, accepta Alicia en riant.

— Bien, dit Adam en se concentrant. Prenez à gauche au feu.

— Vous ne pouvez pas nous emmener chez Maria, dis-je en regardant dans le rétroviseur.

— Ce n'est pas ce que je fais, rétorqua-t-il.

Nous prîmes à gauche et roulâmes quelques minutes pour finalement nous retrouver dans une impasse, face à un mur.

— Ce genre de chose n'arrive jamais d'habitude, grommelai-je en passant la marche arrière.

— C'est tout moi, dit-il en se croisant les bras, vexé.

— Essaye encore, caca boudin, proposa Alicia, qui avait de la peine pour lui.

— Il y a une petite route qui descend, par là, dit Adam.

— C'est un chemin, pas une route et nous n'avons pas la moindre idée de l'endroit où il mène.

— Il mènera bien quelque part.

Je pris à gauche. Mon téléphone sonna et je mis le haut-parleur.

— Christine, c'est moi.

— Oscar, salut !

— Je suis à l'arrêt de bus.

— Bien ! Comment vous sentez-vous ?

— Pas très bien. Je n'arrive pas à croire que vous ayez pris deux semaines de congés.

— Je suis désolée. Mais vous pouvez toujours me joindre par téléphone.

— Je préférerais vraiment que vous soyez là en chair et en os, dit-il d'une voix mal assurée.

Peut-être pourriez-vous me rejoindre, et monter dans le bus avec moi ?

— Je ne peux pas faire ça, Oscar. Je suis désolée, vous savez que je ne peux pas le faire.

— Je sais, je sais, vous dites que c'est un manque de professionnalisme, dit-il avec tristesse.

Je m'investissais dans mon travail au-delà de mes attributions mais pas au point d'aller en personne à l'arrêt de bus pour le prendre avec Oscar. Je lançai un coup d'œil à Adam dans le rétroviseur pour voir s'il avait entendu, et il m'adressa un sourire ironique, comparant sans doute mes leçons à Oscar avec celles que je lui donnais à lui.

— Vous pouvez le faire, Oscar, insistai-je. Respirez à fond, autorisez-vous à lâcher prise.

J'étais si absorbée par ma conversation avec Oscar que je conduisais sur le chemin sans faire attention, au milieu des champs. C'était une route que je n'avais jamais empruntée. Chaque fois que nous arrivions à un croisement, j'entendais Adam ou Alicia me crier une indication. Finalement, Oscar avait réussi à tenir quatre stations et était gagné par l'euphorie. Il raccrocha pour rentrer chez lui en dansant. Le téléphone d'Adam, posé à l'avant à côté du mien, se mit à sonner à son tour. Je vis le nom de Maria s'afficher sur l'écran et répondis sans qu'Adam se rende compte que c'était son téléphone, sans prendre la peine de mettre le haut-parleur.

— Oh... bonjour, dit Maria quand elle reconnut ma voix. C'est encore vous ?

— Bonjour, répondis-je sans ajouter son nom, pour éviter qu'Adam ne m'arrache le téléphone.

— C'est vous désormais son service de messagerie maintenant ? demanda Maria en essayant de plaisanter, d'un ton qui se voulait léger mais où on sentait la contrariété.

Je fis semblant de ne rien remarquer et émis un léger rire.

— Ça y ressemble fortement. Que puis-je faire pour vous ?

— *Que pouvez-vous faire pour moi ?* Eh bien, je voulais parler à Adam, dit-elle d'un ton sec et saccadé.

— Je suis désolée, il ne peut pas répondre pour le moment, dis-je d'une voix amicale, pour ne pas lui donner la moindre raison d'être désagréable avec moi. Puis-je prendre un message ?

— Eh bien, a-t-il eu mon dernier message d'hier matin ?

— Bien sûr, je le lui ai tout de suite transmis.

— Alors pourquoi ne m'a-t-il pas rappelée ?

Nous approchions d'un croisement.

— À gauche ! s'écria soudain Adam en arrêtant de papoter avec Alicia.

— À droite, commanda celle-ci.

— Prenez à gauche ! cria Adam.

Alicia gloussait et tous deux poussaient de petits cris stridents. Adam plaqua une main sur la bouche d'Alicia ce qui la fit hurler de plus belle. Puis il se mit à glapir parce qu'elle lui avait léché la main. Ça tournait au chaos, et j'entendais à peine Maria.

— Vous ne pouvez pas vraiment lui en vouloir de ne pas vous appeler après ce qu'il a découvert, dis-je gentiment, sans reproche, sur un ton neutre qui la remit à sa place.

— Exact. Oui. Est-ce lui que j'entends ?

— Oui.

— À gauche ! brama Adam en remettant sa main sur la bouche d'Alicia pour la faire taire.

Alicia riait à s'en donner des crampes.

— Ne t'avise plus jamais de me lécher ! lui dit-il d'un ton jovial, avant de retirer vite sa main, comme si elle lui avait fait mal. Argh ! Elle m'a mordu !

Alicia émit un jappement, qui se transforma en halètement.

— Je lui dirai que vous avez appelé. Il est en train de faire quelque chose, comme vous pouvez l'entendre.

— Oh, OK...

— D'ailleurs, où pourrait-il vous joindre aujourd'hui ? lui demandai-je. Chez vous, ou au bureau ?

— Je dois travailler tard. Mais ça ne fait rien, il peut me joindre sur mon portable. Est-il toujours... vous voyez... furieux contre moi ? C'est une question idiote. Bien sûr qu'il l'est. Je le serais à sa place. Enfin, ce n'est pas qu'il... vous savez...

J'entendis à peine la suite de la phrase de Maria car les deux dingues derrière moi explosèrent de nouveau de rire.

— Qui était-ce ? me demanda Adam quand je reposai le téléphone.

— Maria.

— Maria ?! Pourquoi a-t-elle appelé sur votre téléphone ? s'étonna-t-il en s'avançant sur son siège.

— C'était le vôtre. Pas de secrets entre nous, vous vous souvenez ?

— Pourquoi ne me l'avez-vous pas dit, bon sang ?

— Parce que vous auriez arrêté de rigoler, et autant qu'elle sache que vous passez un agréable moment.

Adam réfléchit un instant.

— Mais je veux qu'elle sache qu'elle me manque.

— Faites-moi confiance, Adam, elle préfère vous entendre rire que pleurer. Si vous vous complaisez dans votre malheur, elle pensera qu'elle a eu raison de se tourner vers Sean.

— OK.

Il se tut, et je crus avoir de nouveau perdu son attention. Je jetai un œil à Alicia pour voir si tout allait bien. Elle promenait ses doigts sur la vitre.

— Hé, c'était une idée intéressante, dit-il, ce qui était la remarque la plus positive que je l'avais entendu énoncer.

— Bien, approuvai-je, d'un ton guilleret. Je vis soudain des voitures devant nous et écrasai la pédale de frein.

Il n'y avait de place que pour une seule voiture à la fois, mais les deux véhicules avaient réussi à se ranger sur la route l'un à côté de l'autre. L'un d'eux nous faisait face, l'autre était tourné dans l'autre sens. Leurs portières se touchaient presque. Les vitres étaient teintées. Quand je finis par réaliser qu'il aurait mieux valu ne pas regarder, la portière s'ouvrit et un type patibulaire vêtu d'une veste en cuir noir descendit de la voiture. Grand, plutôt baraqué, il n'avait pas du tout l'air content de nous voir. Pas plus que les trois autres collés épaule contre épaule à l'arrière de la voiture, qui se retournèrent pour nous fixer. Les hommes d'une des voitures échangèrent un regard avec les autres. Ils secouèrent la tête et haussèrent les épaules, avec nervosité.

— Euh... Adam, bredouillai-je, stressée.

Adam ne m'entendit pas, il était occupé à parler caca boudin avec Alicia.

— Adam ! l'appelai-je d'un ton plus pressant qui lui fit lever la tête.

Juste à temps pour voir le type baraqué se diriger vers nous, avec une crosse de hockey à la main.

— Marche arrière, ordonna Adam à toute vitesse. Christine, marche arrière, tout de suite !

— Non ! À gauche ! cria Alicia en rigolant, persuadée qu'il s'agissait d'un jeu.

— Christine !

— Je fais ce que je peux !

Le levier de vitesse grinçait furieusement, j'étais trop paniquée pour enclencher la bonne vitesse.

— Christine ! hurla encore Adam.

Le grand type s'approcha de la voiture, et étudia mon numéro de portable sur l'affichette À VENDRE collée au pare-brise. Puis il me regarda dans les yeux et leva sa crosse derrière lui. J'écrasai l'accélérateur et nous partîmes à fond en marche arrière, si vite qu'Adam fut projeté avec violence contre le dossier de son siège. Cela n'empêcha pas le grand costaud de courir après la voiture en faisant des moulinets avec sa crosse. Je regardai derrière moi, et m'acquittai d'une marche arrière impeccable en ligne droite jusqu'à ce que la route commence à faire des virages en épingle à cheveux auxquels je n'avais pas prêté attention quand j'étais au téléphone.

— Merde, il y en a d'autres ! s'exclama Adam.

Je me retournai pour regarder devant moi à travers le pare-brise et découvris trois hommes de plus qui descendaient de voiture.

— Gardez un œil sur la route ! hurla-t-il.

— Oh, meeer...

Je m'apprêtais à jurer mais me souvenant d'Alicia, je me repris.

— Caca boudin ! Caca boudin ! Caca boudin !

Alicia hurlait de rire et répétait.

— Caca boudin ! Caca boudin !

— Allez aussi vite que vous pouvez, dit-il.

— Je ne peux pas, ça tourne ! me défendis-je en heurtant de nouveau un buisson.

— Je sais, concentrez-vous. Et accélérez.

— Ils nous suivent ?

Il ne répondit pas.

— Ils nous suivent ? répétai-je.

Impossible de me retenir, il fallait que je sache. Je me retournai et vis la voiture aux vitres teintées qui nous rattrapait.

— Oh, mon Dieu !

— Pourquoi on va en marche arrière ? demanda Alicia, qui arrêta de rire en sentant l'affolement dans la voiture.

Je pus finalement faire demi-tour dans l'allée d'une maison, plutôt vite et avec brio, et je repartis, en tournant à droite et à gauche pendant qu'Alicia me criait les indications, sans remarquer que je ne les suivais pas. Arrivés à un grand lotissement où il y avait de la circulation, je ralentis, sans cesser de tourner au hasard n'importe où.

— OK, vous pouvez vous arrêter maintenant, je pense, dit Adam alors que je faisais le tour d'un rond-point pour la troisième fois. Ils ne sont plus derrière nous.

— Ouh là, ouh là, ouh là, j'ai le tournis ! chantonna Alicia.

— Et moi, je vais vomir, ajouta Adam.

Je mis mon clignotant et quittai le rond-point. Je déposai Alicia chez elle, où je fis de mon mieux pour expliquer à Brenda pourquoi sa fille hurlait « Marche arrière ! » comme une hystérique et courait à reculons à fond de train dans la maison en se cognant partout.

— Alors, Adam, les méthodes de ma sœur vous aident-elles à profiter de la vie ? lui demanda Brenda en s'attablant et en tirant et en lui proposant une chaise de son ton bien à elle, qui n'admettait pas le moindre refus.

— Jusqu'ici nous avons mangé, marché dans un parc et fait un tour en voiture avec un enfant.

— Je vois. Comment était le repas ?

— À vrai dire, il m'est resté sur l'estomac.

— Intéressant. Et le parc ?

— Je me suis fait arrêter par la police.

— Vous n'avez pas été arrêté, ils vous ont seulement retenu dans une cellule le temps que vous vous calmiez, le coupai-je sèchement, vexée de voir mes talents de psy remis en question.

— Et le tour en voiture a fini au milieu d'un deal de drogue, termina Brenda pour nous.

Nous restâmes silencieux. Brenda se mit à rire à gorge déployée avant de changer de sujet.

— Dites-moi, Adam, cette fête... il faut s'habiller ?

— Tenue de soirée.

— Excellent ! J'ai repéré la robe qu'il me faut chez *Pace*. Je vais peut-être même m'acheter les chaussures assorties. OK, dit-elle en se levant, il faut que j'aille préparer le dîner de Jayden. Vous feriez mieux de débarrasser le plancher, vous deux, ou je vous botte le train.

Adam me regarda avec cette expression amusée qui illuminait son regard. Cette fois, cela m'était égal que ce soit à cause de ma famille de dingues et de ma façon désastreuse de savourer la vie, j'étais seulement heureuse de le voir en vie.

Ce ne fut qu'en ressortant de l'appartement où nous étions passés en coup de vent pour récupérer la feuille de nénuphar que nous découvrîmes le pare-brise de la voiture complètement explosé.

12

Comment résoudre un problème
tel que Maria

Maria travaillait au Grand Canal Dock dans un immeuble moderne qui, de l'extérieur, ressemblait à un échiquier. J'allais prendre en charge la livraison de la feuille de nénuphar. Adam était certain que Maria viendrait en personne à la réception pour signer le bordereau de livraison si elle était informée que cela venait de lui. Il avait reçu l'instruction formelle de rester dehors, à un endroit d'où il pourrait observer sa réaction. Comme le bâtiment était essentiellement composé de verre et d'acier, il disposait de nombreux postes d'observation possibles. Le plus délicat dans l'affaire était de s'assurer qu'elle ne le voie pas. Je voulais que les retrouvailles de Maria et Adam aient lieu quand il serait prêt. Et il était loin de l'être.

Je me sentais toute chose à l'idée de rencontrer Maria. *La* Maria. La femme sur laquelle je connaissais plein de détails très intimes, à qui j'avais parlé deux fois au téléphone et qui était la raison – ou l'une des raisons – pour laquelle Adam, ce mec plutôt pas mal, s'était retrouvé prêt à sacrifier sa vie. En avançant sur le sol en marbre, claquant des talons pour que la longue file de réceptionnistes lève la tête sur mon passage, je me rendis compte que j'en voulais à Maria. Je ne pouvais m'empêcher de lui en vouloir d'exercer un tel pouvoir sur un homme qu'elle était censée avoir aimé, tout en étant apparemment inconsciente des effets que ce rejet avait sur lui. À la pensée de ce qu'il endurait aujourd'hui pour la reconquérir, à la perspective de la voir plantée là sans avoir la moindre idée de l'épreuve qu'il traversait, mon sang ne fit qu'un tour. Ce n'était vraiment pas le bon moment, et c'était déplacé de ma part de me montrer si protectrice à son égard alors que j'étais censée être impartiale. Mais en cet instant précis je ne me sentais pas le moins du monde impartiale.

Rationnellement, je savais que ce n'était pas la faute de Maria. Si elle avait été une de mes amies qui s'était confiée à moi en me décrivant le comportement d'Adam, je l'aurais sans doute approuvée de l'avoir quitté après l'échec de tous ses efforts pour sauver leur relation. Mais cette femme me dérangeait malgré tout. Je savais que je devrais dire à Adam de passer à autre chose, de ne pas essayer de la reconquérir. Elle était déjà avec quelqu'un d'autre : elle-même était passée à autre chose. Un rejet supplémentaire allait-il le détruire encore plus ? Oui. Ça le tuerait. Je le savais déjà. Il fallait que je fasse tout pour sauver leur relation. C'était une question de vie ou de mort pour Adam. Ce qui me ramena à mon point de départ : j'en voulais à Maria.

— J'ai une livraison pour Maria Harty, à Red Lips Productions, annonçai-je à la réceptionniste.

— De la part de qui ?

— Adam Basil.

Je pouvais voir Adam dehors, son bonnet de laine enfoncé sur le crâne, son duffle-coat fermé jusqu'au menton, le visage à peine visible, et le peu de peau nue qui restait rougissant à cause du froid. Il fallait que je m'assure d'être bien placée pour qu'Adam voie sa réaction. J'espérais simplement que Maria ne jetterait pas la feuille par terre avant de la piétiner. Je n'étais pas sûre de pouvoir le rejoindre à temps s'il décidait de se jeter dans le canal.

Les portes de l'ascenseur s'ouvrirent et une poupée en sortit, en slim noir, bottes de moto, tee-shirt noir orné d'une femme nue dans une pose suggestive, avec des cheveux noir corbeau épais et brillants qui encadraient son menton délicat, une frange droite, de grands yeux bleus, un nez parfait, et des lèvres rouges, mais d'un rouge ! Je n'aurais pas du tout imaginé Maria ainsi. Je me l'étais représentée en femme d'affaires, vêtue d'un tailleur, mais dès que je la vis, je la reconnus. Ce furent ses lèvres rouges qui la trahirent, et soudain je compris d'où venait le nom de sa boîte. C'était elle, je le savais, et pourtant je ne pouvais pas lui faire signe tandis qu'elle traversait le hall jusqu'à la réception. Je me dis qu'Adam et elle formaient un couple hors du commun et que les gens devaient se retourner sur leur passage, et à ce moment-là j'en voulus encore plus à Maria. De la bonne jalousie féminine à l'ancienne. J'étais contrariée par ma réaction, je n'avais jamais cédé à cette sorte de pensées auparavant, ce n'était pas mon genre. Mais avant, j'avais toujours été heureuse, installée dans ma vie et maintenant que ce n'était plus le cas, quiconque renvoyait une image assurée réduisait en miettes ma confiance en moi comme un smarties écrabouillé.

La réceptionniste pointa le doigt vers moi, et Maria me détailla. À l'époque où Peter et Paul me parlaient encore, ils m'accueillaient le matin d'un « Tiens, tu pars déjà en week-end ? » parce que le jean était la base de ma garde-robe. Et pas uniquement le jean bleu classique. J'en avais de toutes les couleurs de l'arc-en-ciel, comme le reste de mes vêtements. Ma garde-robe était un kaléidoscope géant qui égayait ma journée même quand tout allait de travers dans le monde. Vers vingt-cinq ans, j'étais passée d'une garde-robe fade noire et beige à cette débauche de couleurs. J'avais mis un point d'honneur à mettre au moins un vêtement de couleur vive après avoir lu un livre, *Comment les vêtements que vous portez enrichissent votre âme*, qui m'avait appris que notre peau et notre âme puisaient de l'énergie dans les couleurs que nous revêtions, et que porter des couleurs foncées pompait notre énergie. Nos corps réclamaient de la couleur de la même manière qu'ils avaient besoin de soleil. Cependant, Maria était là, tout en noir et ultracool, comme si elle sortait d'un magasin branché, et moi j'étais là comme un paquet de Dragibus, avec mes longs cheveux blonds ondulés aux mèches d'un blond californien sous un bonnet en laine rayé qui n'aurait pas déparé dans le Muppet Show. Mes cheveux « blond californien » étaient soigneusement entretenus et recolorés chaque semaine, coiffés avec expertise dans un style négligé qui faisait croire que je m'en fichais, comme si je n'avais pas le moindre ennui au monde, mais croyez-moi je ne m'en fichais pas, je faisais seulement semblant. Mes cheveux bougeaient, aguicheurs, se décoiffaient avec le vent alors que ceux de Maria... ce carré mode avec sa frange stricte se moquait du danger, il *appelait* la rébellion.

Dès que Maria repéra la feuille de nénuphar dans mes bras – et elle ne pouvait pas la rater –, son visage rayonna. Je fus profondément soulagée mais j'avais peur de me retourner pour voir la réaction d'Adam et de révéler sa présence. Elle plaqua ses mains sur sa bouche et se mit à rire en essayant de ne pas trop attirer l'attention, même si je supposais que tout l'immeuble allait être au courant qu'on avait livré une feuille de nénuphar à Maria Harty.

— Oh, mon Dieu ! s'exclama-t-elle en essuyant ses yeux.

Des larmes de joie, mêlées à celles d'un souvenir passé. Elle s'approcha pour prendre la feuille.

— C'est sans doute la livraison la plus bizarre que vous ayez jamais faite, me dit-elle en souriant. Mon Dieu, je n'arrive pas à croire qu'il a fait ça. Je croyais qu'il avait oublié. C'était il y a très, très longtemps.

Elle serrait la feuille dans ses bras.

— Je suis désolée, ajouta-t-elle, soudain gênée, vous n'avez pas besoin que les gens vous racontent leurs histoires. Je suis sûre que vous avez d'autres livraisons à faire. Où dois-je signer ?

— Maria, je suis Christine, nous avons parlé au téléphone.

— Christine... (Son front se plissa quand elle fit le rapprochement.) Oh, Christine ! C'est votre nom ? C'est vous qui avez répondu au téléphone d'Adam ?

— C'est moi.

— Oh !

Maria me regarda des pieds à la tête, quelques secondes lui suffirent pour se faire une idée.

— Je ne pensais pas que vous étiez jeune, je veux dire que vous aviez l'air beaucoup plus vieille au téléphone.

— Oh ! m'écriai-je.

Je me sentis toute contente à l'intérieur, appréciant le compliment, même si je savais que ce n'était pas approprié.

Un silence embarrassé s'installa.

— Il a vraiment cueilli ça pour moi ?

— Mais oui. Il a plongé dans l'eau glacée. Il était trempé, les lèvres toutes bleues, tout ça, lui expliquai-je, la goutte au nez.

— Il est fou, dit Maria en secouant la tête.

— De vous.

— C'est ça qu'il veut me dire ? Qu'il m'aime toujours ?

— Oui, vraiment, dis-je en hochant la tête.

Pour je ne sais quelle raison ma gorge se serra. Le mauvais moment, peut-être. Je m'éclaircis la voix.

— Je trouve qu'il aurait dû y ajouter des fleurs, mais il a insisté pour qu'il n'y ait rien d'autre. J'ignore si cela a un sens particulier pour vous.

Maria examina la feuille, et ce fut seulement à ce moment qu'elle remarqua dessus les lèvres minuscules emballées dans du papier alu rouge. Adam les avait ajoutées à la dernière minute avant que je n'entre dans l'immeuble et soudain, tout devint clair. Je reconnus les petits chocolats répandus sur le lit à l'Hôtel Gresham.

— Oh, mon Dieu, murmura Maria, en les découvrant.

Elle essaya de les prendre mais elle ne pouvait pas tenir l'énorme feuille d'une seule main.

Je la repris pour qu'elle puisse examiner les lèvres miniatures.

— Je n'arrive pas à croire qu'il en reste. Vous savez ce que c'est ?

Je fis un signe de dénégation.

— Il les a faites pour moi l'année où nous nous sommes rencontrés. Les lèvres rouges, c'est en quelque sorte ma marque de fabrique.

Elle commença à en déballer une et quand elle découvrit le chocolat elle éclata de rire.

— C'est du vrai chocolat !

— Adam sait faire du chocolat ? demandai-je en riant aussi, quoique dubitative.

Si c'était ce que Maria voulait croire, je ne devais pas insinuer le doute dans son esprit, mais je n'avais pas pu m'empêcher de poser la question.

— Eh bien, pas lui-même, de toute évidence, mais l'usine, oui, dit-elle en continuant à les étudier. C'était un prototype, elles n'étaient même pas censées sortir de l'usine. Je croyais que nous les avions toutes mangées.

— L'usine..., dis-je, en essayant de comprendre.

— Il l'a conçu pour moi, puis il a demandé aux gens de Basil de les réaliser. Il a mis dans la recette du praliné, des noisettes et des amandes parce qu'il avait dit que j'étais aussi dingue que les écureuils, et que c'est ce qu'ils mangent.

Elle éclata de rire, mais ce rire s'étrangla dans sa gorge et ses yeux s'emplirent de larmes.

— Merde, désolée, murmura-t-elle.

Elle tourna le dos à la réception et s'éventa de la main pour s'empêcher de pleurer.

J'étais sous le choc, mais j'essayai de jouer à la fille sympa. J'aurais pu poser à Maria des questions sur Adam, en apprendre plus sur lui, mais sans savoir pourquoi, je ne voulais pas qu'elle apprenne que je ne savais pas tout, et mon manque d'assurance depuis que je l'avais vue m'empêchait de faire mon boulot correctement.

— Ce n'est pas la peine de vous excuser. Ce n'est pas facile de se souvenir des bons moments. Mais il voulait que vous vous en souveniez.

— Dites-lui que je me souviens, dit-elle en hochant la tête.

— Il est toujours là, vous savez, lui avouai-je avec honnêteté. Il est aussi drôle et spontané que dans votre souvenir. Peut-être pas exactement comme lorsque vous vous êtes rencontrés. C'est impossible pour quiconque de rester exactement pareil. Mais il me fait rire tout le temps.

— Ah oui ? s'étonna Maria en me scrutant avec attention.

Je sentis mes joues devenir brûlantes. C'était le bonnet en laine, pas de doute, ça ne pouvait être que ça, bien sûr. C'était le contraste entre le grand froid et l'immeuble de bureaux surchauffé, ajouté au rhume de cerveau que j'étais persuadée d'avoir attrapé après la mare glacée. Mais ce n'était pas une raison suffisante pour que je l'enlève, pas en sa présence et devant ses cheveux raides comme des baguettes. Qui sait ce qui se cachait sous mon bonnet ?

— Vous vous occupez vraiment de lui, n'est-ce pas ?

— Euh, oui, marmonnai-je sans pouvoir soutenir son regard plus longtemps.

Je lui tendis la feuille.

— Je ferais mieux de vous laisser travailler, maintenant.

— J'espère qu'il sait la chance qu'il a de vous avoir, dit Maria.

Mes yeux s'embuèrent.

— Je ne fais que mon travail.

Je lui adressai un sourire pro, en faisant un gros effort pour que ma réponse ne ressemble pas à une réplique toute faite.

— Et quel genre de travail faites-vous ?

— Celui d'une amie, dis-je en reculant de quelques pas. Je suis une amie, c'est tout.

Je tournai les talons et m'en allai, le visage brûlant. Je bénis la brise glacée qui frappa mes joues dès que je me retrouvai dehors. Je continuai à marcher, sentant les yeux de Maria dans mon dos. Je tournai au coin dès que possible avec bonheur afin d'échapper aux parois transparentes, et qu'un mur de briques nous sépare. Je m'arrêtai immédiatement et m'adossai au mur, les yeux fermés, en me repassant cette conversation dans ma tête, complètement affolée. Qu'est-ce qui m'avait pris ? Pourquoi avais-je réagi ainsi ? Maria s'était comportée comme si elle savait quelque chose à propos de mes sentiments que j'ignorais moi-même, elle me faisait me sentir coupable et lamentable d'avoir ressenti un moment quelque chose que je ne pensais pas ressentir, un sentiment interdit. Mon but était de les réunir, pas d'avoir le béguin pour Adam. Impossible. Ridicule.

— Salut ! dit une voix excitée tout près de mon oreille.

Et je sursautai, surprise.

— Mon Dieu, Adam !

— Qu'est-ce qui ne va pas ? Vous pleurez ?

— Non, je ne pleure pas. Je crois que je suis en train de m'enrhumer, répliquai-je en me frottant les yeux.

— Eh bien, je ne suis pas surpris, à force de nager dans des mares en pleine nuit. Alors, qu'a-t-elle dit ?

Il était presque nez à nez avec moi tant il était excité et avide d'entendre mon récit.

— Vous avez vu sa réaction.

— Oui ! s'écria-t-il en levant le poing. C'était parfait. Juste parfait. Et est-ce qu'elle pleurait ? Elle en avait l'air. Vous savez, Maria ne pleure jamais, c'est un événement. Vous avez parlé pendant des heures. Qu'est-ce qu'elle a dit ?

Il sautait dans tous les sens et scrutait mon visage, pour y déceler un signe qui lui indiquerait comment cela s'était passé. Je me forçai à réfréner mes émotions et lui relatai l'entrevue, en omettant bien sûr mes tourments intérieurs.

— Elle m'a demandé si c'était une tentative pour lui dire que vous l'aimiez toujours. Elle a dit que quelqu'un qui plonge dans une eau glacée pour cueillir une feuille de nénuphar doit vraiment être amoureux. Et je lui ai répondu que c'était le cas.

— Mais je ne l'ai pas fait ! se récria Adam en me fusillant de son regard bleu qui d'ordinaire me bouleversait mais qui cette fois fut douloureux. C'est vous qui l'avez fait pour moi.

Nous nous dévisageâmes un moment, puis je détournai les yeux.

— Là n'est pas la question. La question, c'est qu'elle a compris.

Je fis mine de partir, il fallait que je m'en aille.

— Christine ? Où allez-vous ?

— Euh... n'importe où. J'ai froid, il faut que je marche.

— OK, bonne idée. Elle a aimé les chocolats ?

— Elle a *adoré* les chocolats, c'est ce qui l'a fait pleurer. Hé, vous lui avez fabriqué des chocolats ? Vous êtes Adam Basil, comme dans « Avec Basil on jubile ! » ?

Il fit des yeux ronds, mais il était manifestement ravi de son petit effet.

— Qu'est-ce qu'elle a dit ?

— Elle ne tenait plus en place tellement elle était heureuse d'en revoir. Vous avez fabriqué des chocolats pour une femme ? Mon Dieu, Adam, vous étiez doué.

— J'étais ?

— Vous voyez ce que je veux dire. Vous êtes redevenu vous-même.

— Ils étaient pralinés, avec des noisettes et des amandes, parce que c'est un vrai écureuil, dit-il avec fierté.

— Je sais, elle me l'a dit.

— Vraiment ? Qu'est-ce qu'elle a dit d'autre ?

Son avidité était touchante, aussi lui servis-je une version édulcorée de toute la conversation, en laissant de côté l'épisode où Maria m'avait demandé quel rôle je jouais dans sa vie. Je ne l'avais toujours pas compris moi-même.

— Ainsi, vous êtes Adam Basil des Chocolats Basil, dis-je en hochant la tête, encore incrédule. Vous auriez dû me le dire hier, vous avez nié.

— Je n'ai rien nié du tout. Si mes souvenirs sont bons, j'ai juste dit : « Oui, comme basilic. »

— Oh, et quand tout ça sera terminé, il faudra que vous me fassiez mon propre chocolat, en guise de remerciement !

— C'est facile. Saveur café noir.

— Pas très original, dis-je en faisant les gros yeux.

— En forme de tasse à expresso, ajouta-t-il en faisant de son mieux pour m'impressionner.

— J'espère que vous avez une bonne équipe créative chez Basil.

— Pourquoi ? Vous ne le mangeriez pas, de toute façon, dit-il en riant.

Nous marchions en silence. Il fallait que j'arrête de gamberger, j'avais mal à la tête et ça me faisait du mal de réfléchir, je le laissai mener la marche. D'instinct, je lui pris la main quand nous approchâmes du pont Samuel Beckett, ce fut instinctif, je ne voulais pas qu'il saute tout d'un coup, même si je le savais euphorique après la réaction de Maria. Il n'émit pas la moindre objection. Nous traversâmes le pont main dans la main, et après il ne lâcha pas la mienne.

— Où l'entreprise Basil croit-elle que vous êtes ? demandai-je.

— Ils pensent que je suis parti voir mon père. Ils m'ont dit de prendre tout le temps dont j'avais besoin. Je me demande s'ils accepteraient un congé vie.

— Je suis sûre qu'ils seront heureux d'entendre ça plutôt que ce que vous avez failli faire.

— Ils ne peuvent pas savoir, objecta-t-il en me regardant intensément.

— Que vous avez essayé de vous suicider ?

— Je vous ai dit de ne pas utiliser ce mot, dit-il en me lâchant la main.

— Adam, s'ils savaient que vous étiez malheureux au point de vouloir mettre fin à votre vie, je ne doute pas un instant que ce serait un excellent moyen de décliner leur offre.

— La question ne se pose pas, et vous le savez, dit-il. Ce n'est pas pour ça que je l'ai fait.

Nous restâmes silencieux un long moment.

— Vous devriez aller voir votre père.

— Pas aujourd'hui. Aujourd'hui, c'est un bon jour, affirma-t-il, de nouveau enchanté par l'épisode Maria. Où allons-nous maintenant ?

— Je suis un peu fatiguée, Adam. Je crois que je vais rentrer me reposer.

— Ça va ? demanda-t-il, l'air déçu, puis soucieux.

— Oui, répondis-je, d'un ton optimiste. J'ai besoin d'une petite sieste, et ça ira très bien.

— J'ai tout organisé pour que Pat vienne nous chercher.

— Qui est Pat ?

— Le chauffeur de mon père.

— Le chauffeur de votre père ? répétai-je.

— Eh bien, père est à l'hôpital, il n'a pas besoin de lui, et votre voiture est hors service. Donc j'ai appelé Pat. Et puis de toute façon, il se morfond à force de ne rien faire.

Quelques instants plus tard, Pat arriva dans une Rolls-Royce flambant neuve. Je n'y connaissais pas grand-chose en voitures, mais Barry qui n'avait aucune passion dans la vie s'y connaissait en voitures et se moquait des modèles haut de gamme conduits par ces « gros merdeux de riches ». Selon Barry, la Rolls-Royce était la voiture des merdeux de compétition. Je saluai Pat, le chauffeur, et m'installai dans la voiture. Il régnait une agréable chaleur dans l'habitacle par rapport au froid glacial de l'extérieur. Adam n'avait pas encore refermé la portière. Il me regardait, l'air pensif.

— Quoi ? lui demandai-je.

— Pétale de rose, dit-il simplement.

— J'adore les pétales de roses.

— Et le chocolat serait en forme de pétale.

— Pas mal, reconnus-je. Cela me donne d'autant plus de raisons de vous garder en vie.

— Vous voulez dire qu'il y a plus d'une raison ? plaisanta-t-il avant de refermer la portière.

Oui, me dis-je en le regardant faire le tour de la voiture.

13

Comment reconnaître
et apprécier les gens de sa vie
à leur juste valeur

À l'enterrement de sa mère j'étais assise dans
la rangée derrière Amélia. Excepté un oncle âgé,
le frère de son père, qu'on avait sorti de sa maison de retraite pour la journée, elle était seule
dans la première rangée réservée à la famille.
Fred, qui quelques jours auparavant lui avait
demandé de venir s'installer à Berlin avec lui,
n'avait pas daigné le lui proposer une seconde
fois. D'ailleurs, j'avais cru déceler un certain affolement chez lui quand nous avions discuté.
Quand il le lui avait proposé, il savait qu'Amélia
refuserait à cause de sa mère, et maintenant que
Magda n'était plus et que rien ne retenait Amélia
ni à la librairie et ni à Dublin, sa terreur était
palpable. J'étais certaine que celle-ci avait raison
de supposer qu'une autre femme l'attendait à
Berlin. Je le repérai quelques bancs plus loin derrière, et lui lançai un regard aussi noir que pos-

sible, au nom de mon amie. Il baissa les yeux, et quand j'estimai qu'il s'était assez tortillé je me retournai, avec le sentiment d'être une sale hypocrite, et en regrettant mon geste sur-le-champ. C'est vrai qu'aucun homme ne m'attendait secrètement, mais j'avais quitté Barry sans véritable raison, enfin, sans raison visible pour les autres. C'était presque comme si le fait de ne pas être heureuse n'était pas un motif valable. Comme il ne me trompait pas, ne me battait pas ou ne me maltraitait pas, personne ne semblait comprendre que le fait de ne pas l'aimer et de ne pas être heureuse était une raison suffisante. J'étais loin d'être parfaite, mais je faisais de mon mieux pour ne pas commettre d'erreurs, comme la plupart des gens. Se dire que toute une vie conjugale pourrait être une erreur était la chose la plus douloureuse et la plus gênante qui me soit arrivée. À la pensée que Barry pourrait être éventuellement dans l'église, mon regard cessa de parcourir l'assemblée.

Certes, Fred avait blessé Amélia, mais pouvais-je lui en vouloir d'avoir agi exactement comme je l'avais prédit lors de ma discussion en tête à tête avec Barry ? Amélia s'était retrouvée coincée dans une routine : s'occuper de sa mère et se dévouer à un métier que son père avait adoré, il y avait de la noblesse là-dedans, mais elle s'y était embarquée par sa propre volonté. Il y avait tant de force d'inertie chez elle que Fred ou n'importe qui d'autre aurait eu du mal à le supporter.

Elle avait la tête inclinée, ses cheveux roux bouclés lui dissimulaient le visage. Quand elle se tourna vers moi, ses yeux verts fatigués étaient rouges, le bout de son nez aussi, irrité par les mouchoirs, on voyait la souffrance sur son visage. Je lui souris pour la soutenir, puis réalisai que toute l'église était silencieuse et que le prêtre me regardait.

— Oh ! m'exclamai-je en comprenant qu'ils m'attendaient.

Je me levai et me dirigeai vers l'autel.

Que cela plaise ou non à Adam, j'avais insisté pour qu'il assiste aux funérailles et s'assoie avec ma famille et moi. En dépit de sa très bonne humeur après ma rencontre avec Maria je ne pouvais pas prendre le risque de le laisser seul. Nous faisions de grands progrès, un peu avec Maria, un peu avec lui-même, mais pour chaque progrès il y avait quelques pas en arrière. Je lui avais interdit de lire les journaux et de regarder les infos. Il fallait qu'il se concentre sur le positif, tout le contraire des infos. Il y avait des moyens de rester en contact avec la réalité sans se laisser bombarder d'informations comme tout le monde le pensait. Hier nous avions passé la majeure partie de la journée à faire un puzzle, pendant que je le cuisinais de la manière la plus détournée possible, puis nous avions joué au Monopoly. J'avais dû arrêter mon interrogatoire et me concentrer pour empêcher Adam de me ruiner. Ça n'avait pas marché et j'étais allée me coucher de mauvais poil. Ces activités n'allaient pas le sauver, mais elles m'aidaient à en apprendre plus sur lui d'autant qu'il se confiait de plus en plus facilement. Je crois que cela lui donnait aussi l'occasion de réfléchir à ses problèmes et de les analyser en se concentrant sur quelque chose d'autre en même temps, au lieu de ne penser qu'à ça. Ce matin-là, j'écoutai ses sanglots étouffés dans la douche et échafaudai des plans pour résoudre le reste de ses problèmes. Je croyais que la plupart des choses étaient possibles si on se donnait les moyens d'y parvenir mais j'étais également réaliste, « la plupart » ne voulait pas dire toutes. Je ne pouvais pas me permettre la moindre approximation dans cette affaire. Il ne pouvait y avoir qu'un dénouement.

Je montai à l'autel et plaçai ma feuille sur le pupitre. Amélia m'avait demandé de lire, et m'avait laissée choisir un texte de circonstance. Cela allait me demander un effort de prononcer ces mots. Ils avaient une signification très particulière pour moi, et je ne les avais jamais dits tout haut, seulement à moi-même et ils me faisaient souvent pleurer, mais le moment était parfait. Je souris à Amélia, puis regardai par-dessus son épaule, d'abord ma famille, puis Adam. Je respirai un grand coup et lui adressai mes paroles.

— Où serions-nous sans lendemains ? À la place, nous n'aurions que des aujourd'huis. Et si c'était le cas, avec toi, je voudrais que ce soit le jour le plus long. Je remplirais aujourd'hui de toi, en faisant tout ce que j'ai toujours aimé. Je rirais, je parlerais, j'écouterais et j'apprendrais, j'aimerais, j'aimerais, j'aimerais. Je ferais de chaque jour un aujourd'hui et je les passerais tous avec toi, sans jamais penser au lendemain, quand je ne serais pas avec toi. Et quand ce lendemain redouté arrivera, sache que je ne voulais pas te quitter, ou que tu m'abandonnes, que chaque moment passé avec toi était le meilleur moment de ma vie.

— C'est vous qui avez écrit cela ? me demanda Adam une fois que nous fûmes installés à la réception qui suivait les funérailles, autour d'une tasse de thé au lait et d'une assiette de sandwichs au jambon.

Aucun de nous ne mangea.

— Non.

Nous laissâmes planer un long silence. J'attendais qu'il me demande qui l'avait écrit, et je préparais ce que j'allais dire, mais à ma grande surprise, il ne posa pas la question.

— Je pense qu'il faut que j'aille voir mon père, déclara soudain Adam.

Ça me suffisait.

Le père d'Adam était à l'hôpital privé St Vincent. Il s'y était rendu pour un traitement ponctuel de sa maladie du foie un mois auparavant, et il y était encore. M. Basil s'avérait être l'individu le plus désagréable que l'on puisse rencontrer, mais bien que la vie dans le service où il séjournait aurait été plus facile sans lui pour tous ceux qui s'en occupaient, ceux-ci utilisaient cependant les moyens les plus modernes de la médecine pour essayer de le garder en vie. Sa chambre n'était pas un endroit où l'on entrait à moins d'y être obligé, de crainte d'être rudoyé, d'être victime d'agressions – verbales pour tous, et physiques pour les jeunes infirmières, du moins celles qu'il qualifiait de « mûres ». Il maltraitait celles qui ne l'étaient pas, il avait même jeté son urine sur une infirmière qui avait interrompu sa conversation téléphonique. Il n'autorisait qu'une poignée de l'équipe soignante féminine à s'occuper de lui, et celles-ci avaient été assez bonnes pour le laisser croire qu'il avait son mot à dire. Il voulait être entouré de femmes parce qu'il était convaincu qu'elles faisaient mieux leur travail en raison de leur aptitude à être multitâches, de leur sang-froid inné et de leur sérieux, mais surtout parce que en tant que membres du sexe inférieur elles ressentaient un besoin plus impérieux de faire leurs preuves que les hommes. Ceux-ci étaient facilement distraits, et M. Basil voulait des gens qui pouvaient se concentrer à fond sur une chose à la fois : lui. Il voulait aller mieux et il en avait besoin. Il avait une multinationale qui valait des milliards, et jusqu'à ce qu'ils l'aient guéri, il la dirigeait depuis sa chambre austère, transformée en centre névralgique des Confiseries Basil.

Alors que nous suivions la femme de service, qui poussa la porte pour entrer, j'aperçus le vieil homme. Il avait une chevelure fournie de boucles grises, et une longue et fine barbe grise elle aussi, qui partait seulement du menton et pas des joues, et se terminait en pointe effilée, comme une flèche pointant vers les profondeurs de l'enfer. Il n'y avait rien de réconfortant dans cette chambre où il effectuait sa convalescence. À la place, il y avait trois ordinateurs portables, un fax, un iPad, et des BlackBerry et des iPhone en nombre suffisant pour la silhouette qui se désintégrait dans son lit et les deux femmes en tailleur qui se tenaient à ses côtés. Ce n'était pas une pièce où faire ses adieux au monde, elle était vivante, bourdonnante d'activité, prête à créer, agitée et furieuse devant la lumière qui faiblissait. Une pièce dont l'occupant n'en avait pas fini avec le monde et se battait jusqu'au bout.

— J'ai appris qu'ils offraient des pots de glace Bartholomew dans l'avion ! aboya-t-il à la femme la plus âgée. Un petit pot de glace pour tout le monde, même en classe économique.

— Oui, ils ont passé un contrat avec Aer Lingus. Pour un an, je crois.

— Et pourquoi n'ont-ils pas de produits Basil dans l'avion ? C'est inadmissible que Bartholomew y soit et pas nous. Qui est responsable de ce bordel ? C'est vous, Mary ? Honnêtement, combien de fois dois-je vous dire d'avoir l'œil ? Vous êtes si occupée par vos maudits chevaux que je crains que vous n'ayez perdu vos compétences.

— Bien sûr que je me suis entretenue avec Aer Lingus, monsieur Basil, à de nombreuses reprises, et depuis des années, mais ils pensent que Bartholomew est une marque de luxe, alors que nous avons une image familiale. La nôtre est disponible...

— Pas la nôtre, la *mienne*, coupa-t-il.

Elle continua avec calme, comme s'il n'avait rien dit.

— ... à l'achat pendant le vol, et je peux vous communiquer ce que cela rapporte exactement...

Elle parcourut son tas de feuilles.

— Dehors ! hurla-t-il soudain à pleins poumons, et tout le monde sursauta sauf la très flegmatique Mary, qui une fois de plus se comporta comme si elle ne l'avait pas entendu. Nous sommes en réunion, tu aurais dû appeler avant !

Je ne comprenais pas comment il nous avait vus entrer, étant donné que nous étions coincés derrière un chariot de repas, et que je le distinguais à peine.

— Venez, dit Adam en tournant les talons.

— Attendez ! dis-je en lui attrapant le bras.

Je bloquai la porte et l'obligeai à entrer dans la chambre.

— C'est aujourd'hui ou jamais, chuchotai-je.

La préposée aux repas plaça un plateau sur la table devant M. Basil.

— Qu'est-ce que c'est que ça ? On dirait de la merde.

La femme coiffée d'une charlotte en papier le toisa, impavide, apparemment accoutumée aux insultes.

— C'est de la tourte, monsieur Basil, dit-elle avec un accent dublinois prononcé, avant de prendre une intonation sarcastique et un air supérieur, avec sa salade d'accompagnement composée de laitue et de tomates cerise, elle-même accompagnée d'une tranche de pain beurré. Pour le dessert vous avez de la gelée et de la glace, le tout avant votre lavement pour lequel je vous prierai d'appeler l'infirmière Sue.

Un doux sourire illumina fugacement son visage puis elle se renfrogna.

— Ça ressemble plus à une bouse qu'à une tourte, et cette salade, on dirait de l'herbe. Est-ce que j'ai l'air d'un cheval à vos yeux, Mags ?

La femme de service ne portait pas de badge à son nom. En dépit des insultes, elle aurait pu se sentir vaguement complimentée qu'il le connaisse. Sauf qu'elle s'appelait Jennifer.

— Non, monsieur Basil, vous ne ressemblez certainement pas à un cheval. Vous ressemblez à un vieil homme énervé tout maigre qui a besoin d'un dîner. Maintenant, mangez !

— Le dîner d'hier soir ressemblait à de la nourriture et avait un goût de merde. Peut-être que cette merde-là aura le goût de nourriture.

— Et espérons que le lavement d'aujourd'hui vous aidera à en chier une, dit-elle en reprenant un plateau vide et en ressortant de la pièce la tête haute.

Je crus voir un sourire sur le visage de M. Basil mais cette impression disparut aussitôt entrevue. Il avait une voix grinçante, faible mais autoritaire. S'il était aussi dur sur son lit de mort, je ne pouvais qu'imaginer ce que cela avait été au bureau. Et comme père. Je regardai Adam, son expression était indéchiffrable. Cette visite était importante, c'était le moment où il fallait en appeler à l'instinct paternel de M. Basil, pour qu'il voie que forcer Adam à reprendre l'entreprise était dommageable à la santé de son fils. J'avais mis tous mes œufs dans le même panier et j'avais peur qu'ils ne soient déjà écrabouillés.

— En fait, revenez ici ! appela-t-il.

Mags s'arrêta.

— Pas vous. Les deux, là.

Mags tapota ma main avec compassion en passant devant moi et me dit doucement :

— C'est un sacré emmerdeur.

Adam et moi approchâmes du lit. Aucune parole affectueuse ne fut échangée entre père et fils, pas même un salut, quel qu'il soit.

— Qu'est-ce que tu as à faire, aujourd'hui ? aboya M. Basil.

Adam eut l'air troublé.

— Je vous ai entendue chuchoter : « C'est aujourd'hui ou jamais », dit-il en imitant mon chuchotis. Ne soyez pas surprise, je ne suis pas sourd. C'est mon foie qui m'a conduit ici, et ce n'est même pas ça qui me tue. C'est le cancer, et je crois que cette putain de nourriture me tuera même avant lui ! cria-t-il en repoussant son assiette. Je ne comprends pas pourquoi ils ne veulent pas me laisser sortir pour aller mourir. J'ai des choses à faire, dit-il en élevant la voix de nouveau quand une femme médecin entra pour étudier le dossier accroché à son lit.

La femme était accompagnée de deux étudiants en médecine.

— On dirait que vous êtes déjà trop nombreux, dit le médecin. Le nombre de visiteurs autorisé par chambre est de deux.

Elle nous foudroya du regard, comme si nous étions responsables de son cancer fulgurant.

— Je croyais vous avoir dit de vous reposer, monsieur Basil.

— Et je croyais vous avoir dit d'aller vous faire foutre, répliqua-t-il.

Il y eut un long silence embarrassant et je ressentis soudain le besoin de rire.

— Vous attendez un putain de docteur toute
la journée, et tout d'un coup vous en avez trois
pour le prix d'un, continua-t-il. À quoi dois-je le
plaisir de votre compagnie ? Les milliers de livres
que je vous paye chaque jour vous donnent-ils le
droit de m'ignorer ?

— Monsieur Basil, puis-je vous rappeler de
modérer votre langage ? Si vous vous sentez plus
irritable que d'habitude, peut-être pouvons-nous
jeter un œil à votre traitement et trouver un
moyen de vous calmer.

Il agita faiblement une main pour clore le
sujet, comme s'il rendait les armes.

— Tout le monde peut rester encore quelques
minutes, ensuite je dois insister pour que monsieur Basil reste seul, ordonna-t-elle avec fermeté.
Alors nous pourrons parler, lui et moi.

Elle fit demi-tour et quitta la chambre, flan-
quée de ses deux joyeux étudiants.

— Je la reverrai peut-être la semaine prochaine, et elle me sortira de nouveau ses âneries.
Qui êtes-vous ? demanda-t-il en me foudroyant
du regard.

Tout le monde tourna la tête vers moi.

— Je m'appelle Christine Rose, dis-je en lui
tendant la main.

M. Basil la regarda, leva la sienne agrémentée
d'une perfusion, et s'adressa à Adam en me serrant mollement la main.

— Maria est au courant, pour elle ? Je n'aurais
jamais cru que tu courais deux lièvres à la fois,

tu as toujours été tellement mauviette. Une vraie mauviette. Rose ? C'est quoi, ce nom ? me demanda-t-il.

— Nous pensons qu'à l'origine, c'était Rosenburg.

Il me détailla, avant de reporter son attention sur Adam.

— J'aime bien Maria. Je n'aime pas beaucoup de gens, mais elle, je l'aime bien. Et Mags, la préposée aux repas. Maria est futée. Quand elle sera un peu organisée, elle ira loin. Je ne pense pas grand bien de sa boîte de merde, Red Lips. C'est un nom de truc porno.

Je ne pus me retenir d'éclater de rire.

M. Basil sembla surpris, puis continua de parler tout en m'observant.

— Quand elle deviendra réaliste et arrêtera de faire des dessins animés...

— De l'animation, interrompis-je.

J'avais le sentiment de devoir me rattraper auprès de Maria après ma réaction un peu trop enthousiaste à la critique que je venais d'entendre.

— Je me fous de ce que c'est, mais elle se débrouille bien. Elle te sera utile quand tu auras pris tes fonctions, parce que Dieu sait que tu ne serais même pas foutu d'organiser un jeu à boire en plein milieu d'une brasserie.

— Alors pourquoi tenez-vous tant à ce qu'il reprenne l'entreprise ? demandai-je, et toutes les têtes se tournèrent vers moi.

Tout le monde sembla surpris, en premier chef M. Basil, même s'il ne voulait pas l'admettre.

C'était le genre de personne dont l'autorité ne devait jamais être remise en cause, et qui n'acceptait pas qu'on lui vole la vedette.

— C'était un secret ? murmurai-je à Adam.

Il secoua la tête et me regarda, l'air épuisé.

— Alors, quoi ? demandai-je, sans comprendre ce que j'avais fait de mal.

La prénommée Mary recula du lit d'un pas, et la plus jeune fit de même.

— Nous vous laissons, monsieur Basil. Nous serons juste là dans le couloir si vous avez besoin de nous.

Il l'ignora. Mary semblait hésiter à s'en aller.

— Dites-moi, comment connaissez-vous mon fils ?

— Nous sommes amis, intervint Adam.

— Ah, il parle ! s'exclama son père. Dis-moi, Adam, tu ne t'es pas montré au bureau depuis dimanche. Apparemment tu étais à Dublin pour me voir, mais je ne t'ai pas vu. Si tu dois passer ton temps à t'envoyer en l'air, alors fais-le sur...

— Il ne s'envoyait pas en l'air !

— ... ton temps libre. Je n'aime pas être interrompu, merci, madame Rose.

— Il y a une chose dont j'aimerais m'entretenir avec vous en privé, dis-je. Adam, vous pouvez sortir aussi, si vous voulez.

M. Basil regarda les deux femmes à son chevet. Elles semblaient très désireuses de quitter la chambre, une raison suffisante de les retenir aux yeux de M. Basil.

— Je fais plus confiance à Mary qu'à moi-même. Elle est avec nous depuis que j'ai repris l'affaire il y a plus de quarante ans, et elle a connu mon fils quand il portait encore des couches, et il en a longtemps porté. Tout ce que vous dites peut être dit devant Mary. L'autre fille, j'en suis un peu moins sûr, mais Mary a une haute opinion d'elle, alors je lui donne sa chance. Maintenant, arrêtez vos salades et dites-moi pourquoi vous êtes là.

La femme à côté de Mary baissa la tête, embarrassée. Je pris une chaise et m'installai. *Comment apprendre une nouvelle traumatisante à un vieil homme mourant.* Cet homme ne semblait pas mériter qu'on prenne de gants, étant donné qu'il ne semblait pas en prendre lui-même envers quiconque. Mais si Adam ne lui parlait pas d'homme à homme, moi j'allais le faire. Je résoudrais cette situation une bonne fois pour toutes. Je venais d'un monde où régnaient l'honnêteté et la franchise, je n'étais pas excessif et je ne me mêlais pas des affaires des gens, à moins que ce ne soit une question de vie ou de mort, et à mes yeux pour Adam, c'était une question de vie ou de mort. Si le comportement d'une personne a un effet négatif sur vous, il faut communiquer avec elle, partager le problème, en parler, trouver une solution. La communication est la clé dans ces circonstances, et de toute évidence il n'y en avait pas entre ce père et ce fils. J'avais le sentiment qu'Adam avait trop peur de s'opposer à ce père omniprésent, il faudrait donc que je prenne les choses en main pour lui.

Je pris la parole d'un ton ferme et regardai le vieil homme droit dans les yeux.

— Je sais que vous allez bientôt mourir et que vous voulez qu'Adam reprenne l'entreprise pour qu'elle ne revienne pas à votre neveu. Nous sommes ici pour en parler.

Adam soupira et ferma les yeux.

— La ferme ! lui cria M. Basil, alors qu'il n'avait même pas dit un mot. Mary, Patricia, sortez s'il vous plaît.

Il ne les regarda même pas sortir, il gardait les yeux braqués sur moi.

J'adressai un sourire à Adam pour le rassurer mais il avait un air indéchiffrable, la mâchoire crispée.

M. Basil me considéra comme si j'étais la dernière personne avec laquelle il désirait s'entretenir.

— Madame Rose, vous n'avez pas bien compris la situation. Je ne veux pas qu'Adam reprenne l'entreprise. C'est Lavinia la première sur la liste, et il a toujours été entendu qu'elle lui reviendrait. Elle est bien plus compétente pour ce travail que lui, croyez-moi, mais elle est à Boston.

— Oui, j'ai appris qu'elle avait volé des millions à ses amis et à sa famille, dis-je pour le remettre à sa place. Mais il y a un problème : Adam ne veut pas de ce poste.

Je laissai planer un long silence. Il en attendait plus, mais rien ne vint. J'avais dit ce que j'avais à dire. Il ne méritait ni soutien, ni explications polies.

— Vous vous imaginez que je ne le savais pas ? dit-il en tournant son regard vers Adam. C'est censé être une façon recherchée de me l'annoncer ?

Je fronçai les sourcils. Ça ne se passait pas comme je l'avais prévu.

M. Basil se mit à rire, mais d'un rire sans joie.

— Son manque d'intérêt pour tout ce que je fais est évident. Il fait mumuse avec des hélicoptères depuis qu'il sait parler et il a passé les dix dernières années à traîner avec les gardes-côtes. Ça m'est égal qu'il ne veuille pas du poste, je m'en fiche si ça le rend profondément malheureux. Ça ne changera rien à ce qui doit se passer. Un Basil doit diriger cette entreprise. Un Basil l'a toujours dirigée et il en sera toujours ainsi. Et ça ne peut pas être Nigel Basil, c'est impossible. Il faudra me passer sur le corps, ajouta-t-il sans sembler saisir l'ironie de ses propos. Mon grand-père, mon père et moi nous sommes durement battus pour garder cette entreprise dans la famille, dans les bons comme dans les mauvais moments depuis sa fondation, et ce n'est pas une salope autoritaire avec une trop grande gueule et aucune jugeote qui changera ça.

Ma mâchoire faillit se décrocher. J'entendis un autre de mes œufs se briser.

— Père, ça suffit, intervint Adam avec fermeté. Ne lui parle pas comme ça. Elle n'essaye pas de changer quoi que ce soit, elle ne fait que te dire ce qu'elle pense que tu ignores. Elle veut aider.

— Et pourquoi parlez-vous au nom de mon fils ? demanda-t-il en regardant Adam. Mon garçon, il serait temps que tu aies des couilles. Ne laisse pas les autres faire le sale boulot à ta place.

Son ton devint soudain méchant. Il ne jouait plus la comédie comme auparavant, mais il avait une voix pleine d'amertume, comme si du vitriol sortait de ses yeux et de sa bouche qui s'était tordue en rictus.

— Vous a-t-il dit qu'il ne recevrait pas un centime, aucun héritage d'aucune sorte avant d'avoir travaillé dix ans pour l'entreprise ? Que je sois vivant ou mort, il n'aura rien. Je pense que cela pourrait le convaincre.

Adam regardait le mur, le visage fermé.

— Non, il ne me l'a pas dit, dis-je, désormais très énervée par ce vilain vieux bonhomme. Mais je ne pense pas que l'argent soit une question importante pour Adam. Monsieur Basil, si votre entreprise vous importe plus que le bien-être de votre propre fils, ne devriez-vous pas au moins envisager ce qui est le mieux pour celle-ci ? Je comprends bien que c'est une affaire familiale, depuis des générations, que vous y avez mis toute votre vie, que vous avez sué sang et eau pour la garder. Maintenant il faut que vous trouviez quelqu'un qui fera de même en votre absence. L'entreprise ne prospérera pas entre les mains d'Adam parce qu'il n'est pas mû par le même désir que vous. Si vous vous souciez réellement de votre héritage, trouvez quelqu'un qui l'aimera et la chérira comme vous le faites.

Il me toisa d'un air méprisant, puis se tourna vers Adam. Je m'attendais à l'entendre éructer, mais je fus surprise par son calme.

— Maria t'aidera, Adam. Quand il y aura des décisions à prendre que tu ne sauras pas comment gérer, discutes-en avec elle. Quand j'ai commencé, crois-tu que j'aie passé un seul jour sans demander l'avis de ta mère ? Et tu auras Mary, c'est mon bras droit. Tu as peur de te retrouver seul ? Tu ne le seras pas.

Il s'arrêta, soudain épuisé.

— Tu ne peux pas laisser Nigel s'immiscer là-dedans, tu sais très bien que tu ne le peux pas, conclut-il.

— Peut-être Maria est-elle trop occupée à coucher avec Sean pour l'aider. N'est-ce pas ?

Stupéfaits, nous nous tournâmes tous vers la porte. Un jeune homme séduisant nous contemplait. L'air de famille était évident à la mâchoire carrée et aux yeux bleus. Mais il avait les cheveux aussi noirs que son âme. Je sentis aussitôt les mauvaises vibrations qui émanaient de lui.

Amusé, il haussa un sourcil, enfonça ses mains dans ses poches et s'avança nonchalamment.

— Nigel, dit sèchement Adam.

— Salut, Adam. Salut, oncle Dick.

J'aurais voulu éprouver de la compassion pour M. Basil à ce moment-là. Qu'y avait-il de pire que de voir quelqu'un qu'on méprise lorsque l'on est malade, alité, en pyjama motif cachemire, impuissant à se défendre ? Et il s'appelait Dick. Mais je fus incapable d'éprouver la moindre pitié.

— Qu'est-ce que tu fiches ici ? lui demanda Adam sans se soucier d'être poli, comme s'il allait lui casser la figure.

— Je suis venu rendre visite à mon oncle, mais du coup j'arrive au bon moment. Nous n'avons pas terminé notre réunion de la semaine dernière. Tu es parti plutôt brusquement.

— Vous vous êtes vus la semaine dernière ? dit M. Basil avec la tête de quelqu'un qui venait de recevoir un coup de poignard en plein cœur.

— Adam est venu me voir pour discuter de ma place chez Basil. Il a plutôt aimé l'idée des deux noms *Bartholomew Basil* accolés, le plus grand hommage que nous pouvons rendre à notre grand-père, tu ne crois pas ? ironisa-t-il avec un sourire sardonique.

— Menteur !

La fureur d'Adam était visible. Il me marcha sur les pieds pour sauter sur son cousin, qu'il attrapa par le col et poussa dans la pièce pour le plaquer violemment contre le mur. Il lui passa un bras autour du cou et le maintint pendant que son cousin se débattait pour se libérer.

— Adam ! l'avertis-je en essayant de cacher mon affolement.

— Tu es un sale menteur ! vociféra Adam entre ses dents serrées.

Les veines du front de Nigel s'étaient gonflées pendant qu'il essayait de desserrer l'étau des mains d'Adam autour de son cou, mais ce dernier était plus fort. Alors Nigel employa tous ses efforts à enfoncer ses doigts dans les narines d'Adam, qui rejeta la tête en arrière.

— Adam ! hurlai-je en bondissant vers eux.

J'essayai de les arrêter, mais j'avais peur de m'approcher trop près. Je regardai M. Basil. Il semblait prêt à exploser mais c'était un homme impotent, sur son lit de malade, et il le savait. Il commença à suffoquer.

— Monsieur Basil, ça va ? lui demandai-je.

Je courus à son chevet et appuyai sur le bouton pour appeler l'infirmière.

Ses yeux commençaient à s'embuer.

— Il ne ferait pas ça, dit-il d'un ton assuré. Adam ne ferait pas ça.

Il me scruta, à la recherche d'un signe qui lui prouverait qu'il se trompait.

— Bien sûr qu'il ne le ferait pas, répondis-je en commençant à m'affoler, sans cesser d'appuyer sur le bouton.

Quand les agents de la sécurité entrèrent dans la chambre, Adam et Nigel luttaient par terre. Ils attrapèrent immédiatement Adam, qui était au-dessus, et alors qu'ils le maintenaient par les épaules, les bras derrière le dos, Nigel donna un grand coup de poing à Adam dans la mâchoire, puis un autre dans l'estomac.

Adam se plia en deux.

— Je crois que votre carrière de mannequin est terminée, plaisantai-je mollement en appuyant une compresse sur la lèvre fendue d'Adam après notre retour à l'appartement.

Il sourit et le sang recommença à couler par la coupure qui s'était rouverte.

— Ah, ne souriez pas ! lui ordonnai-je en recommençant à appuyer dessus.

— Pas de problème, soupira-t-il.

Il se leva brusquement, en me repoussant, saisi d'une nouvelle bouffée d'agressivité.

— Je vais prendre une douche, dit-il.

J'ouvris la bouche pour présenter des excuses. J'avais voulu bien faire, et tout s'était horriblement mal passé. Notre repas au restaurant lui avait fait mal au ventre, la balade dans le parc l'avait conduit en cellule, le tour en voiture s'était terminé en course-poursuite, et mon expédition pour dire la vérité à son père avait fini en coup de poing dans la figure.

Désolée.

Mais je ne dis rien. Ça n'avait pas d'importance. Je l'avais dit dans la voiture sur le trajet du retour, sans succès, j'avais essayé de transformer tout cet épisode en expérience positive, sur les bénéfices d'affronter la vérité et d'en gérer les conséquences, mais la pilule était trop difficile à avaler. J'avais mal jugé la situation. Je croyais qu'il avait trop peur de parler à son père, mais ce qui l'effrayait, c'était que son père soit tout à fait conscient qu'il ne voulait rien avoir à faire avec l'entreprise, et que cela ne faisait aucune différence pour lui. J'avais été naïve de croire qu'en claquant des doigts je pouvais résoudre une situation dont Adam essayait de s'extirper depuis des années. Ce n'était qu'après avoir exploré toutes les échappatoires possibles qu'il avait pris sa décision désespérée sur le Ha'penny Bridge. J'aurais dû le savoir, et l'idée que ça ne m'était pas venu à l'esprit me laissait mal à l'aise et embarrassée. Il ne voulait plus m'écouter. Mes mots n'arrangeaient rien du tout. Et que je sois désolée n'y changerait rien.

À quatre heures du matin je repoussai mon duvet d'un coup de pied de frustration et renonçai officiellement à essayer de dormir.

— Vous êtes réveillé ? appelai-je dans le noir.

— Non, répondit-il.

— Je vous ai laissé une feuille sur la table basse, murmurai-je en souriant. Prenez-la.

Je l'entendis se déplacer dans la pièce pour aller chercher la page que j'avais préparée la veille.

— Qu'est-ce que c'est que ça, encore ?

— Lisez.

— *Les meilleures choses du monde et les plus belles ne peuvent être ni vues ni touchées, on doit les sentir avec le cœur.* Helen Keller.

Il resta silencieux, puis renifla.

— *C'est dans les pires moments que nous devons nous concentrer pour voir la lumière.* Aristote Onassis, récitai-je de mémoire, en retournant m'allonger sur mon lit.

Il s'arrêta. Allait-il la déchirer, ou se moquer de ma tentative de lui remonter le moral ?

— *Croyez que vous pouvez le faire, et vous êtes déjà à la moitié du chemin.* Théodore Roosevelt, récitai-je encore, l'encourageant à en lire une autre.

— Ne pissez pas dans le vent, dit Adam.

— Ce n'est pas sur la feuille, m'étonnai-je en fronçant les sourcils.

— N'achetez pas de télescope, approchez-vous de ce que vous voulez voir.

Je souris.

— Ne mangez jamais de neige jaune. Ne fumez pas. Portez un soutien-gorge. Ne regardez personne droit dans les yeux quand vous mangez un esquimau.

Je gloussai dans mon lit. Puis il se tut.

— OK, je vois, dis-je, vous trouvez ça débile. Mais vous sentez-vous mieux ?

— Et vous ?

— Oui, en fait, oui, avouai-je dans un éclat de rire.

— Moi aussi, finit-il par répondre d'une voix douce, tout bas.

J'imaginai qu'il souriait, du moins je l'espérais ; je l'entendais à sa voix.

— Bonne nuit, Adam.

— Bonne nuit, Christine.

Je dormis un peu cette nuit-là, sans pouvoir m'empêcher de penser : plus que huit jours.

14

Comment obtenir votre part
du gâteau et la manger

L'agent Maguire était assis face à moi de l'autre côté de la table dans une salle d'interrogatoire du poste de la *gardaí* de Pearse Street. Il avait les yeux injectés de sang, avec des poches ridées en dessous comme s'il avait fait la fête toute la nuit. Une fois de plus, je savais que je me faisais des idées. Il avait accepté de me recevoir avec réticence, m'avertissant que pour l'heure il écouterait mon histoire d'une oreille, avant de décider de m'adresser ou non à ses collègues. Je compris qu'il jouait le rôle de filtre : si ma plainte n'en valait pas la peine, il ne voulait pas faire perdre de temps à la *gardaí*. Je sentis la transpiration perler sur mon front. L'atmosphère de la pièce était suffocante, sans fenêtre ni ventilation. Si j'avais été retenue comme suspecte, j'aurais été prête à avouer n'importe quoi pour sortir de là. Heureusement, j'avais insisté pour que la porte reste ouverte afin de pouvoir garder un œil sur Adam.

— Est-ce une habitude chez vous de ramasser les suicidaires ? m'avait demandé l'agent Maguire en me voyant arriver avec Adam.

— Je l'aide à trouver un travail, en fait.

Ce qui n'était pas complètement un mensonge.

Je vérifiai la porte de nouveau pour m'assurer qu'Adam était encore là. Il avait l'air de s'ennuyer ferme, et il semblait fatigué, mais au moins il était là.

— Vous emportez toujours votre travail chez vous ? ironisa-t-il.

— Et vous, ça vous arrive de rentrer chez vous ? répliquai-je.

Je compris trop tard qu'il avait été sur le point de baisser la garde, pour une fois. Ma rebuffade le fit immédiatement rentrer dans sa coquille, comme s'il était entouré d'un champ répulsif et il se tortilla sur sa chaise, mal à l'aise, comme s'il s'en voulait d'avoir laissé tomber le masque.

Je me sentis coupable de ma repartie : je réalisai que je préférais traiter avec le Maguire dur à cuire. Je ne voulais pas me détendre et commencer à partager des secrets personnels avec cet homme.

— Bon, redites-moi ça. Vous pensez qu'un homme portant un blouson de cuir noir et un pull à col roulé, peut-être originaire d'Europe de l'Est, a explosé votre pare-brise avec une crosse de cricket parce que vous avez peut-être été témoin d'un deal de drogue entre cet homme et une voiture noire aux vitres teintées, seul détail dont vous vous souvenez, sur une route de campagne, dont vous ne pouvez indiquer ni le chemin ni l'endroit où elle se trouve parce que vous jouiez à un jeu où le but est de se perdre. Ai-je bien compris ? conclut-il d'un ton las.

— Le pare-brise de mon amie Julie, pas le mien, mais, oui, le reste est exact.

Il m'avait fallu trois jours avant d'aller déposer plainte pour le pare-brise, parce que j'aidais Amélia à s'occuper des arrangements pour l'enterrement de sa mère, à cause de mon emploi du temps avec Adam aussi, mais surtout parce que j'évitais de devoir passer une seconde en compagnie de l'agent Maguire, même si en mon for intérieur je savais qu'il était le seul à pouvoir m'aider.

— Pourquoi *peut-être* d'Europe de l'Est ?

— Il en avait l'apparence, dis-je posément, en regrettant de l'avoir mentionné. Il était énorme, la mâchoire carrée, large d'épaules. Mais après il a pris la crosse de cricket, ce qui lui a donné l'air plus irlandais...

Je laissai la fin de ma phrase en suspens et devins écarlate à la vue de son air amusé.

— Ainsi, s'il avait effectué une galipette impeccable il aurait été russe, et s'il avait eu une batte de base-ball cela l'aurait rendu américain ? Et s'il vous avait agressée avec des baguettes ? Japonais, Chinois ? À votre avis ? dit-il en souriant, savourant sa plaisanterie.

Je ne lui accordai pas un regard.

— Quelqu'un d'autre peut-il corroborer votre histoire ?

— Oui, Adam.

— Le suicidaire.

— Celui qui a tenté de se suicider, oui.

— Y a-t-il d'autres témoins qui n'auraient pas tenté de se suicider cinq minutes avant ?

— C'était il y a cinq jours. Et, oui, ma nièce a tout vu.

— J'ai besoin de ses coordonnées.

— Bien sûr. Avez-vous de quoi noter ? lui demandai-je après un petit temps de réflexion.

Il prit son stylo sans enthousiasme, ouvrit son bloc-notes qui était vierge en dépit des dix minutes pendant lesquelles je lui avais relaté ce qui s'était passé.

— Allez-y.

— Elle s'appelle Alicia Rose Talbot et vous la trouverez à l'école Montessori du Singe Insolent, Vernon Avenue, Clontarf, dictai-je lentement.

— Elle y travaille ?

— Non, elle y est élève. Elle a trois ans.

— Vous vous foutez de moi ? hurla-t-il en jetant son stylo sur la table.

Adam jeta un coup d'œil protecteur dans la pièce.

— Non, mais vous oui. Je pense que vous ne me prenez pas au sérieux, rétorquai-je.

— Écoutez, je pars du principe que la réponse la plus évidente est probablement la vérité. Il y a tant de « si » et de « mais » dans votre histoire de dealer russe avec une crosse de hockey sur une route de campagne que je doute qu'elle tienne debout.

— Mais ça s'est passé comme ça !

— Peut-être.

— Ça s'est passé comme ça, je vous dis.

Il resta silencieux.

— Alors, quelle est la réponse la plus évidente selon vous ? lui demandai-je.

— J'ai entendu dire que vous aviez quitté votre mari.

Je déglutis, surprise qu'il s'engage sur ce terrain.

— La nuit du coup de feu, précisa-t-il.

— Je ne vois pas le rapport.

Il frotta sa barbe naissante sur sa joue, irritée par un rasage trop fréquent et une mauvaise hydratation. Puis il se cala un moment sur sa chaise et me scruta. Je commençai à avoir l'impression d'être soumise à un interrogatoire.

— Cela avait-il un rapport avec le coup de feu ?

— Non... oui... peut-être, bredouillai-je, en sachant que je ne voulais pas qu'il le sache. Pourquoi voulez-vous le savoir ?

— Parce que.

Il changea de position sur sa chaise et commença à gribouiller sur son bloc.

— Ça fait longtemps que je fais ce job et, prenez-le comme un conseil de quelqu'un qui a l'expérience de ces choses, vous ne devriez pas laisser votre travail affecter votre vie privée.

J'étais surprise. J'allais lui aboyer quelque chose, mais au lieu de le faire je me mordis la langue. Cela avait dû lui coûter beaucoup de me dire cela.

— Ce n'était pas à cause de ce qui est arrivé à Simon. Mais, merci du conseil.

Il m'étudia un moment en silence, puis lâcha sa question.

— Croyez-vous que votre ex-mari a quoi que ce soit à voir avec les dégâts sur la voiture ?

— Sûrement pas.

— Comment le savez-vous ?

— Parce qu'il n'est pas du genre passionné. Il n'est même pas supporter d'une équipe de foot parce qu'il ne croit en rien avec assez de conviction. Une fois, pour son anniversaire, ses amis lui ont offert un bout de clôture pour qu'il puisse s'asseoir dessus, en clin d'œil au cliché du gars pas motivé qui s'assoit toujours au dernier rang dans les stades, près du grillage, pour vous dire à quel point il n'a pas d'opinion. Honnêtement, si vous le connaissiez vous n'auriez pas orienté la conversation là-dessus. Passons à autre chose.

— Comment a-t-il pris votre décision de le quitter ?

— Bon Dieu, Maguire, ça ne vous concerne pas ! hurlai-je en me levant.

— Cela concerne peut-être votre pare-brise, dit-il avec calme, en restant sur sa chaise. Un mari récemment quitté par sa femme, humilié, le cœur brisé et furieux, j'imagine. Il a très bien pu être adorable du temps de votre mariage, mais on ne sait jamais à quel point les gens peuvent changer. C'est comme quand on appuie sur un interrupteur. A-t-il eu une attitude menaçante ces dernières semaines ?

Ma non-réponse lui suffit.

— Mais ce n'est même pas ma voiture, protestai-je. Il le sait. Son acte de vandalisme affecte quelqu'un d'autre, pas moi.

— C'est celle de votre amie Julie, vous me l'avez dit. Mais c'est vous qui la conduisez. Et il ne pense pas rationnellement, en ce moment. Que croyez-vous qu'il ressente vis-à-vis de votre amie Julie ? Vous avez quelque chose à dire sur elle, de récent ?

Je soupirai, au souvenir du message qu'il avait laissé quelques jours auparavant, et je regardai Adam, qui désormais écoutait sans vergogne. Il me fit signe de le dire à Maguire.

— Merde, soupirai-je en me frottant le visage, épuisée. Mais je ne porte pas plainte, je payerai les réparations moi-même, ajoutai-je en me levant pour arpenter la pièce.

— Ça ne change rien, j'aimerais lui rendre une petite visite.

— Non ! criai-je en m'arrêtant net. Il va grimper au plafond s'il sait que je vous ai parlé.

— On dirait qu'il a déjà grimpé au plafond. J'aimerais être sûr qu'il ne recommence pas.

— Je vous en prie, ne le contactez pas.

Il se leva.

— Comment est-ce que ça a commencé ? Les coups de fil agressifs ? Étaient-ils tristes, au début ? Puis violents ? Ensuite il démolit votre voiture.

— La voiture de Julie.

— Je m'en fous de savoir à qui elle est, cette bagnole ! La prochaine étape sur sa liste, ce n'est pas de boire du lait et de manger des cookies avec vous.

— Mais le Russe…

— Ce n'est pas le Russe. Il y a quelqu'un avec vous, chez vous ?

Je n'aimais pas cette question personnelle, et je ne savais trop comment y répondre. Je rougis, gênée de lui avouer qu'Adam habitait chez moi. Finalement, je n'eus pas besoin de dire quoi que ce soit : je surpris le regard qu'échangèrent Adam et l'agent Maguire.

— Bien, dit Maguire, vaguement satisfait que je sois en sécurité. Réfléchissez à tout ça et faites-moi savoir si vous avez besoin que je me pointe chez lui.

— Désolée de vous faire perdre votre temps, m'excusai-je, mortifiée, en quittant la pièce.

— J'ai l'habitude, maintenant, Rose ! me cria-t-il alors que j'étais dans le couloir.

— Merde ! jurai-je en refermant mon portable. C'était quelqu'un qui voudrait voir la voiture. Quel est le délai pour faire réparer un pare-brise ?

Je me mis à fouiller les tiroirs vides à la recherche d'un annuaire téléphonique.

— C'est rapide, ne vous inquiétez pas, m'assura Adam, assis sur le comptoir, en balançant les jambes pendant qu'il me regardait. Je connais un type qui peut le faire, je vais l'appeler.

— Ce serait génial. Merci ! Ça coûtera combien ? lui demandai-je en me rongeant les ongles dans l'attente de sa réponse.

— Pas tant que ça. Je suis sûr que votre amie est assurée, je ne m'inquiéterais pas, à votre place.

— Hors de question que je le dise à Julie ! Il faut que j'arrange ça sans qu'elle le sache. Combien ça va coûter ?

— Christine, on se détend ! C'est un pare-brise, ça se fêle tout le temps. À cause d'une pierre projetée de la route, par exemple.

— Mon ex-mari l'a explosé en mille morceaux, rétorquai-je. Ce n'est pas vraiment la même chose.

— Mais ça prend aussi longtemps pour le réparer. Vous croyez que c'est lui le coupable ?

— Je ne sais pas. L'agent Maguire en a l'air certain, mais je ne vois vraiment pas Barry faire ça.

Il médita là-dessus un moment, regarda par les fenêtres comme pour vérifier que j'étais en sécurité. J'aimais bien ce côté protecteur chez lui.

— Je payerai pour le pare-brise, décréta-t-il soudain.

— C'est hors de question. C'est une idée stupide, Adam, dis-je, très énervée. Ce n'est pas ce que je voulais dire. Je n'accepte pas l'aumône, dis-je avec fermeté.

— Ce n'est pas une aumône, se récria-t-il en faisant les gros yeux. Vous me rendez service, je vous suis redevable de toute façon.

— Adam, je ne vous fais pas payer pour ça. Je ne fais pas ça pour l'argent. J'essaye de vous sauver la vie. Le fait que vous viviez me payera largement.

Les larmes me montèrent aux yeux et je dus me détourner ; je recommençai à chercher l'annuaire dans des tiroirs que j'avais déjà explorés, oubliant qu'il avait dit qu'il appellerait un ami. Je commençais à perdre le fil.

— Mais vous avez annulé tous vos rendez-vous de ces deux semaines. Je vous fais perdre de l'argent.

— Je ne le vois pas comme ça.

— Je sais. Parce que vous êtes gentille. Maintenant, laissez quelqu'un être gentil avec vous, parce que je crois que vous traversez une période de merde, et je n'ai vu personne vous venir une seule fois en aide. Je ne vois personne essayer de réparer la Madame-je-rends-service, ajouta-t-il en m'observant.

Sa réflexion me prit par surprise et j'en oubliai l'argent momentanément. Ma famille pouvait certes être spéciale mais je savais que je pouvais compter sur eux. Amélia avait l'esprit ailleurs, ce qui était compréhensible. Julie était à Toronto et les autres... Eh bien, j'avais cru que par respect, ils me laisseraient tranquille, mais désormais, après réflexion, je réalisai qu'ils avaient peut-être choisi leur camp. Je me sortis cette idée de la tête et repensai aux soucis d'argent. Il allait falloir que je me décide enfin à parler à Barry pour qu'il me rende l'argent que j'avais déposé sur notre compte commun. Nous l'avions ouvert pour y placer nos économies du mariage et de la lune de miel et nous l'avions gardé ensuite, pour payer le crédit. J'y versais plus d'argent que lui, mais c'était pour ne pas être tentée de trop dépenser. Dans le message que j'avais reçu de lui ce matin-là, Barry m'informait qu'il avait pris mon argent, ma part du remboursement du crédit et tout le surplus que j'avais versé. J'avais vérifié le compte : l'argent avait disparu. Ça n'était pas très malin d'avoir pris une carte de retrait pour ce compte. Il avait tout retiré.

— Bref, peut-être que comme ça vous vous sentirez mieux. J'ai besoin de votre assistance pour autre chose, me demanda Adam en changeant de sujet. J'ai besoin de votre aide pour faire un cadeau à Maria.

— Bien sûr, répondis-je, mal à l'aise et troublée de sentir mon cœur s'arrêter de battre à cette pensée. Du rouge à lèvres rose ?

Ses yeux se plissèrent. Il essayait de discerner si cela avait été dit avec méchanceté.

— Non... Ce n'est pas ce que j'avais en tête. Voyez-vous, c'est son anniversaire...

— Quoi ? criai-je. Quand ?

— Aujourd'hui. Pourquoi êtes-vous si en colère ?

— Et vous ne me le dites que maintenant ? Adam, c'est une occasion en or de la reconquérir. Nous aurions pu passer des *jours* à le préparer.

— J'ai essayé de réfléchir à un cadeau moi-même, mais rien ne semble assez bien. Il y a les trucs habituels, bijoux, diamants, vacances, mais on a déjà fait tout ça. Ça ne semble pas tout à fait *suffisant* cette fois. Et puis, je ne pensais pas que vous me laisseriez la voir, de toute façon.

Il avait raison, mais j'étais toujours contrariée qu'il ne me l'ait pas dit plus tôt.

— Que lui avez-vous offert l'année dernière ?

— Nous sommes allés à Paris, dit-il en me regardant, et mon ressentiment envers Maria grandit. Mais le cœur n'y était pas. Je ne me sentais pas trop bien.

— Pourquoi, qu'est-il arrivé ?

— Rien, à vrai dire. C'était à peu près à l'époque du départ de ma sœur. J'avais beaucoup de choses en tête. Maria pensait que c'était parce que je préparais ma demande en mariage, et de toute évidence ça ne s'est pas passé comme ça et... eh bien, le voyage a été plutôt désastreux.

Sa sœur était partie. Il vivait les départs comme des abandons, il faudrait que je sois prudente au moment de le quitter. Cette perspective m'attrista.

— Ça va ? demanda-t-il.

— Oui, je réfléchissais.

J'allai dans ma chambre et pris le livre pour trouver l'inspiration. Le chapitre suivant était consacré aux bienfaits d'apprendre à cuisiner. Je balançai le livre dans la pièce, peu convaincue que c'était la solution à nos problèmes. En fait, je n'étais convaincue par aucune de ses solutions jusqu'à maintenant. La cuisine comme thérapie ? La cuisine comme moyen de reconquérir Maria ? À moins qu'il ne cuisine le dîner d'anniversaire de Maria... mais comment était-ce possible ?

— Adam, avez-vous toujours les clés de votre appartement ? lui demandai-je.

— Oui, pourquoi ?

Il apparut à la porte de la chambre. Il s'arrêtait toujours sur le seuil, sans jamais pénétrer dans mon espace privé. J'appréciai chez lui ce respect des frontières invisibles et de mon espace.

Je pensais que nous pourrions peut-être apporter en douce le dîner d'anniversaire de Maria dans leur appartement, mais si Sean était là ce serait un désastre et cela ferait replonger Adam après des journées de notre dur labeur.

— J'aimerais savoir où elle sera pour son anniversaire. Avez-vous un moyen quelconque de l'apprendre ? Parler à ses amies ? Sa famille ? Avec discrétion, bien sûr.

— Nos anniversaires sont la même semaine, donc habituellement nous les célébrons ensemble, répondit-il, ennuyé.

Il respira à fond pour se calmer.

— Ses amies l'emmènent à la Brasserie Ely à Grand Canal Dock.

— Comment le savez-vous ?

— Je le sais, c'est tout, répondit-il d'un air penaud.

— Adam, l'avertis-je, je vous avais bien précisé de ne pas lui parler.

— Et je ne l'ai pas fait. Il se trouve que j'ai entendu un message sur la boîte vocale de Sean.

— Comment ça, il se *trouve* que vous l'avez entendu ?

— Parce que Sean est un idiot qui ne se souvient jamais de changer le code d'accès de sa messagerie. J'écoute ses messages depuis lundi.

— Je ne savais pas qu'on pouvait faire ça, lui dis-je, abasourdie.

— J'en déduis que vous n'avez jamais changé le vôtre.

Il fallait que je pense à faire ça dès que possible.

— Ça ne fait rien, vous écoutez mes messages, de toute façon.

Je pensai à celui qu'il avait écouté et effacé. Je mourais d'envie de savoir ce qu'avait dit Barry, mais je ne pouvais pas le redemander à Adam, et je n'étais même pas sûre de vouloir entendre la réponse. Je passai à autre chose.

— Bien, que disaient ces messages ? m'enquis-je.

— Il s'inquiète que Maria soit un peu distante ces jours-ci, depuis dimanche, quand je les ai surpris, mais encore plus ces tout derniers jours. Ils ont fait une pause, ou elle lui a demandé un peu d'air, pour réfléchir.

— À vous, murmurai-je.

Adam haussa les épaules, mais il y avait un éclat dans ses yeux.

— C'est une bonne nouvelle, Adam ! criai-je.

Nous nous tapâmes dans les mains, comme des sportifs excités, et il me serra dans ses bras.

— Merci, me susurra-t-il à l'oreille, ses deux bras enroulés autour de ma taille.

Son souffle me donna la chair de poule.

— Pas de problème, répondis-je.

J'aurais voulu prolonger l'instant, mais je me forçai à me dégager.

— Maintenant, au boulot.

— Qu'est-ce qu'on fait ?

— Vous lui avez peut-être offert Paris l'année dernière, mais cette année, mon cher, vous allez lui faire un gâteau d'anniversaire.

La Cuisine au château était un cours de cuisine original qui se déroulait dans les cuisines du château de Howth, bâti en l'an 1177. Grand classique des sorties à deux et des soirées entre filles, ce vendredi soir-là ne différait pas des autres. Le public était surtout composé de couples de tous âges, dont l'un en était à son premier rendez-vous. Il y avait aussi un groupe de trois filles d'une vingtaine d'années qui semblèrent prises d'une crise de gloussements irrépressibles dès qu'Adam fit son entrée.

— Christine ! Coucouououou ! me héla une femme.

Elle était imposante, ronde, avec un sourire rayonnant sur un joli visage très féminin. Je ne savais absolument pas qui c'était.

— C'est moi ! Elaine !

Je la dévisageai jusqu'à ce que je me souvienne d'elle. La dernière fois que je l'avais vue, elle était déguisée en Dracula et lisait une histoire à un public d'enfants terrifiés. Ces deux derniers jours, depuis la mort de la mère d'Amélia, elle avait donné un coup de main à la librairie.

— J'ai un rendez-vous galant, me murmura-t-elle dans une tentative lamentable pour que son partenaire, à côté d'elle, ne l'entende pas.

Je serrai la main de son partenaire, et fus immédiatement convaincue qu'il était gay.

— Je l'ai rencontré à mon cours pour apprendre à tomber amoureux.

— Votre cours de quoi ?

— Vous n'en avez pas entendu parler ? Mon Dieu, mais toutes les filles y vont ! Beaucoup d'hommes, aussi. C'est pour ça que j'y vais, continua-t-elle sur le ton de la confidence. C'est là que j'ai rencontré Marvin.

Elle gloussa et me le montra fièrement du doigt, avant de se remettre à glousser. Cette fois elle émit un grognement, comme un cochon qui grogne. Elle écarquilla les yeux sous le choc, et se plaqua la main sur le nez pour étouffer le bruit. Le groupe de jeunes femmes se mit à rire de concert après une blague salace ou une remarque suggestive, à mon avis, ou du moins c'était ce que j'imaginai étant donné la manière dont elles reluquaient Adam. L'une d'elles s'approcha de lui. Il lui sourit.

— Et voici Adam ! dis-je bien fort en lui passant la main sous le bras pour le tirer vers moi. Adam, voici Elaine. Elle me parlait des cours pour tomber amoureux auxquels elle assiste.

— Oh, c'est fantastique ! Le cours est assuré par Irma Livingstone, vous savez, la femme qui écrit les... – elle baissa d'un ton – livres érotiques. Ça se passe au presbytère...

— Tout indiqué, coupa Adam.

— Oui, continua-t-elle, sans réaliser ce qu'il avait dit. Et chaque semaine nous apprenons des conseils pour rencontrer sa moitié et tomber amoureux, suivis d'exercices pour mettre en pratique ce que nous avons appris avec les autres participants du cours.

— Donc ce soir, vous faites vos devoirs, c'est ça ? demanda Adam.

— Non, c'est un vrai rendez-vous, répliqua-t-elle, sur la défensive.

Marvin semblait un peu gêné.

— Vous devriez venir aussi, me dit-elle avec un coup de coude, mais elle ne mesurait pas sa force et m'envoya valser contre Adam, qui me remit d'aplomb.

— Oui, vous devriez y aller, renchérit-il avec un sourire taquin.

— Si j'y vais, vous viendrez avec moi, décrétai-je, et son sourire disparut.

— J'ai appris ce qui s'était passé avec votre mari, me dit Elaine tout bas de nouveau, avec un air de commisération. J'ai rencontré votre mari, euh, votre *ex-mari*, alors que j'allais au travail il y a quelques jours. Il m'a raconté ce qui s'est passé... et qu'il vous rendait votre club de golf. Je suis heureuse que la rupture se passe à l'amiable. Ce n'était pas comme ça entre Eamon et moi – c'est mon ex-mari, dit-elle.

Elle qui d'ordinaire était joviale s'assombrit quelque peu.

— Mon club de golf ? m'étonnai-je, sans comprendre. Mais je ne joue pas au golf.

— Si, si, me dit Adam. Il l'a déposé sur le pare-brise de votre voiture, vous vous souvenez ?

— Il... ooooooh... oui, d'accord.

Ainsi, c'était lui.

Le prof de cuisine nous souhaita à tous la bienvenue et nous nous regroupâmes autour d'un plan de travail, avec nos noms sur des étiquettes collées sur nos poitrines, pour observer le déroulement de l'opération. Les couples les plus sérieux prenaient des notes, tandis qu'Adam et moi écoutions à peine, et ce fut soudain à nous de faire nos propres gâteaux. Adam croisa les bras et me regarda pour me signifier qu'il était ici par obligation, pas par envie. Je pris le pinceau trempé dans le beurre, et commençai à en enduire le moule.

— Alors, qu'avez-vous appris aujourd'hui ? demanda Adam à Elaine.

— Aujourd'hui, il fallait apprendre à tomber amoureux pour de bonnes raisons, dit-elle franchement. Et à identifier ces raisons.

— Ouah ! Et combien coûte ce cours ? s'enquit-il d'un ton sarcastique.

Elaine n'était pas stupide. Elle le dévisagea d'un air soupçonneux, un peu offensée.

— Cent cinquante euros pour dix semaines. Mais Irma recommande deux sessions.

— Je veux bien le croire, dit-il en hochant la tête avec sérieux. Christine, êtes-vous sûre que c'est comme ça qu'il faut faire ?

— J'ai fini par me saigner à blanc par amour, pas la peine de me demander mon avis, dis-je en essayant de saupoudrer ma farine régulièrement sur le beurre dans le moule.

— Non, je voulais dire, pour le gâteau, me dit-il en souriant.

— Oh ! Le chef a dit que le beurre, c'est pour que le gâteau ne colle pas, et la farine, pour que le gâteau ne soit pas gras, dis-je, contrariée de constater que la farine déposée sur le beurre s'amalgamait en paquets inégaux et commençait à avoir l'apparence d'une bouillasse infâme.

Je ne m'amusais vraiment pas du tout. Je n'aimais ni cuisiner, ni faire des gâteaux, et au lieu de laisser Adam profiter d'une autre « joie » de la vie, c'était moi qui m'y collais. J'étais plutôt abattue, là.

— OK, c'est à votre tour, maintenant, faites la pâte, dis-je en cherchant un torchon pour essuyer mes mains pleines de beurre.

Adam me regarda, l'air amusé.

— Quoi ? lui criai-je.

— Rien. Je vous observe juste en train de profiter de la vie, c'est tout.

Il reporta son attention sur Elaine.

— Alors, quel genre de choses avez-vous appris quand elle vous a enseigné comment tomber amoureux pour de bonnes raisons ?

Tournant le dos à son partenaire, Elaine nous raconta son cours.

— Irma dit que nous pensons que tomber amoureux est quelque chose de magique et de mystérieux qui nous tombe dessus et que nous ne contrôlons pas, ce qui explique pourquoi on dit « tomber ». Mais tomber amoureux arrive quand une série d'événements se produisent entre deux personnes.

Elle avait captivé Adam.

— Et, comme tout le reste dans la vie, si vous voulez que ça advienne, il faut le faire arriver. Vous ne pouvez pas rester assis sur votre canapé chez vous et vous attendre à tomber amoureux. Il faut participer activement au processus. Irma nous apprend les étapes pour passer à l'action dans notre quête de l'amour.

— Du genre...

— Du genre, ayez une idée précise de ce que vous recherchez, soyez vous-même, élargissez votre cercle de relations, soyez réaliste sur les échecs, riez beaucoup, écoutez, soyez spirituel, confiez des secrets, débrouillez-vous pour que ça reste amusant. Elle nous l'apprend en cours, ensuite nous passons aux travaux pratiques.

— De quel genre ?

— La semaine dernière, nous devions sortir avec quelqu'un et mettre en œuvre la technique de l'écoute, où l'on parle vingt pour cent du temps et l'on écoute quatre-vingts pour cent.

— Il y a une technique pour écouter, maintenant ? demanda Adam, amusé.

— Vous seriez étonné de savoir combien de gens ne le font pas, répliqua-t-elle. Eh bien, je suis sortie avec quelqu'un du cours et ça ne s'est pas bien passé. Nous essayions tous les deux d'écouter et du coup personne ne parlait.

Adam éclata de rire.

— Chef ! On se concentre ? l'interpella le professeur sur un ton jovial.

Quelques têtes se tournèrent vers nous et Adam essaya de prendre un air affairé.

— Le prochain cours portera sur *les secrets*, chuchota Elaine, très excitée. Nous jouerons à dire les choses que nous n'avons jamais faites et nous devrons raconter le moment le plus embarrassant de notre vie, nos moments d'enfance préférés, notre plus grande peur, nos talents cachés, ce que l'on fait lorsque l'on est seul, notre journée idéale...

— C'est votre prochain cours ? demanda Adam en regardant le partenaire d'Elaine qui jusqu'ici faisait tout le boulot, comme moi pour lui.

Elle hocha la tête avec enthousiasme.

Adam semblait sur le point de faire une remarque sarcastique, mais il se retint.

— Bonne chance, Elaine.

Il me regarda, tout rouge à force de batailler avec sa pâte, et sourit.

— Elle va découvrir un ou deux secrets sur Marvin, ça c'est sûr, lui chuchotai-je, et il hoqueta de rire.

— Je croyais que vous n'écoutiez pas, dit-il.

— Vingt pour cent d'écoute. Quatre-vingts pour cent d'investissement dans la pâte.

— Je vais vous aider, dit-il en prenant un œuf.

— Sans le lancer sur le mur, marmonnai-je.

Adam sourit et cassa l'œuf.

— Vous avez de l'esprit, me dit-il puis il me regarda, pensif pendant un moment.

— Quoi, j'ai de la farine sur la figure ?

— Non.

— Il faut séparer les blancs des jaunes, lui expliquai-je en poussant un bol vers lui.

— Je ne sais pas faire ça. Vous êtes séparée, vous, vous pouvez le faire.

— Ha, ha, ricanai-je sur un ton sinistre. Vous devenez de plus en plus drôle.

— C'est à cause de toute cette vie pleine de joie dont vous me faites profiter.

Elaine nous observait, amusée.

— Vous en faites trois, et j'en fais trois, proposai-je, et nous tombâmes d'accord.

Adam cassa l'œuf et râla en sentant le blanc qui coulait sur ses doigts. Il plaça le jaune dans un bol, le blanc et les coquilles dans un autre.

Il fit pire sur le deuxième, mieux sur le troisième. J'essayai de récupérer les coquilles dans les blancs. Au lieu de mettre le sucre dans les jaunes, je le versai dans les blancs. Quand je me rendis compte de mon erreur, je repêchai le sucre à moitié gluant avec frénésie et le versai dans l'autre bol, en espérant que le professeur ne verrait rien. Adam ricana. J'ajoutai au mélange la vanille et l'extrait de citron. Puis je commençai à monter les blancs en neige tandis qu'Adam s'enfonçait dans sa rêverie, sans nul doute consacrée à sa précieuse Maria. Incapable de me retenir, je plongeai le menton dans les blancs en neige, me créant ainsi une fine barbe blanche, et en me tournant vers Adam je pris la voix de son père, basse et grinçante.

— Mon fils, tu dois prendre la tête de l'entreprise. Tu es un Basil, on jubile !

Il me considéra, stupéfait, puis partit d'un rire tonitruant, la tête en arrière, un vrai rire de joie. Le professeur s'arrêta de parler, les participants se tournèrent tous vers nous. Adam s'excusa auprès de l'assemblée, sans réussir à retrouver son calme.

— Excusez-moi, je reviens dans un instant, dit-il, sortant de la cuisine en riant tout seul et en se tenant le ventre.

Ils me dévisageaient tous. Le blanc d'œuf me dégoulinait du menton, et je souris à la ronde.

— Votre gâteau est au four, ça va prendre vingt minutes, dis-je à Adam en le rejoignant dehors.

Je lui tendis son manteau, derrière lequel j'avais dissimulé une flûte de champagne.

— Nous avons une pause de dix minutes, ensuite nous attaquons le glaçage, expliquai-je en avalant une gorgée de champagne.

Il me scruta, les yeux brillants, puis repartit dans son fou rire. C'était contagieux et je me mis à rire moi aussi, un peu pour me moquer de lui qui riait de... je ne savais pas trop de quoi au juste. Il s'arrêta au bout d'un moment, recommença, puis s'arrêta.

— Je n'ai pas ri comme ça depuis longtemps, dit-il, en faisant de la buée quand il parlait. Et ce n'était même pas si drôle que ça.

Il explosa de nouveau.

— Si, ça l'était ! réussit-il à articuler.

— Si j'avais su qu'il suffisait de s'enduire le menton de blanc d'œuf pour vous requinquer, je l'aurais fait avant, avouai-je en souriant.

— Vous, alors ! s'exclama-t-il en me regardant, animé, les yeux pétillants. Vous êtes un vrai remontant. On devrait vous prescrire pour la dépression, au lieu de médicaments.

Je fus flattée du compliment. C'était la chose la plus gentille qu'il m'ait dite, et au moment même où je commençais à penser que je n'étais pas que de passage dans sa vie. Au lieu de lui répondre quelque chose de gentil, je me mis à parler comme un psy :

— Avez-vous déjà pris des antidépresseurs ?

Il s'accorda un instant de réflexion, et se remit dans la position du patient.

— Une fois. Je suis allé voir un médecin généraliste, je lui ai expliqué comment je me sentais, et il m'en a prescrit. Mais cela ne m'a pas tout à fait aidé comme j'aurais voulu. J'ai arrêté de les prendre au bout d'un mois ou deux.

— Parce qu'ils ne traitaient pas le fond du problème, dis-je.

Il me regarda, et je fus certaine qu'il était contrarié par mon commentaire. Il savait que j'allais de nouveau lui recommander d'aller voir un psy, aussi je n'insistai pas.

— Et faire un gâteau, c'est la façon idéale d'aller au fond du problème, repris-je avec un sourire.

— Bien sûr, parce que vous savez exactement ce que vous faites, dit-il doucement.

— Bien sûr.

Nous restâmes silencieux un moment, et j'hésitai alors à lui avouer que je me sentais dépassée par la situation, je me demandais s'il le savait. Comme s'il pressentait ce qui allait arriver, il sortit de sa transe et brisa le silence.

— Bien, allons faire ce glaçage.

Avant de décorer nos gâteaux, il fallait les sortir du four. Le nôtre fut le seul du cours à s'écrouler sur lui-même. Comme par magie, sous nos yeux, à peine en contact avec l'air frais, le centre s'effondra avec un petit « Pouf ! ».

À notre tour, nous nous écroulâmes de rire avec une telle hystérie que je faillis faire pipi dans ma culotte, et on nous demanda poliment, mais en vitesse, de débarrasser le plancher.

15

Comment récolter
ce que l'on a semé

En route vers le centre-ville de Dublin pour le dîner d'anniversaire de Maria, nous nous arrêtâmes à un supermarché Spar pour décorer son gâteau. Nous étions tout étourdis, au bord de l'ivresse, saisissant la moindre occasion de glousser, comme si nous avions été privés d'émotions pendant trop longtemps. Adam portait la génoise en forme de cœur dont le centre, pas assez cuit, s'était écroulé sur lui-même tandis que le tour était cramé.

— C'est le gâteau le plus laid que j'aie jamais vu, déclara Adam en riant.

— Il a besoin d'un petit lifting, c'est tout, affirmai-je en rôdant dans les rayons. Ah-ha !

J'attrapai une bombe de chantilly et me mis à la secouer.

— Hé ! m'interpella le caissier avec agressivité.

Adam brandit immédiatement une liasse de billets sous son nez, faisant taire aussitôt ses protestations.

Adam tint le gâteau pendant que je vaporisai la chantilly. La première couche fut un désastre, je n'avais pas assez secoué la bombe et la crème explosa avec un petit bruit décevant, en maculant le gâteau, le visage et les cheveux d'Adam.

— Je dirais qu'il y en a vingt pour cent sur le gâteau, quatre-vingts pour cent sur ma figure.

Cette remarque déclencha mon hilarité et il me fallut quelques bonnes minutes avant que je n'aie la main assez ferme pour une nouvelle tentative. Celle-ci eut plus de succès : je réussis à recouvrir tout le dessus de chantilly. Quand j'eus terminé, Adam le considéra d'un air pensif. Il se dirigea vers le rayon des bonbons en libre-service et prit une poignée de dentiers rose et blanc, qu'il répartit sur le gâteau d'une main hésitante.

— Qu'en pensez-vous ? demanda-t-il au caissier.

Le néohippie aux cheveux longs n'eut pas l'air très épaté.

— Il manque quelque chose, se moqua-t-il.

Je me mis à rire. Il manquait même pas mal de choses.

— J'ajouterais des chips, finit par dire le caissier.

— Des chips ! s'écria Adam en levant un doigt en l'air. C'est une super idée !

Il me fit ouvrir un paquet de chips Hula-Hoops, dont la forme d'anneau rappelait un cerceau, que je répartis sur le dessus, puis je me reculai pour admirer mon œuvre.

— Parfait, dit-il en l'étudiant sous tous les angles.

— C'est le pire gâteau que j'aie jamais vu de ma vie, assurai-je.

— Exactement. Il est parfait. Elle saura que c'est moi qui l'ai fait.

Avant notre départ, Adam y ficha une bougie à l'effigie d'un footballeur, en ajoutant : « Elle a horreur du foot », et nous retournâmes à notre voiture avec chauffeur.

Nous étions dehors devant la Brasserie Ely et observions Maria et ses amies par la baie vitrée aussi discrètement que possible pour éviter qu'elles ne nous repèrent, ou que le personnel ne nous demande de nous éloigner. Il faisait un froid de canard dehors, de petits flocons commençaient à tomber. J'avais les pieds gelés, mes lèvres étaient engourdies, mon nez s'était décroché de ma figure depuis longtemps, ou du moins c'était mon impression.

— Aujourd'hui on se les gèle, dis-je, ce qui me valut un sourire d'Adam, après notre crise d'hystérie. Vous connaissez ces filles ? lui demandai-je, à peine capable d'articuler.

— Ce sont ses meilleures amies, me répondit-il en hochant la tête.

C'étaient toutes de jolies jeunes femmes à la mode, qui faisaient tourner beaucoup de têtes mais semblaient ne pas en être conscientes, absorbées dans leurs retrouvailles, serrées ensemble dans un coin du restaurant, occupées à se raconter leur vie, leurs amours et à refaire le monde. Je ne pouvais pas détacher mon regard de Maria. De nouveau ses lèvres rouges reconnaissables, le carré noir brillant. Cette fois elle était très branchée dans une robe élégante en cuir noir. Elle était parfaite. Elle bavardait avec chacune de ses amies, tour à tour amusante, intéressante et intéressée par ses interlocuteurs. La seule fois où je détachai mes yeux, ce fut pour regarder Adam qui la contemplait : il était clair qu'elle produisait le même effet sur lui. Elle était hypnotique, le genre de femme à attirer tous les regards. Et le pire, c'est qu'elle était sympa. C'était ça qui me tuait. Je lui en voulais plus que jamais, mais elle était la fille parfaite pour un homme tel qu'Adam. Tous deux formaient un couple à couper le souffle : ils étaient aussi beaux l'un que l'autre, chacun dans son genre. Adam ne pouvait détacher son regard, mais il avait l'air triste, comme si la rupture l'avait privé de son âme, de tout ce qu'il était.

Je reculai de quelques pas et examinai les environs, en tapant des pieds pour me réchauffer, à l'affût de n'importe quel prétexte pour me débarrasser de cette impression d'être un imposteur ou une imbécile. Qu'est-ce qui s'était passé dans ma vie pour que j'en sois réduite à rester plantée devant un restaurant, à observer une belle femme qui vivait une vie que j'enviais, et pas seulement parce qu'elle était au chaud ? C'était ridicule et je me sentais comme une idiote, une tocarde. J'avais envie d'être à mille lieues de là.

— Enfin ! s'exclama Adam quand la table fut débarrassée pour le dessert.

J'avais livré le gâteau au restaurant. Ça n'avait pas été bien difficile d'expliquer au personnel, tout en essayant de rester hors de vue, que c'était une surprise pour la jeune femme qui fêtait son anniversaire. La serveuse avait jeté un coup d'œil sur le gâteau et éclaté de rire. Maintenant nous observions quatre serveurs arriver en procession à la table de Maria. Adam traversa la rue et s'approcha de la vitre pour mieux voir. Maria leva la tête, surprise, fit un sourire rayonnant quand d'autres clients se joignirent à la chanson d'anniversaire. Certaines de ses amies autour de la table se lançaient des regards interrogateurs en essayant de découvrir qui avait organisé la surprise. Ensuite le gâteau fut placé devant Maria et elle contempla le gloubi-boulga sur l'assiette avec sa chantilly, ses dentiers en bonbon et ses Hula-Hoops ramollis tout imbibés de crème, d'un air gêné. Pendant un moment, elle garda une expression neutre, mais teintée de reconnaissance comme si elle ne voulait pas vexer le pâtissier inconnu, avant de faire un vœu et de souffler la bougie. Elle passa les filles en revue, pour savoir qui avait préparé pareille chose. Il y eut des haussements d'épaules, des rires, puis elle interrogea les serveurs pour s'assurer qu'ils étaient bien venus à la bonne table. Adam les observait, anxieux, et j'espérai que Maria comprendrait que c'était de sa part, pour ne pas avoir à l'empêcher de se précipiter dans le restaurant pour s'expliquer.

— Regarde, Maria, regarde les dentiers et les Hula-Hoops, l'admonesta-t-il, si bas que je l'entendis à peine.

— Ils ont une signification ? lui demandai-je, surprise.

Je croyais qu'il avait déversé des paquets au hasard, je n'avais jamais soupçonné qu'il y avait une raison derrière ces choix.

Ses yeux n'avaient pas quitté la vitre, mais il m'avait entendue et me répondit sur un ton distrait. Je me sentis de trop et compris qu'il aurait préféré ne pas avoir à répondre à ma question.

— Lors de l'une de nos premières sorties, elle était venue me voir jouer au foot. Elle était sur la ligne de touche, elle a reçu le ballon en pleine figure et ça lui a ébréché une dent de devant. Je lui ai acheté des dentiers en bonbon pour qu'elle les porte le temps de rentrer chez elle, et j'ai sucé ses Hula-Hoops pour les ramollir parce qu'elle avait trop mal aux dents pour les croquer.

Comme si elle revivait l'histoire que venait de me raconter Adam, Maria leva les yeux du gâteau, en ayant l'air de tout juste comprendre, et se mit à rire. Puis elle se calma, pour la raconter aux autres filles. Il avait beau ne pas entendre, Adam riait à l'unisson avec elle. Moi, à ce moment-là, j'avais perdu tout sens de l'humour. Je voulais rentrer chez moi.

Puis Maria s'arrêta de rire et fit une chose remarquable. Elle se mit à pleurer. Les six filles l'entourèrent immédiatement et elle disparut dans une frénésie de câlins et de mots réconfortants.

Je regardai Adam. Il avait aussi les yeux pleins de larmes.

Je tournai les talons pour m'en aller. À cet instant précis, honnêtement, je me fichais pas mal qu'il reste. Je croyais qu'il n'avait même pas remarqué mon départ.

— Hé, Madame-je-rends-service, m'appela-t-il doucement, me stoppant net.

Il me tendit ses deux mains gantées. Je tapai dedans et ses doigts se replièrent pour saisir les miens. Il me regarda et je sentis comme une grosse boule dans ma gorge, le cœur battant, prise au piège de ses yeux.

— Vous êtes un génie, vous le savez ça ? me dit-il.

— Eh bien, répondis-je en regardant ailleurs, nous ne l'avons pas encore reconquise.

Adam regarda de nouveau dans le restaurant. Maria s'essuyait les yeux avec une serviette, elle examina de nouveau le gâteau, puis secoua légèrement la tête et se mit à rire.

Pas encore. Mais nous avions bien failli.

J'éprouvai un sentiment de soulagement, teinté de tristesse. Je n'eus pas le temps de m'étendre là-dessus car Maria avait mis son manteau et quittait le restaurant.

— Merde, elle vous a vu ? demandai-je, en démêlant mes doigts des siens.

— C'est impossible, m'assura-t-il, un léger affolement dans la voix.

Nous nous éloignâmes à toute vitesse du restaurant. Quand nous fûmes à bonne distance, je me retournai et vis Maria dehors, juste devant la porte.

— Elle fume, dis-je, soulagée.

— Elle ne fume pas.

Nous l'observâmes. Son téléphone s'illumina dans sa main. Celui d'Adam se mit à sonner. Il le mit vivement en mode silencieux, comme hypnotisé par l'écran.

— Ne répondez pas.

— Pourquoi pas ?

— L'absence ravive le désir. Il faut entretenir le manque et le désir. En plus, vous êtes toujours en colère, je le sens. Et si vous dites un mot de travers, elle se sauvera.

— Comme Barry ?

Je lui tournai le dos.

— Aviez-vous envie qu'il tente de vous reconquérir ? demanda-t-il après un moment.

J'eus un sourire triste. Nous n'avions pas beaucoup parlé de Barry, en tout cas pas sérieusement.

— Il n'a même pas essayé. Je ne serais pas revenue, mais cela aurait été bien qu'il essaye. Il ne voulait jamais rien avec conviction. Même pas moi. Je sais que ça semble ridicule, puisque c'est moi qui l'ai quitté.

— Peut-être qu'il veut se rattraper. Les messages. Les coups de fil...

— Ce matin, il a dit à l'une de nos amies communes, avec qui nous passions toujours le jour de l'an, que je méprisais ses soirées parce que je déteste sa cuisine, et que j'ai horreur d'entendre chanter ses gamins insupportables qui n'ont aucun talent, et que j'attends avec impatience les douze coups de minuit pour pouvoir enfin quitter sa maison. Elle m'a envoyé un texto, elle est encore très fâchée. Je suis persona non grata à toutes ses soirées futures.

— OK, donc il n'essaye pas de vous reconquérir.

— Non. Il est amer. Tout à fait perturbé en ce moment. Il ne cherche pas la réconciliation, à mon avis.

— Dites à votre amie que ce n'est pas vrai.

Je le regardai fixement.

— Oh ! C'est donc vrai. Alors, ça veut dire que vous faites pipi dans la douche ? me taquina-t-il.

Je bénis l'obscurité qui cachait mon visage cramoisi.

— Eh bien, peut-être *tout* n'est-il pas vrai.

— C'est vrai ! gloussa-t-il dans sa barbe.

— J'avais une piqûre de moustique, vraiment grosse. Il m'a interrompue alors que... bref, vous voyez.

— Vous avez pissé sur votre piqûre de moustique ? dit-il dans un éclat de rire.

— Chut, le coupai-je en le tapant sur le bras. De toute façon, ça n'a pas marché, ajoutai-je avant de rire à mon tour.

Son téléphone lui indiqua qu'il avait un message.

— Il était long, lui dis-je. Laissez-moi écouter.

« Adam, c'est moi. »

Sa voix était douce, gentille, il était facile de comprendre comment elle se sentait. Je n'avais pas besoin d'en entendre plus, mais j'écoutai quand même.

« J'ai eu ton gâteau, disait-elle en riant. C'est le gâteau le plus hideux, le plus dégoûtant et le plus attentionné que j'aie jamais eu. Je n'oublie-rai jamais cette journée. C'était le jour où on s'était embrassés pour la première fois, avec ces dentiers dans nos bouches. Merci. Tu es dingue, ajoutait-elle en riant de nouveau. C'est ça qui me manquait chez toi, mais... j'ai l'impression que tu es de retour. Je suis tellement désolée de t'avoir fait souffrir. Je me sentais si... perdue, j'étais inquiète. Je ne savais pas quoi faire. Sean, il était... là et il s'est occupé de moi et... tu es vraiment important aussi pour lui, tu sais. Ne le hais pas. Bref, merci, je t'appelais pour te dire merci. J'ai besoin de te voir, appelle-moi, OK ? »

Adam avait un sourire fendu jusqu'aux oreilles.

Il me souleva dans ses bras et me fit tourner en l'air, et je ris si fort dans la rue froide, vide et sombre que l'écho se propagea jusqu'à Maria devant le restaurant. Mais nous n'avions pas à nous en faire, tout ce qu'elle pouvait voir, c'était un couple dans l'obscurité, qui s'amusait en se cachant dans l'ombre, peut-être bien un couple d'amoureux.

16

Apprendre à s'organiser
pour se simplifier la vie

Quand nous rentrâmes à l'appartement les mains pleines de sacs de plats à emporter, nous vîmes qu'il y avait encore de la lumière dans la librairie d'Amélia. Il était dix heures du soir.

— C'est bizarre. Tenez, allez-y, lui dis-je en lui tendant les clés de l'appartement. Ne vous approchez pas des objets en verre et des appareils électriques. Je vais voir si elle va bien.

— Je vous accompagne, dit-il en me faisant les gros yeux.

Amélia ouvrit la porte alors que nous n'étions même pas arrivés à l'entrée, comme si elle nous avait attendus. Elle avait de grands yeux où se lisait l'angoisse. Je regardai autour de moi. Une table avait été dressée avec du vin, du fromage et des crackers. Il y avait cinq bouteilles vides sur la table. Les étagères de livres du milieu du magasin avaient été retirées et remplacées par quatre rangées de quatre chaises. Quelques personnes avaient pris place devant un pupitre où une femme lisait. Elle avait de longs cheveux gris éclatants magnifiques, et était vêtue d'une robe noire provocante très échancrée, qui révélait un décolleté bronzé et huilé.

Elaine se tourna vers nous, excitée comme une puce, avant de se replacer face à l'oratrice.

— Qui est-ce ? chuchotai-je.

— Irma Livingstone, me répondit Amélia, les yeux exorbités. Je maudis le jour où j'ai dit oui à Elaine. Irma est l'enseignante du cours pour tomber amoureux, et Elaine a pensé que ce serait une idée formidable de l'inviter ici et de lui demander de lire des passages de son livre. Ça fait une heure qu'elle lit.

Amélia me tendit le livre : *Comment prendre possession de votre zone érogène.*

— Pourquoi ? À qui appartient la mienne, en ce moment ? lui demandai-je en examinant la couverture, avant qu'Adam ne me le prenne des mains.

Un homme âgé au premier rang s'était endormi et ronflait bruyamment, une jeune femme qui ressemblait à un rat de bibliothèque prenait force notes, et un autre participant semblait tenter de dissimuler son énorme érection à Elaine, qui lui faisait des yeux doux dans l'espoir d'obtenir un rendez-vous.

Irma repéra Adam.

— J'allais terminer, mais je vois que nous avons de la compagnie. Je vais lire le chapitre quatre : le plaisir de se donner du plaisir avec son partenaire. Il faut que je vous prévienne, c'est un passage plutôt érotique, pardon pour le jeu de mots.

Elle sourit à Adam.

— Génial, dit Adam en me souriant aussi. J'adore les passages érotiques. Allez papoter, les filles. Tchao !

Je ne pus m'empêcher de rire en entendant la voix mielleuse d'Irma commencer à susurrer son passage érotique.

Une fois au calme dans l'appartement d'Amélia au-dessus de la boutique nous pûmes parler.

— Comment vas-tu ?

— Ça va, dit Amélia en s'asseyant, l'air fatigué. C'est calme, ici, sans elle. Et on se sent seul.

— Je suis désolée de ne pas avoir été là pour toi.

— Mais tu l'es. En plus, tu as assez à faire avec Simon, Adam et Barry. Surtout Adam, ajouta-t-elle avec un petit sourire.

Je lui intimai l'ordre d'arrêter, refusant d'aborder le sujet.

— Barry m'a envoyé un gentil texto pour la mort de maman.

— Eh bien, ça fait plaisir à entendre, pour une fois.

— Comment ça se passe avec Adam ?

— Parfaitement bien. Très bien. Il se remet peu à peu, tu vois. Bientôt il pourra se débrouiller tout seul. Il n'aura plus besoin de moi, donc... c'est super.

J'entendis ma voix qui tremblait, ce qui me donnait l'air hypocrite et ridicule.

— Bien sûr, me dit Amélia en souriant. Tu es très douée pour l'aider.

— Oui, eh bien, il traverse un moment difficile.

— Uh, uh, baragouina Amélia en se mordant la lèvre pour ne pas sourire.

— Arrête, dis-je en la bousculant gentiment, j'essaye d'être sérieuse, là.

— Je sais, je vois ça, dit Amélia en riant.

Elle sourit, puis fronça les sourcils.

— Qu'est-ce qui ne va pas ?

— J'ai regardé dans les affaires de maman, m'expliqua Amélia en se levant et en rapportant des papiers rangés dans un tiroir de la cuisine. Et j'ai trouvé ça.

Elle me tendit une liasse de feuilles. Il y en avait trop pour tout regarder, alors je lui demandai :

— Dis-moi ce qu'il faut chercher.

— Un box dans un garde-meuble. Au nom de ma mère. Elle ne m'en a jamais parlé, ce qui est étrange, parce que je m'occupais de toutes ses affaires. C'était payé par virement automatique depuis un compte que je ne connais pas.

Elle me montra le numéro. À ma grande surprise, je le reconnus. C'était le compte sur lequel je virais mon loyer tous les mois. Celui du cabinet de papa. Amélia ne remarqua pas ma réaction, aussi décidai-je de tenir ma langue, en attendant la suite.

— Je n'aurais jamais rien su si je n'avais pas trouvé cette enveloppe avec une clé dedans, et les coordonnées du dépôt. Ça date d'il y a dix ans. Regarde l'adresse sur l'enveloppe.

L'adresse était celle du *Cabinet Juridique Rose et Filles*.

— Tu sais quelque chose là-dessus ?

— Non, avouai-je. Vraiment rien.

Le regard d'Amélia me prouva qu'elle ne me croyait pas.

— OK, il y a deux secondes, j'ai reconnu le numéro de compte. Amélia, je te promets qu'ils ne m'ont jamais parlé de ça. Ils exécutent les volontés de ta mère, c'est ça ?

Elle hocha la tête.

— Y a-t-il une mention du contenu de ce box dans ses volontés ?

— Je ne sais pas, je n'ai pas vu ton père pour en discuter. Mais... je croyais vraiment savoir ce qu'il y avait dans les volontés de maman. Nous en avions parlé.

— Laisse-moi demander à mon père, dis-je en prenant mon téléphone. C'est simple, nous allons éclaircir ça tout de suite.

— Non, refusa Amélia en me prenant le téléphone des mains. Non. Pas de petits arrangements à la va-vite.

Voyant mon air vexé, elle s'expliqua.

— Et si ton père me dit que je ne peux pas y aller ?

— Il ne dira pas ça. Pour quelle raison ? Ce qui lui appartenait est à toi aujourd'hui.

— Et si je ne suis pas censée le savoir ? Dès que nous lui poserons la question, mon destin sera scellé. Je veux y aller et y découvrir ce qu'il y a, par moi-même.

Je l'observai alors que ses yeux se voilaient, et qu'elle se perdait dans ses pensées.

— Pourquoi se serait-elle donné tout ce mal pour que je ne découvre pas ce qu'il y a là-bas ?

Le lendemain, Amélia, Adam et moi arpentions les couloirs de *Stock Tout*, un garde-meubles situé dans une grande zone commerciale de Dublin. Les portes des box étaient d'un rose vif, tout comme le logo, afin qu'il soit bien visible depuis la nationale voisine. La couleur me donnait mal au crâne, surtout après une nuit blanche passée à envisager l'avenir d'Adam, mais je me rappelai que j'étais ici pour soutenir mon amie. En réalité, j'étais heureuse de la distraction fournie par le tour inattendu que prenait la vie d'Amélia. L'humeur d'Adam s'était de nouveau assombrie tandis qu'il ruminait sur sa vie future enchaînée à l'entreprise familiale, et mon idée de ce matin, lui proposer un journal dans lequel il consignerait chaque jour cinq choses qu'il aurait appréciées, pour en avoir trente-cinq à la fin de la semaine, fut balayée d'un revers de main. Nous avions eu recours à son propre plan de crise, et il avait choisi de nettoyer mon frigo plutôt que de faire la liste de ce qu'il appréciait dans sa vie. C'était très révélateur. Si je ne pouvais pas trouver une solution au problème des Confiseries Basil, le succès avec Maria était vain.

Tout en ruminant cela, j'essayai d'entretenir une atmosphère légère pour Amélia.

— Peut-être que ta mère était agent secret, et que dans le box il y a toute une collection de fausses identités, des perruques et des passeports, des valises avec des doubles fonds, plaisantai-je, en continuant le jeu que nous avions commencé pendant le trajet en voiture.

Je regardai Adam pour qu'il prenne la relève.

— Votre père avait une énorme collection de livres pornos et il ne voulait pas que vous soyez au courant.

Amélia fit la grimace.

— Tes parents étaient sadomasos, et c'est le repaire secret où ils se livraient à leurs turpitudes, dis-je.

— Pas mal, me complimenta Adam.

— Merci.

— Vos parents ont détourné des millions et les ont cachés ici, avança Adam.

— Si seulement, marmonna Amélia.

— C'est ta mère qui a enlevé Shergar, le célèbre cheval de course de l'Aga Khan, qu'on n'a jamais retrouvé, suggérai-je, et Adam éclata de rire.

Amélia s'arrêta brusquement devant une porte rose vif, et nous lui rentrâmes dedans. Elle respira un bon coup, me jeta un coup d'œil et enfonça lentement la clé dans la serrure, puis la tourna et ouvrit, en s'écartant de l'entrée autant que possible, de crainte que quelque chose ne lui bondisse dessus. Nous fûmes accueillis par des ténèbres à l'odeur de moisi.

Adam passa sa main en tâtonnant sur le mur et actionna l'interrupteur.

— Ouah !

Nous pénétrâmes à l'intérieur et examinâmes les lieux.

— Ta mère était Imelda Marcos, lui dis-je.

Chaque mur de la pièce de trois mètres sur trois était meublé d'étagères de rangement bourrées de boîtes à chaussures, rappelant la collection folle de la femme du dictateur. Chaque boîte était étiquetée par année, en commençant au coin en bas à gauche avec 1954, et se terminant sur le mur opposé avec la dernière boîte qui portait une étiquette remontant à dix ans.

— C'est l'année de leur mariage, dit Amélia en prenant la première boîte pour l'ouvrir.

Elle contenait une photo de ses parents le jour de leur mariage, et une fleur séchée du bouquet de mariée. Une invitation, le livret de prières de la cérémonie, des photos de leur lune de miel, un billet de train, de bateau, les tickets de cinéma de leur premier rendez-vous, une note de restaurant, un lacet, une grille de mots croisés de l'*Irish Times* entièrement complétée, le tout soigneusement rangé. Ce n'était pas une boîte à souvenirs, c'était une pièce à souvenirs.

— Mon Dieu, ils avaient tout gardé ! s'exclama Amélia en laissant délicatement courir ses doigts le long des rangées de boîtes, puis s'arrêtant à la dernière année. L'année de la mort de papa. C'est lui qui a dû faire tout ça.

Elle sourit à l'idée de son père organisant l'exposition de sa collection, puis s'assombrit, peinée qu'il l'ait tenue à l'écart.

Elle prit une autre boîte au hasard et fouilla dedans, puis en sortit une autre, et une autre. Elle examina chaque boîte, poussant des exclamations de joie quand elle retrouvait objet après objet un souvenir de leurs vies et de la sienne. Ses anciens bulletins scolaires, le ruban qu'elle avait porté à son premier jour d'école, sa première dent de lait, une boucle de cheveux conservée après sa première coupe chez le coiffeur, une lettre d'excuse qu'elle avait écrite à son père quand elle avait huit ans, après une dispute avec lui. Je commençais à me demander si nous ne ferions pas mieux de la laisser seule dans le box, persuadée qu'elle voudrait passer des heures à explorer chaque boîte et revivre chaque année de sa vie. Mais elle avait besoin de quelqu'un pour partager ses souvenirs et Adam était assez patient pour rester à mes côtés, et c'était le moins que l'on pouvait faire pour elle. Lui-même semblait touché par ce qu'elle exhumait et j'espérais qu'être témoin d'un tel amour conservé dans une pièce ferait office de thérapie pour lui.

Elle nous montra une photo de ses parents dans les montagnes autrichiennes.

— C'était dans le chalet de vacances de mon oncle, dit-elle en souriant tout en étudiant la photo, passant ses doigts sur leurs visages. Ils allaient là-bas chaque année avant ma naissance. J'ai vu les photos et les ai suppliés de m'y emmener, mais maman ne pouvait pas y aller.

— Elle était malade depuis votre enfance ? lui demanda Adam.

— Pas au début. Elle a eu sa première attaque quand j'avais douze ans, mais avant elle avait trop peur. Elle était devenue très anxieuse de voyager après ma naissance. J'imagine que c'est un truc de mère...

Elle nous regarda dans l'attente d'une confirmation, mais aucun de nous ne put lui répondre, puisque nous avions grandi sans mère.

— Je n'ai pas la moindre idée de la raison pour laquelle ils se sont cramponnés à tout ça.

— Je me demande pourquoi ils vous l'ont caché, dit Adam, plus pour lui-même que pour Amélia, trop absorbée dans son exploration des étagères.

C'était la question que tout le monde se posait et il l'avait exprimée à voix haute. Il s'en rendit compte aussitôt après l'avoir dit, et essaya de se rattraper.

— C'est incroyable qu'ils aient gardé tout ça, ajouta-t-il aussitôt.

C'était trop tard. Amélia avait un air étrange. Il lui avait rappelé que ce box était un secret qu'ils n'avaient pas voulu partager avec elle. Pourquoi ?

— Amélia ? fis-je, soucieuse. Ça va ? Qu'est-ce qu'il y a ?

Comme si elle sortait d'une transe, Amélia passa à l'action et commença à parcourir les étagères. On aurait dit qu'elle savait ce qu'elle cherchait et n'avait pas une seconde à perdre. Elle suivait les dates des boîtes avec son doigt.

— Qu'est-ce que tu cherches ? demandai-je. On peut t'aider ?

— L'année de ma naissance, dit-elle en se hissant sur la pointe des pieds, pour lire les dates sur les étagères du haut.

— Soixante-dix-huit, dis-je à Adam.

Avec son bon mètre quatre-vingts, il pouvait atteindre celles du haut plus facilement que nous.

— Je l'ai, annonça-t-il en récupérant une boîte poussiéreuse.

Il était en train de la descendre pour la donner à Amélia quand celle-ci se releva et heurta accidentellement la boîte, qui partit valser dans le box. Le couvercle s'ouvrit et le contenu vola dans les airs avant de s'éparpiller par terre. Alors que nous plongions à quatre pattes pour en récupérer le plus possible. Adam et moi nous cognâmes la tête.

— Aïe ! m'écriai-je en riant, et Adam tendit le bras pour me frotter la tête.

— Désolé, grimaça-t-il en sentant que j'avais mal.

Il me regardait de ses grands yeux bleu glacier et je fondis. J'aurais été heureuse de rester dans cette petite pièce d'amour avec lui pour toujours. À cette pensée, je sentis une bouffée d'excitation et piquai un fard. C'était agréable de craquer de nouveau pour quelqu'un. Cela faisait si longtemps, et après Barry j'avais craint de ne plus jamais ressentir ce sentiment, mais voilà, c'était là, bien vivant en moi, comme une boule de nervosité, d'angoisse et d'excitation au moindre regard. Mais lorsqu'il posa les yeux sur moi, je redescendis sur terre et la sensation disparut.

— Ça va ? s'enquit-il gentiment.

Je hochai la tête.

— Bien, dit-il avec un petit sourire, et j'eus l'impression que tout bourdonnait autour de moi.

Je commençai à m'inquiéter en me rendant compte qu'Amélia, qui était à côté de moi, était devenue très silencieuse. Me figurant qu'elle assistait à notre scène, je levai les yeux et vis des larmes qui roulaient sur ses joues alors qu'elle lisait une feuille qu'elle tenait dans sa main. Je me relevai d'un bond.

— Amélia, qu'est-ce qui ne va pas ?

— Ma mère, déclara-t-elle en me tendant la note manuscrite, n'était pas ma mère.

Amélia, mon bébé chéri,

Je suis désolée de ne pas pouvoir m'occuper de toi comme je le devrais. Quand tu seras plus grande, j'espère que tu comprendras que cette décision a été prise uniquement par amour et rien d'autre. Je sais que tu es entre de bonnes mains, dans les bras aimants de Magda et Len. Je penserai toujours à toi.

Je t'aime, et pour toujours,

Ta maman

De retour dans la cuisine d'Amélia, je lus le mot tout haut à Amélia et Elaine. Amélia faisait les cent pas. Le choc avait laissé place au chagrin, puis à des accès de rage. Elaine et moi ne savions que dire. Elaine tripotait les objets dans la boîte à chaussures : chaussons de bébé, cardigan, bonnet, robe, hochet et d'autres choses.

— Tout a été fait à la main, dit-elle en interrompant les récriminations d'Amélia.

— Et alors ? aboya-t-elle. Ce n'est pas la question.

— Eh bien, c'est de la dentelle de Kenmare.

— Et qu'est-ce que ça peut faire, de savoir quel genre de dentelle c'est ? s'énerva de nouveau Amélia.

— C'est simplement que peu de gens maîtrisent cette technique, elle ne se fait même plus aujourd'hui, donc dans les années soixante-dix il y avait sans doute un seul endroit où en trouver.

Amélia arrêta de faire les cent pas et regarda Elaine comme si elle commençait à comprendre.

— Hep, hep ! intervins-je pour arrêter ces bêtises. Ne raisonnons pas comme ça ! Je suis sûre qu'elle aurait pu être faite par n'importe qui dans le monde, Elaine. Nous ne devons pas donner à Amélia de faux espoirs de retrouver ses parents.

— Retrouver mes parents ? chuchota Amélia, abasourdie.

C'était comme si elle n'y avait même pas pensé. Elle n'avait cessé de se demander pourquoi ses parents adoptifs lui avaient caché la vérité, et comment ils avaient pu lui mentir pendant si longtemps. Ces questions l'avaient tellement obnubilée qu'elle n'avait même pas envisagé la possibilité de retrouver ses vrais parents.

— Tout ce que je veux dire, c'est que c'est de la dentelle de Kenmare, faite avec amour et avec soin. Je le sais, parce que j'ai suivi des cours de fabrication de dentelle pour rencontrer des hommes. Chaque objet de cette boîte est un indice qui mène à Kenmare. La dentelle vient de Kenmare et les tricots de Quills, dans la région de Kenmare.

— Je ne vois pas comment vous pourriez reconnaître que les lainages viennent de Quills, intervins-je, pressée de court-circuiter son raisonnement.

— Il y a l'étiquette dessus, rétorqua Elaine en me les montrant, avant de regarder Amélia. Amélia, je crois que votre mère biologique vient de Kenmare.

— Mon Dieu, soupirai-je en enfouissant mon visage dans mes mains, épuisée.

La nuit allait être longue.

Adam était rentré à mon appartement, avec pour ordre de terminer le puzzle de mille cinq cents pièces que je lui avais acheté. Vu le peu d'enthousiasme qu'il avait manifesté devant le puzzle d'une huile marine représentant une tempête que je faisais avec lui une heure par jour, j'avais acheté sur Internet celui d'une pin-up seins nus sur la plage, qui était arrivé ce matin. Je me disais qu'au moins, pour celui-là, il ne commencerait pas par les bords.

Je revins à l'aube, épuisée à force de tourner en rond avec Amélia. Si Elaine n'avait pas été là il aurait été plus facile de lui faire entendre raison, mais en dépit de tous mes efforts, quand j'étais partie, Amélia était fermement décidée à aller à Kenmare.

— Comment va-t-elle ? me demanda Adam, penché sur la table basse une pièce dans la main.

Il plissait le front, ses lèvres formant une moue boudeuse de concentration. Ce spectacle adorable m'arracha un sourire.

— Quoi ? dit-il en levant les yeux, pour me surprendre absorbée dans ma contemplation.

— Rien. Vous venez de répondre à la question que je me posais. Je me demandais si vous étiez un fainéant ou un amateur de nichons.

— Amateur de nichons, sans hésiter, répondit-il.

Il en avait déjà reconstitué un. Comme je l'avais prédit, aucune pièce du bord n'avait été assemblée.

— Ce puzzle est bien mieux que le précédent, merci, dit-il.

— Je savais que ça vous ferait plaisir, dis-je avant de m'agenouiller pour l'aider dans sa tâche.

Je sentis qu'il m'observait. Il m'étudia un instant, et comme je ne le regardai pas, il continua.

— Je suis en train de chercher le bout du nichon droit, dit-il.

Nous examinâmes la table basse, têtes penchées.

— Là ! m'écriai-je en lui tendant une pièce.

— Ce n'est pas un nichon.

— Si. C'est un bout de téton avec un bout de l'aisselle, et un peu de mer. Regardez la boîte : son téton est tout dur, dirigé vers le surfeur en arrière-plan qui ne va pas tarder à tomber de sa planche. Regardez, voilà la planche, ici, ajoutai-je en lui montrant la pièce.

— Oh, oui ! s'esclaffa-t-il. Avec votre façon de parler, vous m'excitez autant qu'Irma.

— Irma ! (Je reniflai de mépris.) Je n'arrive pas à croire qu'elle vous ait demandé votre numéro !

— Et je n'arrive pas à croire que je lui aie donné le vôtre.

— Quoi ? hurlai-je en lui donnant une bourrade.

Il me rendit la pareille. C'était du flirt à la fois enfantin et délicieusement agréable.

— Alors, que va faire Amélia ?

— Elle est dans tous ses états. C'est un énorme choc, c'est évident. Quoique je n'aie pas été surprise d'apprendre qu'elle a été adoptée. À vrai dire, j'en suis peut-être même plutôt contente.

— Bien dit, approuva-t-il. Amélia ne semblait pas si étonnée que ça, si on y réfléchit, ajouta-t-il soudain. Avez-vous remarqué comme elle s'est précipitée pour chercher l'année de sa naissance ? Elle était déchaînée.

— Elle a dit qu'elle n'en avait pas la moindre idée, protestai-je, même si au fond de moi j'étais d'accord avec l'intuition d'Adam.

— Et moi, je vous dis qu'elle le savait. Parfois on peut savoir une chose inconsciemment, dit-il en me regardant.

Et voilà. Ça recommençait. Encore cette phrase. Je le dévisageai, surprise.

— Qu'est-ce qui ne va pas ?

— Rien, bredouillai-je. C'est juste que..., continuai-je en changeant de sujet, Elaine tente de convaincre Amélia qu'il faut qu'elle aille à Kenmare retrouver ses parents biologiques.

— Elaine a besoin de consulter un psy.

Je restai silencieuse, et il me scruta avec attention.

— Vous êtes bien consciente que c'est une idée ridicule, n'est-ce pas ?

— Oui. Mais Amélia veut le faire.

— Bien sûr qu'elle veut le faire. En l'espace d'une semaine tout son monde s'est écroulé. Elle n'a pas les idées claires. Elle serait d'accord pour aller sur la Lune si quelqu'un le lui proposait.

Ce qu'il venait de dire tombait à pic. Pas à propos d'Amélia, mais de lui. Son monde s'était presque écroulé dimanche soir, il n'avait pas les idées claires, il était prêt à tout pour que la situation redevienne normale de nouveau. Il se trouvait que j'étais son seul recours. Je sentis ma gorge se serrer, sachant que je faisais cette expérience pour lui et pas pour moi. Il fallait que je m'extirpe de cette situation, que j'arrête d'avoir des sentiments pour lui. Il fallait que je le fasse sortir de Dublin, de ma vie, que je commence à redonner sens à la sienne et que je prépare le terrain pour qu'il puisse s'y installer ensuite. Après, il serait temps de le border, lui souhaiter bonne nuit et lui dire au revoir.

— Durant toutes ces années où nous avons été amies, je n'ai jamais entendu Amélia dire qu'elle désirait aller quelque part. Elle ne voulait même pas partir en week-end, ou alors à contrecœur. Elle ne pouvait jamais aller nulle part, elle n'est jamais sortie du pays. Qu'elle veuille entreprendre ce voyage est une grande affaire, qu'il s'agisse de trouver ses parents biologiques ou non. Je lui ai dit que je l'emmènerai chez un détective privé demain, pour voir s'il peut l'aider, ajoutai-je en soupirant, car je n'avais pas beaucoup de temps à consacrer à Amélia. Adam, il faut qu'on aille à Tipperary, pour régler les problèmes là-bas. Nous avons fait ce que nous pouvions pour Maria jusqu'à maintenant, il est temps de quitter Dublin quelques jours. Je ferai en sorte que vous soyez revenu à temps pour votre anniversaire, fin prêt à annoncer que vous ne reprenez pas la tête de Basil. Vous récupérerez votre Maria, votre job de garde-côte, Basil sera sauvé et je disparaîtrai de votre vie pour toujours, dis-je avec un énorme sourire forcé.

Il n'eut pas l'air très content.

— N'ayez pas l'air si malheureux. Nous avons encore une chose à faire demain avant de laisser Maria quelques jours.

Je ramassai la boîte déposée par le livreur à côté de la porte dans la matinée. L'insomnie était propice à faire du shopping en ligne.

— Qu'est-ce qu'il y a dans cette boîte ? s'enquit-il, méfiant.

— Maria a dit qu'elle voulait vous voir. Eh bien, demain elle va vous voir. Beaucoup.

J'ouvris la boîte et en dévoilai le contenu.

— Ta-daaaaa !

Son beau visage s'illumina quand il me regarda avec stupéfaction.

— Christine, je voudrais que le monde soit plein de gens comme vous, vous savez ça ? me dit-il en éclatant de rire.

Je peux être ton monde si tu veux ! lui hurlai-je en pensée.

17

Comment se distinguer
au milieu d'une foule

Le lendemain matin, le puzzle avait été abandonné. Excité par son nouveau projet, Adam était planté dans le centre de Dublin, coiffé d'un bonnet rouge et blanc à pompon rouge dont dépassait une perruque noire, affublé de lunettes rondes à monture noire, d'un pull rayé rouge et blanc, de son propre jean et d'une canne. Un seul coup d'œil, et on comprenait qu'il était habillé en *Où est Charlie ?* Je m'étais mise à rire, et je ne pouvais plus m'arrêter. Même déguisé en Charlie, il était beau.

Maria montait l'escalator de *Marks & Spencer* quand elle vit, face à elle mais dans l'autre sens, un homme qui ressemblait incroyablement à Adam déguisé en *Où est Charlie ?* Il ne regarda pas un seul instant dans sa direction, tête haute et regard perdu dans le lointain. L'expression de son visage resta impassible, ce qui la fit se demander si c'était une mascarade qui lui était spécialement destinée ou une coïncidence. Mais lorsqu'elle mit des brocolis dans son panier et que *Où est Charlie ?* passa à côté d'elle en poussant un caddie vide, pour disparaître au bout d'un rayon quand elle essaya de le suivre, elle commença à soupçonner que c'était pour elle. Alors qu'elle était installée au quatrième étage du magasin *Brown Thomas* pour une manucure et que le même personnage déambula entre les portants de vêtements avant de disparaître, elle eut la certitude que c'était lui. Quand elle le repéra du coin de l'œil alors qu'elle achetait des fleurs sur Grafton Street son intuition se confirma, et au moment de son café chez Butler, quand il passa devant la vitrine avant de se sauver, elle rit tout fort toute seule. Lorsqu'elle traversa le pont à Stephen's Green elle scruta le parc à sa recherche. Un éclat de rouge lui attira l'œil et elle le découvrit sur le sentier en contrebas du pont. Elle l'observa qui entrait d'un côté, et courut au bout du pont pour le rattraper à la sortie. À partir de ce moment-là, à chaque fois qu'elle voyait du rouge elle s'arrêtait et regardait, tout excitée à l'idée qu'il allait de nouveau apparaître.

— Adam ! cria-t-elle depuis le pont, mais il ne leva pas les yeux vers elle.

Il l'ignora, fermement décidé à ne pas quitter son rôle et continua sa balade nonchalante de Charlie débile et décalé avec sa drôle de démarche en faisant des moulinets joyeux avec sa canne, tandis que son sac à dos trop gros valsait derrière lui.

Elle hurlait de rire. Les passants la regardaient bizarrement, mais elle s'en fichait. Si elle avait pu voir ce qui se passait derrière les arbres où il avait disparu, elle aurait arrêté de rire. Elle aurait vu le couple qui était dans la rue sombre près du restaurant l'autre soir exploser de rire au moment où Adam sentit qu'il ne risquait plus rien à quitter son rôle de Charlie. Chaque fois qu'elle voyait cet homme elle ne voyait pas la femme derrière lui, avec lui, à côté de lui, qui le poussait et le soutenait. Si elle l'avait vue, elle se serait peut-être demandé à qui était vraiment destinée cette mise en scène.

— Allez, espèce de dingue, dis-je en retirant à Adam son bonnet de Charlie pour le lui jeter à la figure, partons d'ici ! J'ai faim.

— Vous avez faim ? demanda-t-il, sur un ton de surprise feinte. Je n'arrive pas à y croire, nous sommes guéris !

Nous nous installâmes, moi devant une salade, un peu plus élaborée que d'habitude, avec des noix, et lui devant une portion de poulet rôti. En un clin d'œil, nos assiettes étaient vides.

Je rotai discrètement, Adam éclata de rire.

— Regardez donc où nous en sommes ! dit-il.

Il me lança un regard qui me donna des papillons dans le ventre. Mais je savais comment tout cela allait finir et, à cette pensée, je perdis de nouveau l'appétit. Dieu merci, je fus distraite par un appel d'Oscar qui avait besoin de bavarder avec moi pendant qu'il était dans le bus. Ça tombait à pic et me permit de rétablir une distance professionnelle entre Adam et moi.

— Aujourd'hui, je me sens…, dis-je en le regardant dans l'attente de la suite.

— Aujourd'hui je me sens… gavé ?

— Ce n'est pas un quiz vous savez, il n'y a pas de mauvaise réponse.

Il réfléchit un instant.

— Aujourd'hui je me sens… heureux. Restauré. Non, pas restauré. Renouvelé. Comme si j'étais moi, mais une meilleure version de moi, précisa-t-il en me regardant intensément. Vous voyez ce que je veux dire ?

Incapable de faire autrement, je détournai le regard, sans cela mes yeux m'auraient trahie. Je me concentrai sur la salière et le moulin à poivre que je déplaçais au hasard sur la table.

— Bien. J'imagine que c'est parce que vous pensez avoir reconquis Maria ?

Il sembla troublé par ma question.

— Ce que je vous demande, c'est si vous êtes prêt à continuer et à passer à la phase suivante ? continuai-je.

— Ça ne s'est pas si bien passé que ça à l'hôpital, me fit-il remarquer.

Je restai muette.

— Pourquoi avez-vous eu un rendez-vous avec votre cousin Nigel ? Il a prétendu que vous aviez parlé d'une fusion.

— Je voulais le voir. Je n'avais pas posé les yeux sur lui depuis nos douze ans, vous vous rendez compte ? Pour moi, la rancœur entre Bartholomew et Basil, c'était entre nos pères. Les volontés de mon grand-père stipulent que si je ne reprends pas l'entreprise, elle revient à Nigel. Je voulais connaître ses intentions, ce qu'il ferait pour l'entreprise.

— Vous vouliez une trêve.

— Ça ne m'est même pas venu à l'esprit. Comme je l'ai dit, pour moi, la querelle concernait nos pères, pas nous. Je cherchais à m'en sortir, Christine. Je voulais qu'il me dise qu'il dirigerait l'entreprise exactement comme il fallait qu'elle le soit. Au lieu de ça il a commencé à parler de fusion, comme si c'était la seule chose à faire.

— Et vous lui avez dit non ?

— J'ai écouté ses arguments. Je veux dire, ce ne serait pas si mal que Bartholomew et Basil s'unissent ? Bartholomew était le nom de mon grand-père, donc ça aurait un sens, et nous laisserions la rancœur derrière nous pour prendre un nouveau départ. La fusion serait bénéfique pour les deux marques. Sans cette dissension, mon père aurait accepté sur-le-champ. Mais Nigel est tout aussi remonté vis-à-vis de l'affaire familiale que mon oncle Liam. Il veut faire fusionner les deux entreprises, puis vendre avec profits. Il m'a dit qu'ainsi nous pourrions tous les deux nous en débarrasser et passer le reste de nos vies sur une plage de rêve.

Adam avait l'air de vouloir taper du poing contre le mur, l'agressivité remontait. Je posai ma main sur son bras.

— Mais vendre à un bon prix semblerait résoudre un problème pour vous.

— Je ne veux pas gérer cette affaire, certes, mais en aucun cas je ne veux être responsable de sa faillite non plus. Beaucoup de gens comptent sur moi. J'aimerais voir Basil entre de bonnes mains, donc ça reste une préoccupation pour moi. Je dois au moins ça à mon père et mon grand-père.

Il se passa les doigts dans les cheveux, épuisé.

— Vous pensez que votre sœur vendrait l'entreprise ?

— Lavinia tiendrait dix ans pour avoir droit à son héritage, puis elle vendrait au plus offrant, quel qu'il soit. Mais pour cela il faudrait qu'elle revienne, et elle serait aussitôt bouclée. De toute façon, après ce qu'elle a fait, je la dénoncerai moi-même aux autorités si elle n'est pas arrêtée.

— Adam, dis-je gentiment, si vous aviez sauté, si vous sautez, qu'en sera-t-il de l'entreprise ?

— Si je sautais, Christine, je n'aurais plus à me prendre la tête avec ce triste bazar, c'est là le point essentiel.

Il jeta de l'argent sur la table, se leva et quitta le restaurant.

J'étais assise devant mon père, installé à son bureau. Il me regardait d'un air inexpressif.

— Répète ? me demanda-t-il.

— Quelle partie ?

— Tout.

— Papa, ça fait dix minutes que je parle, me récriai-je.

— Et c'est bien toi le problème. Tu as parlé trop longtemps, c'était trop barbant, j'ai décroché.

Et peux-tu m'expliquer pourquoi il y a des œufs écrabouillés partout dans le jardin depuis mardi ?

Je respirai profondément, fermai les yeux et me pinçai le bout du nez pour me calmer.

— Ça fait partie de la thérapie d'Adam.

— Mais tu n'es pas psy.

— Je sais, répliquai-je, sur la défensive.

— Alors pourquoi ne va-t-il pas en voir un ?

— Je le lui ai conseillé, mais il ne veut pas.

Papa resta silencieux, et cessa de plaisanter.

— C'est une lourde responsabilité, là, Christine.

— Je le sais. Mais avec tout le respect que je te dois, je ne suis pas venue ici pour recevoir une leçon sur ce que je choisis de faire ou de ne pas faire avec quelqu'un qui a besoin d'aide. Bien, pouvons-nous revenir à nos moutons, s'il te plaît ?

— Oui, de quoi est-ce qu'on parlait, déjà ?

— Papa, arrête de la faire tourner en bourrique ! hurla Brenda du fond du bureau.

Je me retournai et vis que mes deux sœurs s'étaient faufilées subrepticement dans la pièce.

— Il n'y a donc rien de privé, dans cette famille ? râlai-je.

— Bien sûr que non ! affirma Adrienne en s'avançant pour venir s'asseoir en notre compagnie.

Brenda la rejoignit vite fait.

— Christine, mon petit chou à la crème, commença mon père en tendant la main pour s'emparer de la mienne. Tu sais que lorsque je quitterai ce cabinet et ce monde, je n'attends pas

de toi que tu en prennes la tête du jour au lendemain. Du cabinet, pas du monde, précisa-t-il
en plongeant ses yeux dans les miens. Je me fais
du souci pour toi. Tu as toujours été une cérébrale, alors que tes sœurs et moi sommes des
gens concrets. Mais ces dernières semaines tu as
eu beaucoup de choses à faire et peu de temps
pour réfléchir.

— Tu n'y es pas, dis-je dans un soupir. Je ne
parle pas de moi. Je sais bien que je n'ai pas
vocation à reprendre le cabinet.

— Elle parle du suicidaire, précisa Brenda,
très occupée à manger un paquet de chips.

— Il s'appelle Adam, aboyai-je. Un peu de respect !

— Oooooo-ooooh ! hululèrent les trois à l'unisson.

— Vous vous êtes déjà embrassés ? demanda
papa.

— Non, répondis-je en fronçant les sourcils. Je
l'aide à reconquérir sa petite amie. Ensuite, je vais
m'occuper de ses problèmes de boulot. J'ai besoin
d'aide, qu'est-ce que vous en pensez, vous, là ?
Vous pouvez m'aider ? Je ne comprends rien à
ces questions de droit.

Ils haussèrent tous les épaules.

— Vous êtes vraiment inutiles ! criai-je en me
levant. Je connais des gens qui se tournent vers
leurs familles pour se faire conseiller, et elles les
aident, elles !

— C'est dans les films hollywoodiens, rétorqua
papa pour clore le débat. Il faut que tu voies un
avocat pour ce genre de problème.

— Tu es avocat !

— Non, un autre genre d'avocat.

— Un qui s'intéresserait vraiment au problème ? suggéra Adrienne en levant un sourcil à son intention.

— Mais je m'y intéresse, dit-il en riant. C'est juste qu'il t'en faut un qui ne soit pas débordé.

Il quitta son bureau et emporta un dossier vers son meuble à dossiers impeccablement tenu. Il revint avec une liasse de feuilles.

— Donc, il a abandonné son poste mais c'est un cas de force majeure. La loi sur le congé parental de 1998, amendée en 2006, accorde à un employé un droit limité à s'absenter de son travail s'il est confronté à une crise familiale. La loi s'applique aux cas où, pour des raisons familiales urgentes, la présence de l'employé chez lui serait indispensable, en raison d'un accident ou de la maladie d'un proche. Le congé maximal est de trois jours pour douze mois ou de cinq jours pour trente-six mois, et le salaire est maintenu.

Mon cœur fit un bond. Adam avait déjà pris deux mois de congé. Il n'avait aucun moyen légal de prétendre récupérer son poste.

— S'il y a conflit entre ton ami et son employeur à propos de la nature du cas de force majeure, il est possible de porter l'affaire en justice en utilisant le formulaire de plainte que j'ai inclus dans cette chemise, dit-il en la plaçant sur le bureau devant moi. Ne va pas dire que je ne te donne jamais rien. Quant aux volontés de son grand-père, je ne peux te donner aucun conseil légal à ce sujet parce que je ne les ai pas lues. Mets la main dessus, et je ferai de mon mieux pour l'aider à s'en sortir. Si c'est la bonne chose à faire.

— Qu'est-ce que tu veux dire par « Si c'est la bonne chose à faire ? » Bien sûr que c'est la bonne chose à faire ! m'exclamai-je, tourne-boulée.

— Ce qu'il lui faut, c'est trouver un psy, dit papa à mes sœurs.

— Elle peut toujours nous parler, répliqua Brenda. J'espère que tu le sais, Christine.

— Pas pour moi ! Il parle d'un psy pour Adam, précisai-je.

— Et pourquoi ne pas aller chez ce psy mignon, tu sais, ton client ? L'accro au sexe, Léo je ne sais plus trop quoi, proposa Adrienne.

— Léo Arnold, et ce n'est pas un accro au sexe, répliquai-je en esquissant un sourire devant la tentative d'Adrienne pour me dérider.

— Dommage.

— Il essayait d'arrêter de fumer alors je lui ai donné quelques conseils, c'est tout. Et c'était un client, à qui j'ai obtenu un poste, donc aller le consulter ne serait pas professionnel.

— Et vivre avec un client pendant une semaine, c'est professionnel ? me demanda papa.

— C'est différent.

Si j'admettais qu'Adam n'était pas vraiment mon client, ils allaient s'en donner à cœur joie avec leurs remarques ironiques et moqueuses.

— Ce ne serait pas un manque de professionnalisme d'envoyer Adam voir ce type, décréta
papa.

— Adam ne veut pas voir de psy, répétai-je,
contrariée.

— Il ne veut pas se prendre en charge, alors
il te fait faire tout le boulot pour lui. Eh bien,
je vais te dire une chose, tu pourras lui donner
toute l'aide possible et imaginable, mais s'il
n'apprend pas à se débrouiller tout seul, ce sera
en vain.

Nous restâmes tous silencieux. Papa avait mar-
qué un point à l'étonnement général.

— Dans un registre différent, Barry pense que
tu couches avec Léo et que c'est pour ça que tu
l'as quitté. Il m'a appelée hier soir pour me le
dire, dit Adrienne.

Je me mis à fulminer.

— Il a aussi dit que tu lui as dit que la raison
pour laquelle Brenda ne peut pas perdre les kilos
de sa grossesse, ce n'est pas à cause du bébé,
mais parce que c'est une grosse garce gloutonne,
continua Adrienne en fusillant Brenda du regard
pendant qu'elle léchait ses doigts pleins de sel de
chips.

— Je n'ai jamais dit ça, protestai-je.

— Non, mais je ne t'en voudrais pas si tu
l'avais fait.

— Un point pour elle, appuya papa en regardant Brenda.

Brenda nous fit un doigt d'honneur et continua
à manger.

— Tu as déjà acheté une robe pour la soirée ? Qu'est-ce que tu vas porter ? me demanda Adrienne.

— Je me concentre plus sur la façon de garder le héros de la fête en vie, répliquai-je, distraite par l'idée que Barry s'imaginait que j'avais une relation avec Léo Arnold.

Comment avait-il pu s'imaginer – à juste titre – que ce type me plaisait ? Je n'avais jamais parlé de mes clients avec lui.

— Peu importe qu'il soit vivant si tu ne ressembles à rien, dit Brenda, et tous les trois éclatèrent de rire.

— Brenda a acheté une nouvelle paire de chaussures ravissantes, dit papa. Noires, à bout ouvert, avec de jolies petites perles.

Papa était obsédé par les chaussures de femme. Il adorait nous emmener en acheter quand nous étions adolescentes et nous en offrait souvent en cadeau. Il avait également bon goût. D'une certaine façon, c'était un type efféminé, piégé dans un corps d'hétéro. Il adorait les femmes, leur façon de penser, il travaillait avec elles toute la journée, il avait passé toute sa vie dans une maison où il y avait une majorité de femmes, dont ses tantes, ainsi avait-il un grand respect pour elles. Il appréciait leurs comportements et leurs lubies, leurs nuances, leur besoin de chocolat à telle période du mois qu'il connaissait par cœur – condition préalable pour élever trois filles tout seul – et faisait de son mieux pour comprendre les variations hormonales, le besoin de discuter, d'analyser les sentiments et les situations.

— Qu'est-ce qui vous fait croire que vous allez à cette soirée ? demandai-je, surprise de voir qu'ils faisaient tous des plans sur la comète.

— Il nous a invités quand il est venu ici, tu ne te souviens pas ? me dit papa. Tu ne crois quand même pas que nous allons rater pareille occasion de faire la fête ?

— Ce n'est pas la fête de l'année. Il n'a que trente-cinq ans.

— Non, mais c'est la soirée où ils vont annoncer qu'il reprend la tête de Basil, ce qui n'est pas rien, quand on sait que Dick Basil a été à la barre plus de quarante ans. Son père l'a laissé diriger l'entreprise quand il n'avait que vingt et un ans. Imagine la responsabilité, à un âge pareil ! Savais-tu que Basil exporte ses produits dans quarante pays, ce qui génère un bénéfice de cent dix millions d'euros pour l'économie irlandaise. Plus de deux cent cinquante millions d'euros de leurs chocolats produits en Irlande sont exportés chaque année. Tu ferais mieux de te fourrer dans le crâne que c'est une entreprise importante. Ils n'utilisent que des ingrédients locaux, ce qui est plus important aujourd'hui que jamais. Je suis sûr que notre Taoiseach[1] sera là. Dick Basil et lui sont de bons amis. S'il n'est pas là, il est fort probable que le ministre des Affaires étrangères et du Commerce le représente, peut-être même

1. Taoiseach : chef du gouvernement, équivalent du Premier ministre en Irlande. (*N.d.T.*)

le ministre de l'Emploi, de l'Entreprise et de l'Innovation, déclama papa en applaudissant. Il y aura une folle ambiance, j'ai hâte d'y être.

— Où as-tu appris tous ces détails ? lui demandai-je.

— Dans la rubrique économique du *Times*, m'expliqua-t-il en le brandissant devant mes yeux, avant de le reposer sur son bureau. Ton gars est à la tête d'un véritable empire.

— Il n'en veut pas, répondis-je avec calme, affolée pour Adam. C'est pour ça que je m'occupe de lui. S'il doit reprendre l'entreprise, il va se suicider. Et il le fera ce soir-là.

Ils me considérèrent tous en silence.

— Bon, tu as six jours pour trouver une solution, me dit papa avec un sourire encourageant. Ma petite fille chérie, je vais te donner le meilleur conseil que je croie t'avoir jamais donné dans ta courte vie.

J'étais prête à tout entendre.

— Va voir cet accro au sexe.

Laissant Adam avec son ordinateur portable dans le bureau de mon père, et après avoir donné à papa l'ordre formel de ne pas faire de commentaires déplacés, je pris le chemin de la salle d'attente de Léo Arnold, ce client sur lequel j'avais fantasmé au point de quitter Barry. Pas un instant je n'avais désiré que ces fantasmes deviennent réalité. Ce n'était rien d'autre que des rêveries, qui m'occupaient l'esprit quand la réalité était trop sombre. Je savais qu'il n'était pas mon genre. Il n'y avait pas la moindre attirance entre nous. J'avais créé un Léo Arnold entièrement différent dans ma tête, qui me donnait des rendez-vous très tard et, incapable de se contenir plus longtemps, se jetait sur moi dès que j'arrivais dans son bureau, sans se préoccuper de savoir s'il y avait encore des clients dans la salle d'attente. Je me sentis devenir écarlate en pensant à tout ça maintenant que j'étais vraiment dans sa salle d'attente.

— Christine ! s'exclama Léo.

Sa secrétaire lui avait dit que j'attendais à la porte, mais il avait du mal à dissimuler sa surprise.

— Léo, je suis désolée de ne pas avoir pris rendez-vous, dis-je tout bas, afin de ne pas me faire remarquer des autres patients dans la salle d'attente.

— Pas de problème, me dit-il sur un ton aimable en me conduisant à son bureau. J'ai quelques minutes entre deux rendez-vous. Désolé de ne pas avoir plus de temps, mais j'ai cru comprendre que c'était urgent.

Je m'assis devant son bureau en tâchant de ne pas regarder autour de moi, même si après avoir fantasmé les lieux et les choses que nous y avions faites, j'étais curieuse de savoir à quoi son bureau ressemblait en réalité. Je regardai le caisson à tiroirs et pensai à des menottes. Mes joues chauffaient et je me sentis rougir.

— J'imagine que c'est au sujet de votre mari, commença-t-il en s'éclaircissant la gorge, Barry.

— En fait, non, répondis-je, très étonnée.

— Vous êtes donc ici pour une séance ?

— Pourquoi ? Vous pensiez que j'étais venue pour quelle raison ?

— Eh bien, je pensais que cela avait un rapport avec le... euh... l'appel que j'ai reçu.

— De qui ?

— De Barry. Ce n'est pas votre mari ? Pourtant c'est ce qu'il m'a dit. Aurais-je mal compris ?

— Oh ! m'exclamai-je en devenant encore plus écarlate, si cela était encore possible. Il vous a appelé ? murmurai-je.

J'avais peur de prononcer ces mots à haute voix.

C'était trop pour moi. Comment Barry avait-il eu son numéro ? Je repensai à mon ordinateur, que j'avais laissé dans l'appartement. Il avait dû faire main basse sur ma liste de contacts. Je ne pouvais que redouter la suite des événements.

Ce fut au tour de Léo de s'empourprer.

— Euh... Oui. Je croyais que vous le saviez. Je n'aurais rien dit, sinon... je suis désolé.

— Qu'a-t-il dit ? réussis-je à articuler.

— Il était persuadé que, euh... que vous et moi étions, euh... pour le dire poliment, il croyait que nous avions une liaison.

— Oh, mon Dieu, hoquetai-je. Léo... je suis désolée... je ne vois vraiment pas pourquoi il s'est imaginé...

Les mots s'étranglaient dans ma gorge et je ne pus finir ma phrase.

— Eh bien, vous dites cela plus poliment que lui.

— Je suis tellement désolée, insistai-je en raffermissant ma voix pour garder une attitude professionnelle. Je ne vois vraiment pas comment il a pu penser ça. Il traverse une période plutôt... je veux dire que nous vivons une sorte de... *cauchemar*, terminai-je dans ma tête.

— Il a dit quelque chose sur le fait d'avoir trouvé mon nom entouré d'un cœur..., continua Léo, aussi écarlate que moi.

— Quoi ? criai-je en écarquillant les yeux. Mon Dieu, je ne vois vraiment pas...

Je repensai au bloc-notes que j'avais laissé à côté de l'ordinateur, celui sur lequel je gribouillais pendant mes heures de travail. Et aux cœurs que je dessinais tout le temps, quand ce n'étaient pas des étoiles, ou des spirales. Je me souvins d'une fois où, saisie d'une pulsion enfantine ridicule, j'avais inscrit le nom de Léo au centre d'un cœur rond. J'avais trouvé cela amusant, comme quand j'étais au collège, quand on pouvait choisir de jeter son dévolu sur quelqu'un, comme si c'était amusant et insouciant, et que ce n'était pas une trahison. Piégée, piégée, je me sentais piégée, je m'étais sentie libre d'écrire un nom dans un cœur un moment et aujourd'hui j'en payais les conséquences. Je me crispai, au bord du malaise. J'avais très, très envie de sortir du bureau.

— Il l'a dit à ma femme, en fait, continua-t-il, sur un ton un peu plus assuré, son visage avait repris une couleur normale mais sa colère était manifeste. Je l'ai appris de sa bouche. Elle est enceinte de six mois. Ça ne peut pas tomber plus mal.

— Il a… quoi ? Oh mon Dieu, oh, seigneur ! Léo, une fois encore, je suis désolée, je…

Je n'arrêtais pas de secouer la tête en regardant désespérément autour de moi, dans l'espoir de disparaître six pieds sous terre.

— J'espère qu'elle a compris que ce n'était pas vrai ? Je veux dire que je pourrais l'appeler pour lui expliquer, si vous pensez que ça…

— Non, je ne crois pas que ça aiderait, me coupa-t-il sans ménagement.

— OK. Je comprends, croyez-moi, je vous comprends complètement, dis-je en regardant autour de moi.

Je voulais m'éclipser mais j'étais complètement paralysée.

— Pourquoi êtes-vous venue me voir, si ce n'était pas pour ça ?

— Oh, peu importe, répondis-je en me cachant le visage dans les mains tant j'étais mortifiée.

— Christine, je vous en prie, ça avait l'air important. Et vous avez dit que le rendez-vous était urgent.

Je voulais m'en aller. Je ne désirais rien de plus que quitter ce bureau, ne jamais revoir sa tête, faire comme si cette conversation n'avait jamais existé, mais c'était impossible. Je devais tout faire pour aider Adam, et cela signifiait ravaler ma fierté pour demander de l'aide.

Quand mes tourments intérieurs cessèrent, je me sentis soudain libérée.

— Ce n'est pas pour moi, en fait. Je suis ici pour un ami.

— Bien sûr, dit-il sur un ton incrédule.

— Non, vraiment, c'est pour un ami qui refuse de voir un psy, alors je suis ici pour lui.

— Bien sûr, répéta-t-il sur le même ton, accentuant ma frustration.

Si je lui avais dit que je venais pour mon singe domestique, il aurait sans doute répondu de la même façon.

Alors je lui racontai rapidement notre histoire à Adam et moi, résumant la tentative de suicide d'Adam, ma promesse de l'aider, notre parcours ensemble et les étapes que j'avais suivies afin de l'aider à profiter de la vie.

— Christine, dit-il en s'installant dans son fauteuil en cuir, l'air soucieux, tout cela est plutôt perturbant.

— Je sais. Maintenant vous pouvez comprendre pourquoi je suis ici.

— Bien évidemment, la situation de votre ami est préoccupante, mais c'est plus ce que vous avez fait avec lui, d'un point de vue de thérapeute professionnel, qui est très mauvais pour lui.

— Pardon ? m'étranglai-je, pétrifiée.

— Par où commencer ? dit-il en secouant la tête, comme pour s'éclaircir les idées. Où avez-vous appris ces « astuces » sur la façon de profiter de la vie ?

— Dans un livre, avouai-je, le cœur battant la chamade.

Je lus un éclair de colère dans ses yeux, puis il continua d'une voix sévère.

— Cette psychologie de comptoir est nocive, Christine, vous lui avez retiré son libre arbitre.

Voyant mon air perdu, il poursuivit.

— Vous n'en savez pas plus que lui. Vous ne pouvez pas l'aider en prenant les décisions à sa place. En essayant de régler ses problèmes, vous le privez de pouvoir, parce que intrinsèquement rien n'aura changé, vous l'aurez simplement rendu dépendant de vous. La façon dont vous mettez en pratique ces méthodes miracles que vous suivez dans un livre...

— J'ai essayé de l'aider ! rétorquai-je, furieuse.

— Je comprends, dit-il doucement. En tant qu'ami je comprends ce que vous avez tenté de faire. Mais en tant que thérapeute, ce que vous n'êtes pas vous-même, je dois dire que vous ne vous y êtes pas prise de la bonne manière.

— Alors j'aurais dû le pousser du pont ? rétorquai-je.

— Bien sûr que non. Ce que je veux dire, c'est que vous devez lui donner le pouvoir. Vous devez lui laisser sa propre vie entre ses mains.

— Mais il a essayé de se suicider !

— Vous êtes énervée. Je comprends que vous tentiez de bien faire, et que vous traversez une période de stress particulièrement intense...

— On ne parle pas de moi, Léo. Il s'agit d'Adam. Tout ce que je veux savoir, c'est comment le faire aller mieux. Dites-moi comment le soigner, c'est tout !

Il y eut un long silence tandis qu'il me dévisageait, puis il sourit gentiment et me dit :

— Vous vous êtes entendue à l'instant, Christine ?

Oh, oui... et je tremblais.

— Vous ne pouvez pas le soigner. Il a besoin de le faire seul. Je vous suggère de vous contenter d'être là pour lui, de l'écouter, de le soutenir. Mais quoi que vous fassiez, arrêtez d'essayer de le *soigner* avant que ça n'aille trop loin.

Je le regardai avec tristesse.

— J'espère que cela vous sera utile. Je suis désolé de ne pas avoir plus de temps aujourd'hui, mais si votre ami voulait prendre rendez-vous avec moi je serais plus qu'enchanté de le recevoir. Et si vous avez l'impression que cela vous aiderait de parler à quelqu'un, je serai heureux de vous recommander à un autre thérapeute que je tiens en haute estime.

Remarquant ma confusion, il ajouta :

— Ma femme trouverait cela... inapproprié que je vous prenne en charge.

— Bien sûr, murmurai-je, encore plus crispée. Merci infiniment de m'avoir consacré du temps. Et, encore une fois, je suis tellement désolée.

— Sur un plan personnel, si je peux me permettre..., commença-t-il en cherchant un signe d'approbation dans mon regard.

Je hochai la tête.

— Vous êtes merveilleuse dans ce que vous faites. J'ai recommandé votre agence de recrutement à de nombreux clients en difficulté. Je crois qu'ils ont trouvé vos façons de procéder enrichissantes et stimulantes. Vous vous souciez de savoir où vous placez les gens. Et vous êtes allée au-delà de vos attributions en essayant de m'aider à arrêter de fumer. J'ai une pile de livres qui m'attendent, ajouta-t-il en souriant.

J'avais senti la fumée de cigarette sur sa veste, mais j'appréciai néanmoins sa gratitude.

— Vous savez régler les problèmes, Christine, mais si vous voulez vraiment aider quelqu'un, être une amie, parfois il faut écouter et laisser les gens faire le travail eux-mêmes. Soyez là pour lui. C'est tout.

18

Comment faire
pour qu'une situation
redevienne absolument normale

J'aurais dû tirer une leçon de ma séance avec Léo : arrêter de me mêler de ce qui ne me regardait pas. En fait, le message était clair, mais j'avais pris ce rendez-vous pour régler les problèmes d'Amélia avant d'avoir vu Léo. Je montai la première l'escalier au-dessus d'une épicerie afro-caribéenne de Camden Street jusqu'au bureau de mon cousin et détective privé Bobby O'Brien. Il avait trente-deux ans et était originaire de la région de Donegal. Après s'être engagé dans la *gardaí* et avoir été nommé dans une banlieue chic de Dublin où il ne se passait rien, il avait décidé de démissionner. Ensuite, sur mon conseil, après avoir assidûment fréquenté mon cabinet de recrutement à cause de ses démissions répétées ou de ses licenciements, il avait décidé de faire cavalier seul et d'enquêter sur des affaires juteuses.

Comme je ne pouvais pas me lancer avec Amélia dans une folle poursuite à l'issue incertaine pour retrouver ses parents, j'espérais que Bobby pourrait la guider. Mon plan était de les présenter, et de m'en aller. Je donnerai le pouvoir à Amélia, je ne le lui prendrai pas. Donner aux autres le pouvoir sur leurs propres vies, donner aux autres le pouvoir sur leurs propres vies... mon nouveau mantra.

Devant la porte du bureau de Bobby, Amélia se figea.

— Je ne peux pas faire ça.

— Tout ira très bien, lui assurai-je en tournant des talons et en commençant à redescendre l'escalier. Personne ne pensera du mal de toi.

— Hé ! cria Amélia pour m'arrêter. Tu ne vas pas essayer de me faire changer d'avis ?

— Non. Je ne veux pas te pousser à accomplir quelque chose contre ta volonté, Amélia, annonçai-je, en espérant qu'Adam comprendrait que le message s'adressait aussi à lui. C'est un moment difficile pour toi, j'en suis bien consciente. C'est ta vie, et c'est toi qui la contrôles. Tu dois prendre tes propres décisions, je ne veux t'influencer en aucune manière ou projeter mes problèmes sur toi, parce que croire que je peux te soigner ne me soignera pas, moi.

Adam et Amélia me scrutèrent tous les deux attentivement.

— Qu'est-ce qui lui est arrivé ? demanda Amélia à Adam.

— Je crois qu'elle s'est pris un coup sur la tête, répondit-il, impassible. Allez, dit-il pour encourager Amélia à s'approcher de la porte. Puisque nous sommes là, allons-y.

— Mais seulement si elle le veut, insistai-je.

Adam me fit de gros yeux. Amélia me fixait, abasourdie.

— Vous voulez retrouver vos parents biologiques, n'est-ce pas ? lui demanda Adam.

Elle hocha la tête.

— Alors essayez ça, continua-t-il, prenant le contrôle de la situation à ma place. Et si ça ne marche pas, essayez une autre voie. Pensez à toutes les éventualités. Soyez préparée à... vous savez...

Il examina le couloir crasseux, les graffitis sur les murs et s'efforça de ne pas inhaler les horribles remugles de poisson, d'humidité et d'égout de l'immeuble.

— ...n'importe quoi.

Sur ces mots, il frappa à la porte de Bobby.

— Qui est-ce ? demanda Bobby, d'une voix stressée.

— C'est Christine !

— Christine ? s'exclama-t-il, avec une surprise manifeste. Avons-nous rendez-vous ?

— Euh... non. J'espérais que tu pourrais m'aider. Je suis venue avec des amis.

En dépit des progrès d'Adam, il demeurait fragile et d'humeur changeante, ce qui me faisait craindre de le laisser seul. Pas plus tard que ce matin, une voiture m'avait fait une queue de poisson et s'était mise dans la mauvaise file pour tourner sur un rond-point. Sitôt arrivé à sa hauteur au feu rouge, Adam avait bondi hors de la voiture et hurlé sur la femme terrifiée cramponnée à son volant, avec trois enfants sur la banquette arrière. Il m'avait ignorée alors que je le suppliais de remonter dans la voiture, et il avait fallu attendre que le feu passe au vert et que la femme se sauve sans demander son reste, au bord des larmes, pour qu'il remonte dans le véhicule, où il était resté silencieux sans cesser de faire craquer les articulations de ses doigts. Il ne m'avait reparlé qu'au bout d'une heure. Il s'était comporté comme si je cherchais à le punir en lui demandant de m'accompagner. Mais j'avais peur, tout simplement, peur de le laisser seul, de crainte qu'il ne fasse une crise de nerfs.

— Quels amis ? m'interrogea Bobby.

Et voilà, cela recommençait, cette légère crainte, la méfiance, comme s'il était prêt à manigancer un mauvais coup, ou venait d'en faire un et ne voulait pas être pris.

— Écoute, si c'est au sujet de ton mari, je suis désolé de lui avoir parlé comme ça, d'accord ? On ne s'est jamais entendus, tu le sais bien, mais il est allé beaucoup trop loin en me traitant comme ça.

Je fermai les yeux et comptai jusqu'à trois, le temps de digérer cette révélation.

— Peux-tu ouvrir la porte, s'il te plaît ? le priai-je avec impatience.

On entendit des bruits de verrous et de serrures, et la porte s'entrouvrit de quelques centimètres à peine, sans que Bobby n'enlève la chaîne. Un œil bleu nous scruta. Il regarda à gauche et à droite, étudia Adam et Amélia, puis le couloir derrière nous. Apparemment satisfait, il referma la porte, débloqua la chaîne et nous ouvrit en grand pour nous faire entrer.

— Désolé, s'excusa-t-il. Ça fait partie du boulot, vous savez. Je dois être prudent.

Il referma la porte derrière nous, ainsi que les verrous, et tourna la clé dans la serrure.

— Bobby O'Brien, se présenta-t-il avec un sourire charmeur, en tendant la main d'abord à Adam, puis à Amélia.

— Tu connais déjà Amélia, lui dis-je. Nous étions copines à l'école. Elle est venue à toutes nos fêtes de famille.

— Vraiment ? dit-il en la dévisageant. Je suis sûr que je me serais souvenu d'une femme aussi belle que vous.

Amélia rosit légèrement.

Je fis les gros yeux à mon cousin pour qu'il arrête de lui faire du charme.

— Tu lui as volé sa glace le jour de mes huit ans et tu l'as jetée par-dessus le mur des voisins, lui rappelai-je.

— C'était vous ? s'étonna-t-il.

— Je n'ai pas la même tête quand je ne pleurniche pas en disant que je hais les garçons, dit Amélia en éclatant de rire.

— Ça n'a pas tellement changé, marmonna Adam sur le ton de la confidence, ce qui lui valut un regard noir de ma part.

— Comment vas-tu, Christine ? me demanda Bobby en m'étreignant chaleureusement.

Après avoir relâché son étreinte, il alla à la fenêtre située derrière son bureau. Les stores étaient fermés. Il en écarta légèrement deux lamelles pour scruter la rue, avant de se retourner vers nous.

— Que puis-je faire pour vous ?

Il portait un tee-shirt vert avec l'inscription « Paradis de la Bière » et un jean déchiré. Avec ses cheveux sombres et bouclés qui lui tombaient sur les yeux, son teint pâle et sa barbe de trois jours, on avait toujours l'impression qu'il était sur le point de faire un mauvais coup, sans doute à juste titre, et aujourd'hui plus que jamais. Je remarquai qu'Amélia le détaillait attentivement. Cela me plut, mais je me forçai à ne pas m'en mêler. Qu'ils se débrouillent tout seuls ! me persuadai-je.

— Bobby, c'est pour Amélia que nous sommes ici. Elle a découvert récemment que ses parents ne sont pas ses parents biologiques. Amélia, voudrais-tu prendre le relais pour lui expliquer ? Lui montrer ce que tu as trouvé ?

Alors qu'Amélia expliquait ce que contenait la boîte à chaussures, je regardai par la fenêtre pour voir ce qui avait rendu Bobby aussi nerveux. Il n'y avait personne. Je remis le store en place et m'écartai. Bobby avait remarqué mon manège et m'adressa un maigre sourire nerveux. Je ne voulais pas savoir ce qu'il avait fait.

— Donc, si je récapitule, vous prétendez que tout dans cette boîte, ces quelques objets qui vous accompagnaient quand vous avez été confiée à votre mère adoptive, conduisent à Kenmare ? exposa Bobby.

— Je n'irais pas jusque-là, interrompit Adam. La personne qui a proposé cette théorie est extrêmement déséquilibrée.

— Parlez pour vous ! répliqua Amélia en le remettant à sa place.

— Alors, allons à Kenmare, décréta Bobby en claquant dans ses mains.

Je le scrutai, soupçonneuse.

— Vous pensez que c'est une bonne idée ? demanda Amélia, surprise. Vous croyez que mon amie a raison ?

— Je crois que votre amie est un génie, dit Bobby. Je veux dire que j'aurais bien fini par identifier la dentelle moi-même, mais elle l'a reconnue tout de suite. J'adorerais aller à Killarney…

— Kenmare, le coupai-je.

— Kenmare, excusez-moi, se reprit-il en adressant un sourire charmeur à Amélia. J'adorerais aller à Kenmare, y poser quelques questions. Nous trouverons vos parents en deux temps trois mouvements.

Je haussai les sourcils.

— Je traite énormément de cas d'adoption, expliqua-t-il en sentant les mauvaises vibrations qu'Adam et moi lui envoyions, ce qui l'incita à faire davantage d'efforts pour se mettre en valeur. D'habitude je me tourne vers l'administration, et j'assiste les gens dans leurs démarches. Cela peut être stressant, ce n'est pas facile de réfléchir dans ces circonstances, de faire le tri entre toutes les informations, précisa-t-il avec sincérité. Nous pouvons obtenir des résultats de cette manière aussi, mais il est toujours bon de suivre des indices apportés par le client.

— J'ai déjà contacté les services officiels, dit Amélia. J'ai téléchargé des documents sur leur site web, mais, ajouta-t-elle en baissant la voix alors que personne n'épiait la conversation, je ne suis pas entièrement sûre que cette adoption ait été officielle. Je n'ai trouvé aucune trace écrite.

— Hum..., marmonna Bobby, l'air très pensif. Je vois. Alors, quelle est votre décision ? demanda-t-il en tendant la main à Amélia, désireux de faire affaire pour sortir un peu de son trou.

— Vous prenez combien ? intervint Adam avec cynisme, coupant court à leur échange.

— Cent cinquante euros si je les trouve, plus mes frais d'hébergement. Les autres dépenses sont à ma charge. Alors, on fait affaire ? dit-il en regardant sa main toujours tendue.

Amélia semblait indécise.

Il baissa le bras.

— Je ne peux pas promettre monts et merveilles, dit-il gentiment, mais j'ai déjà retrouvé des parents et réuni des familles. Vous n'avez pas beaucoup d'indices, mais je suis bon dans mon boulot. Je ne me fais pas payer avant d'avoir résolu l'énigme, et j'arrive à payer mon loyer tous les mois. Je dis ça comme ça, conclut-il avec un sourire effronté.

— Ce n'est pas vous le problème, Bobby, dit Amélia, c'est la... situation. Si je me lance là-dedans, ça va devenir très réel, expliqua-t-elle en me regardant pour demander de l'aide.

Était-ce là me mêler des affaires des autres ?

— Tu devrais faire comme tu le sens, qu'est-ce que tu as à perdre ? finis-je par bredouiller. Tu n'es pas partie en vacances depuis très longtemps. Au pire, tu verras du pays.

— OK, dit Amélia avec un sourire timide avant de serrer la main de Bobby.

Adam secoua la tête.

— Je sais que c'est dingue, dit Amélia, toujours très bas alors que nous revenions vers la voiture. Mais il faut que je sorte de Dublin, que je m'éloigne de la librairie. J'ai besoin de m'en aller. De reprendre mes esprits. Tout a été chamboulé. Je n'arrive même pas à réfléchir clairement.

— Et tu penses que ce voyage va y changer quelque chose ?

— Non, répondit-elle en riant. Mais au moins je vais m'amuser, dans tout ce bazar. Bobby est un personnage haut en couleur, ajouta-t-elle avec un sourire.

Je n'écoutais qu'à moitié, car j'essayais en même temps de surprendre la conversation des deux hommes derrière nous.

— Alors, comment avez-vous rencontré Christine ? demandait Bobby.

— Sur un pont.

— Quel pont ?

— Le Ha'penny.

— C'est romantique, dit Bobby en assénant de grandes tapes dans le dos d'Adam comme s'ils étaient copains.

Adam enfonça encore plus ses mains dans ses poches et attendit que j'arrête de parler pour que nous puissions enfin nous en aller.

Je reportai mon attention sur Amélia.

— Merci de t'occuper de moi, dit-elle.

— C'est à ça que servent les amis. Mais puis-je poser une question ? Quand nous étions dans le box, tu as fini par te diriger vers la boîte de ton année de naissance. Tu as senti quelque chose, n'est-ce pas ?

— Je me suis toujours interrogée. Parfois je posais des questions à maman et papa sur la grossesse, l'endroit de ma naissance, et leurs réponses étaient toujours un peu vagues. Et puis, ils n'avaient jamais l'air de vouloir en parler. Je ne voulais pas les mettre mal à l'aise, ni leur faire de peine, alors j'ai arrêté de les tanner, et abandonné l'idée de trouver des réponses. Je n'avais pas la moindre idée de ce qu'ils cachaient. Mais j'ai su que maman avait eu quatre grossesses et qu'elle avait perdu chaque bébé. Elle a dit que m'avoir était une bénédiction divine. J'ai donc cru qu'elle avait peur de me perdre comme elle les avait perdus et que c'était pour ça qu'elle me couvait tant.

— Tes parents t'aimaient énormément.

— Je me sentais aimée, dit-elle en souriant. C'est l'essentiel. Ce n'est pas tant que je veux retrouver mes parents biologiques, mais... je veux juste savoir. Après, je pourrai m'en aller. Ça n'a pas d'importance s'ils ne veulent rien avoir à faire avec moi. Je ne suis même pas certaine de le vouloir moi-même. Tout ce qui m'importe, c'est de connaître mon histoire. J'ai l'impression que je le mérite, maintenant.

— Mais oui, lui assurai-je. Tu as raison. Tu sais, si j'étais à ta place, et si je savais que ma mère était quelque part et que j'avais une chance de la retrouver, je ferais tout pour y arriver. Je ferais n'importe quoi pour qu'elle me revienne.

— Je sais, dit Amélia en lançant un regard inquiet à Adam avant d'esquisser un sourire trop large et trop rapide.

Je sentis ma gorge se serrer.

— C'est ridicule ! s'écria Adam depuis la porte, alors qu'il m'observait faire mon sac.

Tout lui avait semblé ridicule aujourd'hui. C'était soit inutile, soit une perte de temps, soit ridicule.

— Qu'est-ce qui est ridicule ? lui demandai-je, en essayant de faire en sorte que ma voix ne trahisse pas ma lassitude.

— D'aller à Tipperary.

— Comment allez-vous parvenir à *ne pas* reprendre la tête de l'entreprise si nous ne nous rendons pas sur place pour régler ça ?

— Nous ne pouvons pas régler ça, ce sont les volontés de mon grand-père. Il n'y a aucun moyen de les changer. Ce voyage sera une pure perte de temps, insista-t-il, agressif.

Je ne savais pas exactement comment nous allions débrouiller cet imbroglio, mais quand on veut on peut et Adam devrait faire face à ses responsabilités un jour ou l'autre. Cette perspective le rendait irritable et agité. Il était de nouveau de mauvais poil.

Il quitta la pièce.

— Ce sont donc mes derniers instants ici ? me demanda-t-il depuis le séjour.

Je compris alors. Ce n'était pas seulement l'abandon qui lui posait problème, c'était aussi les départs. Je le rejoignis à toute vitesse.

— Vous avancez, Adam. C'est une bonne chose.

Il hocha la tête, alors qu'il n'en croyait pas un mot.

— En ce moment, je me sens…, commençai-je pour lui.

— En ce moment je me sens… sentimental, ânonna-t-il en soupirant.

Je m'en étais aussi rendu compte. Son téléphone sonna.

— C'est Maria, annonça-t-il en me le tendant.

Je regardai l'appareil fixement, avec l'envie de raccrocher tout de suite, quand je me souvins du conseil de Léo.

— Répondez, lui dis-je, la gorge serrée. Invitez-la à votre soirée. Si vous en avez envie.

— Vous êtes sûre ? me demanda-t-il, l'air indécis.

— Évidemment ! m'exclamai-je, troublée par sa réaction. Vous ne voulez pas qu'elle vienne ?

Le téléphone continuait de sonner.

— Oui, mais bon, vous savez…

Nous nous regardâmes.

Je ne savais pas trop ce qu'il pensait, mais je savais ce que je pensais moi : *ne réponds pas, ne*

tombe pas amoureux d'elle, arrête de l'aimer. Aime-
moi à la place.

Le téléphone arrêta de sonner, laissant un
grand silence dans la pièce. Il ne le regarda
même pas. Il s'avança d'un pas vers moi.

Le portable sonna de nouveau et il se figea.

Puis il répondit, et sortit de la pièce.

Alors qu'Adam attendait dehors dans la voiture
avec Pat, je fis un détour par le service de Simon
Conway. J'étais à l'affût de sa femme, de ses
enfants ou de tout autre membre de sa famille
qui estimait que s'en prendre à moi atténuerait
leur chagrin ou leur ramènerait Simon. Le seul
visage familier que je vis – et je me dissimulai
dès que je le repérai – fut celui d'Angela, l'infirmière qui m'avait conduite à la chambre de
Simon la semaine précédente, la nuit où j'avais
rencontré Adam. Je me pétrifiai quand elle croisa
mon regard mais elle me sourit chaleureusement.

— Je ne mords pas ! plaisanta-t-elle. Visites
pour la famille seulement, mais venez, dit-elle en
me conduisant vers la chambre. J'ai appris ce qui
s'est passé lors de votre dernière visite. Je suis
désolée de ne pas avoir été de garde. Ne vous
inquiétez pas ! Elle était bouleversée, et elle avait
besoin de trouver un responsable. Vous ne l'êtes
pas.

— J'étais là-bas quand ça s'est passé. Je suis
celle qui...

— Vous n'êtes pas responsable, insista-t-elle
fermement. Mes collègues ont dit qu'elle s'est
sentie horriblement mal de vous avoir traitée

ainsi après votre départ. Elle était si chamboulée qu'ils ont dû faire sortir les petites pour la calmer.

Ce n'était pas une scène agréable à imaginer, mais cela me soulagea un peu.

— Avez-vous parlé à quelqu'un ? me demanda Angela, et je compris qu'elle voulait dire un professionnel.

Je n'avais pas oublié le conseil que Léo m'avait donné au sujet d'Adam, mais c'était un problème entièrement différent. Cependant j'y avais quand même réfléchi, et j'avais fini par trouver la personne à qui il fallait que je parle absolument.

Je restai seule avec Simon. Les bips et les souffles discrets du respirateur étaient les seuls bruits qui brisaient le silence ; je m'assis à son chevet.

— Salut, murmurai-je. C'est moi, Christine. Christine Rose, la femme qui n'a pas réussi à vous protéger de vous-même. Peut-être quelqu'un aurait-il dû vous protéger de moi, ajoutai-je, au bord des larmes alors que les émotions que j'avais refrénées de mon mieux jusque-là venaient me submerger. Je me suis passé et repassé cette nuit-là dans ma tête, en essayant de comprendre. J'ai dû dire un mot de travers, mais je ne m'en souviens pas. J'étais tellement soulagée que vous ayez reposé ce revolver. Je suis désolée si une de mes paroles vous a donné l'impression que vous n'étiez pas assez important, que votre vie ne valait pas la peine d'être vécue. Parce que vous êtes important, et que votre vie en vaut la peine. Et si vous m'entendez, Simon, alors battez-vous, battez-vous pour vivre. Si vous ne le faites pas pour vous, faites-le pour vos filles parce qu'elles ont besoin de vous. Il y a tant de choses dans leur vie pour lesquelles elles auront besoin de vous ! J'ai grandi sans mère, je sais ce que c'est que d'avoir le fantôme de quelqu'un qui vous suit à chaque moment de votre vie. Vous vous demandez toujours ce qu'il penserait, ce qu'il ferait s'il était là, si vous le rendez fier...

Je restai silencieuse un long moment, pendant lequel je m'autorisai à pleurer, avant de me reprendre.

— Bref, en raison de cette culpabilité que je ressens envers vous, je me suis attiré un tas d'ennuis. J'ai rencontré un homme sur un pont, et je me suis engagée à lui montrer que la vie est belle, le convaincre qu'elle vaut la peine d'être vécue faute de quoi je le perdrai. Je dois en particulier l'aider à reconquérir sa petite amie. Et si j'échoue, il se suicidera. Ce sont les règles. Cela ne fait qu'une semaine, mais parfois vous avez une intuition. Et cette semaine, j'ai appris des choses.

Je baissai les yeux et regardai mes doigts, me rendant compte tout à coup de mes sentiments.

J'avais espéré me sentir soulagée. Au lieu de cela, j'avais un mal de crâne lancinant, le cœur lourd, le souffle du respirateur et le bip du moniteur cardiaque pour toute réponse. Je voulais un signe de tête encourageant, je voulais entendre qu'on me comprenait, que tout allait bien, que ce n'était pas ma faute, que je serais capable de tout arranger. J'avais besoin qu'on me fournisse des *outils*, où étaient-ils ? Il me fallait un bon livre qui résoudrait tout. *Comment faire pour que la situation redevienne absolument normale*, un guide très simple étape par étape pour soigner les cœurs, avoir les idées claires et faire que tout le monde oublie.

Peut-être cette réflexion et cet aveu que je me faisais à moi-même ne suffisaient-ils pas, il fallait que je le dise tout haut. Je levai la tête, regardai Simon comme si mes paroles venues du fond du cœur pouvaient lui faire ouvrir les yeux.

— Je suis amoureuse d'Adam.

19

Comment se ressaisir
et se dépoussiérer

— Tout va bien ? me demanda le plus bel homme à mes yeux quand je remontai dans la voiture avec chauffeur de Dick Basil.

Je hochai la tête.

Il fronça les sourcils et scruta mes yeux larmoyants. Je dus détourner la tête.

— Vous avez pleuré.

Je reniflai et regardai par la vitre.

— Comment va-t-il ? demanda-t-il avec douceur.

Je ne pus que secouer la tête, incapable de parler.

— Sa femme vous a-t-elle encore agressée ? Christine, vous savez que vous ne le méritiez pas. C'était injuste.

— Maria me traitera sans doute exactement de la même façon la semaine prochaine, explosai-je soudain, sans trop savoir ce que j'avais en tête.

Pat alluma la radio.

— Pardon ?

— Vous avez bien entendu. Maria, toute votre famille, ils vont m'en vouloir. Ils vont dire que j'ai passé deux semaines à vous mener en bateau au lieu de vous emmener voir un professionnel. Avez-vous la moindre idée de ce qui va m'arriver si vous continuez comme ça ?

— Ils ne vous en voudront pas. Je ne les laisserai pas faire, dit-il, contrarié que je puisse penser à ça.

— Vous ne serez pas là pour me protéger, Adam, vous ne pourrez pas me défendre. Il n'y aura que ma parole contre la leur. Vous n'avez pas idée du bazar que vous laisserez derrière vous, lançai-je agressivement, à peine capable de parler.

Et je ne songeais pas uniquement à la situation, mais à moi-même.

Le téléphone d'Adam sonna de nouveau et à sa tête quand il répondit, je compris sur-le-champ. Son père venait de mourir.

Adam ne voulut pas voir le corps de son père à l'hôpital. Il ne voulait pas changer le projet d'aller à Tipperary puisque, de toute façon, nous devions nous y rendre pour organiser les funérailles. Nous restâmes donc dans la voiture comme si rien ne s'était passé, alors que le pire venait de se produire : il avait perdu son père et était désormais officiellement à la tête des Confiseries Basil.

— Avez-vous eu des nouvelles de votre sœur ? lui demandai-je.

Son téléphone était resté dans sa poche depuis son dernier appel. Il n'avait contacté personne. Sans doute était-il sous le choc.

— Non.

— Vous n'avez pas regardé votre téléphone. Ne devriez-vous pas l'appeler ?

— Je suis certain qu'elle a été informée.

— Va-t-elle venir à l'enterrement ?

— Je l'espère.

Je fus soulagée de cette réponse positive.

— Et j'espère que la police va l'attendre au bout du tapis roulant à l'aéroport. En fait, je vais peut-être même les appeler pour les prévenir.

Mon soulagement fut de courte durée.

— Peut-être cela signifie-t-il que la soirée n'aura pas lieu, dis-je d'un ton posé, gênée de suggérer qu'à toute chose malheur est bon, alors que nous parlions de la mort d'un proche, mais Adam semblait vraiment avoir besoin de réconfort.

— Vous plaisantez ? La soirée ne sera annulée en aucun cas, c'est une occasion unique de prouver que nous sommes plus forts que jamais !

— Oh ! Puis-je faire quoi que ce soit pour vous ?

— Non, merci.

Il resta silencieux et regarda par la vitre, en s'imprégnant de chaque détail du paysage, comme pour repousser l'instant où nous allions arriver à l'endroit qu'il redoutait, et suspendre le temps. Voulait-il être seul ? Cela ne me dérangeait pas d'être là, je restais avec lui quoi qu'il arrive, surtout maintenant, mais je me serais sentie mieux si j'avais su qu'il voulait que je sois là. Et je me dis qu'il aurait préféré le contraire. Être seul avec ses pensées, celles-là mêmes qui me terrifiaient.

— En fait, dit-il soudain, voudriez-vous lire le texte que vous avez lu à l'enterrement de la mère d'Amélia ?

Je fus surprise. Il n'avait pas fait beaucoup de commentaires là-dessus aux funérailles, à part me demander si je l'avais écrit. Je fus profondément touchée. Lire ce texte en public signifiait beaucoup pour moi. Je regardai par la vitre et retins mes larmes.

Nous roulions sur des routes de campagne, le paysage était varié et verdoyant, vibrant, même en ce matin glacé. C'était une terre d'élevage de chevaux, regorgeant d'entraîneurs, d'écuries implantées dans les meilleurs pâturages pour élever les bêtes, que ce soient des chevaux de course ou des chevaux de concours. À part le chocolat, c'était l'activité principale de la région. Pat n'était pas très attentif sur ces routes et ne ralentissait pas aux intersections, tournait tantôt à droite tantôt à gauche à des croisements qui se ressemblaient tous. Je me cramponnais aux accoudoirs en cuir.

Je jetai un coup d'œil à Adam pour voir s'il était aussi nerveux que moi ; c'était le cas.

Il s'éclaircit la gorge et regarda ailleurs.

— J'étais... vous savez qu'il vous manque une boucle d'oreille ?

— Quoi ? m'exclamai-je en tâtant mon lobe d'oreille, merde !

Je commençai à la chercher sur moi et me mis à secouer mes vêtements en espérant qu'elle en tombe. Il fallait que je la retrouve ! Sans succès. Je me mis à fouiller partout à quatre pattes dans la voiture.

— Attention, Christine ! m'avertit Adam, et je sentis sa main sur ma tête qui cogna à la portière quand Pat prit un virage serré.

— C'était à ma mère, expliquai-je en me penchant vers lui, poussant ses pieds pour vérifier qu'elle n'était pas par terre.

Adam fit une grimace, comme s'il partageait ma tristesse après cette perte.

Ne trouvant rien je m'assis de nouveau, rouge et embarrassée. Je n'avais envie de parler à personne pendant un moment.

— Vous vous souvenez d'elle ?

Je parlais rarement de ma mère, pas parce que je refusais de le faire, mais parce qu'elle avait si peu fait partie de ma vie que je n'avais pas d'images d'elle. J'essayais de me souvenir d'elle de temps à autre, mais cela était si vague que je n'avais pas grand-chose à raconter.

— Ces boucles d'oreilles sont l'un des rares souvenirs que j'ai d'elle. Je m'asseyais sur le bord de la baignoire et la regardais s'habiller quand elle sortait. J'adorais la voir se maquiller, expliquai-je en fermant les yeux. Je la vois très nettement, devant le miroir, cheveux attachés en queue-de-cheval avec une barrette. Elle portait ces boucles, qu'elle ne mettait que pour les grandes occasions, ajoutai-je en tripotant mon lobe. C'est drôle, les choses dont on se souvient. D'après les photos, je vois bien que nous avons fait beaucoup de choses ensemble, mais j'ignore pourquoi, c'est ce moment dont je me souviens plus que tout autre.

Je restai silencieuse un moment, puis continuai.

— Donc la réponse à votre question est : non. C'était un long détour pour vous dire : non, je ne me souviens pas vraiment d'elle. J'imagine que c'est pour cela que je porte ces boucles tous les jours. Je n'y avais pas pensé jusqu'aujourd'hui. Quand les gens font des compliments sur elles, je peux répondre : « Merci, elles étaient à ma mère. » C'est une façon de l'inclure dans mes conversations quotidiennes, de la rendre réelle, de l'englober dans ma vie. J'ai l'impression qu'elle est une idée, la somme des histoires que les autres ont racontées sur elle, une personne qui semble tout le temps différente sur les photos, selon les éclairages et les angles divers. Quand nous regardions l'album, je demandais tout le temps à mes sœurs : est-ce ainsi que vous vous souvenez de maman ? Ou ainsi ? Mais elles répondaient que non, et la décrivaient d'une façon qu'aucune photo n'avait capturée. Même l'image que j'ai d'elle devant son miroir, c'est celle de l'arrière de sa tête, son oreille droite, son menton. Parfois j'aimerais qu'elle se retourne, dans ce souvenir, pour que je puisse la voir vraiment, et parfois je la fais se retourner en imagination. Ça doit vous sembler bizarre.

— Pas du tout, dit gentiment Adam.

— Vous souvenez-vous de votre mère ? voulus-je savoir à mon tour.

— Par fragments. De petites choses. Le problème, c'était que je n'avais personne avec qui parler d'elle. Je crois que cela aide à se souvenir d'une personne quand les gens partagent les histoires qui la concernent, mais mon père ne parlait jamais d'elle.

— Il n'y avait personne d'autre à qui parler ?

— Nous avions une nouvelle nourrice chaque été. Le jardinier devait être la personne de la maison qui se rapprochait le plus d'une figure parentale, et il n'avait pas le droit de nous adresser la parole.

— Pourquoi ?

— Les règles de mon père.

Nous laissâmes planer un long silence.

— Votre boucle va réapparaître, m'assura-t-il.

Je l'espérais.

— Maria a dit qu'elle viendrait à mon anniversaire.

Ça m'était sorti de la tête. Comment avais-je pu oublier ?

— Bien. Super. C'est... Adam, c'est vraiment génial.

Il me regarda avec ses grands yeux bleus qui fouillaient dans mon âme.

— Je suis heureux que vous pensiez que c'est vraiment génial.

— Oui. C'est...

Je n'arrivais pas à trouver un autre mot que génial, aussi laissai-je ma phrase en suspens.

La voiture finit par ralentir et je me redressai sur le siège, impatiente de découvrir l'endroit où Adam avait grandi. La plaque sur l'un des énormes piliers de l'entrée annonçait « Avalon Manor ». Pat se mit soudain à respecter les limites de vitesse et avança à une allure d'escargot dans l'allée, qui s'étirait sur des kilomètres. Les arbres cédèrent la place à une immense pelouse qui s'étendait devant un imposant manoir d'époque.

— Ouah ! bramai-je.

Adam eut l'air blasé.

— Vous avez grandi ici ?

— J'ai grandi en pension. Je passais les vacances ici.

— Cela devait être incroyablement excitant pour un jeune garçon, avec tous ces endroits à explorer. Regardez cette ruine, là-bas !

— Je n'avais pas le droit d'aller y jouer. Et j'étais tout seul. Nos voisins les plus proches sont extrêmement éloignés.

Il avait dû percevoir le côté « pauvre petit garçon riche » dans sa voix, car il changea d'intonation.

— C'est l'ancienne glacière. Je me suis toujours dit que je la rénoverais et que je m'y installerais.

— Ainsi vous vouliez vivre ici, relevai-je.

— Il y a longtemps, dit-il en se tournant vers la vitre, sans me regarder.

La voiture s'arrêta devant les marches qui menaient à la porte d'entrée. Celle-ci s'ouvrit et une femme chaleureuse nous accueillit. Je l'identifiai aussitôt d'après les histoires d'Adam : Maureen, l'épouse de Pat le chauffeur. Elle était intendante, ou « directrice » de la maison – comme la qualifiait Adam – depuis trente-cinq ans, c'est-à-dire depuis sa naissance. Il ne l'avait jamais considérée comme une figure maternelle, les nourrices étaient là pour s'occuper de lui. Maureen, même si elle était affectueuse, avait ses propres enfants. Sa seule responsabilité en tant qu'employée était le bien-être de tous dans la maison. J'étais certaine qu'Adam se trompait. Comment aurait-elle pu ne pas éprouver de compassion pour les deux orphelins de mère qui vivaient sous le même toit qu'elle ? Adam aurait été bête de croire cela.

— Adam ! s'exclama-t-elle en l'embrassant avec affection, alors qu'il se raidissait visiblement. Je suis désolée que tu aies perdu ton père.

— Merci. Voici Christine, elle va rester quelques jours.

Maureen ne réussit pas tout à fait à cacher sa surprise de découvrir une autre femme que Maria en compagnie d'Adam, mais elle n'en laissa rien paraître dans son accueil, même s'il fut difficile de cacher la gêne que nous ressentîmes toutes deux au moment d'aborder la question de l'attribution des chambres. La maison disposait de dix chambres, et Maureen ne savait pas si elle devait me mener à l'une d'elles ou à celle d'Adam. Elle passa devant nous, hésitant, et jetant des coups d'œil derrière elle de temps en temps pour essayer d'accrocher le regard d'Adam, dans l'attente d'un signe qui lui indiquerait la marche à suivre, mais il était encombré de nos sacs, perdu dans ses pensées, le front plissé comme s'il essayait de déchiffrer une énigme. J'imagine qu'il était parti la semaine précédente en pensant qu'il reviendrait fiancé, bientôt marié, et quand tous ses plans étaient soudain tombés à l'eau, il n'avait plus eu aucune intention de revenir. Et voilà qu'il se retrouvait dans cet endroit qu'il semblait tant détester.

Je m'étais fait du souci au sujet de notre « pacte » toute la semaine, mais ce n'était rien en comparaison de ce que je ressentais maintenant en sa compagnie. Il semblait détaché, froid, même lorsque je cherchais son regard et lui souriais pour l'encourager. Je me figurai ce que Maria avait dû ressentir quand elle essayait de communiquer avec lui et de l'atteindre, d'être intime avec lui et se heurtait à son comportement distant. J'avais d'abord cru que c'était une carapace pour Adam, mais ensuite je réalisai que je me fourvoyais complètement. Ce n'était pas une carapace, il était possédé par un Adam envahi par la rage, la perte, la colère et le ressentiment à la pensée qu'il n'avait aucun contrôle sur sa vie. Et il était si profondément malheureux. Il avait perdu sa mère très jeune, mais autrement avait été très protégé. Il n'avait jamais eu besoin de se soucier de son prochain repas, de ses livres scolaires, des jouets à Noël, d'être privé de foyer. Dans sa vie, toutes ces choses allaient de soi. Et il pensait que cela allait de soi d'être libre de s'affranchir des règles édictées par son père, de façonner son propre destin, avec une sœur aînée qui prendrait en charge l'affaire familiale. Et puis tout cela avait changé. Le devoir, cette chose qu'il avait tant esquivée avec bonheur l'avait rattrapé, lui avait tapé sur l'épaule et l'avait respectueusement prié de le suivre. La fête était terminée, l'illusion qu'il pouvait contrôler son propre destin, et se construire une vie différente s'était évaporée, fondue comme neige au soleil.

C'était la fin de quelque chose, et il n'aimait pas les conclusions : les séparations, les au revoir, et les départs. Il acceptait le changement mais comme il l'avait décidé et quand il l'avait décidé. L'expression de ses yeux, le ton de sa voix, tout ce qui faisait la singularité d'Adam s'était altéré depuis que nous avions mis les pieds dans la maison, et maintenant que j'y pensais, le changement avait commencé à s'insinuer en lui depuis son dernier coup de fil. J'en eus mal au cœur, parce que je me rendais compte du sérieux d'Adam quand il parlait de quitter ce monde et je savais que s'il recommençait, cette fois il irait jusqu'au bout.

C'était une chose d'aider quelqu'un qui acceptait qu'on l'aide, ce dont Adam m'avait donné l'impression à Dublin. Ici, à Tipperary, c'en était une autre, j'avais le sentiment qu'il s'était retranché, me tenait à distance. Il passa la plus grande partie de la journée à dormir rideaux tirés dans une immense chambre avec une cheminée à foyer ouvert et un canapé, sur lequel il déclara vouloir dormir plus tard. Mais pour le moment il était dans le lit et j'étais assise sur la banquette, près de la baie vitrée qui donnait sur le lac de Lough Derg. J'écoutais sa respiration et regardais l'heure, consciente que nous perdions du temps. Dans ce cas précis, le temps ne guérissait pas ;

il fallait parler, soigner, agir. Il fallait que je le mette au défi et que je le soutienne, mais j'étais impuissante parce qu'il s'était replié sur lui-même, et j'avais peur.

Je jetai à nouveau un coup d'œil à Adam, il dormait profondément, paume des mains ouvertes, bras tendus au-dessus de sa tête, comme s'il se rendait. Ses cheveux blonds tombaient sur une de ses paupières. Je me penchai pour les dégager. Il ne se réveilla pas et mon doigt s'attarda sur sa peau douce. Il ne s'était pas rasé ce matin-là et sa barbe blonde à peine visible brillait sous la lumière. Il avait les lèvres serrées, boudeuses comme lorsqu'il était concentré, et ce spectacle me fit sourire.

Maureen apparut à la porte qui était restée ouverte et frappa doucement pour attirer mon attention. Surprise, je retirai ma main, comme si je venais d'être prise en faute. Depuis combien de temps était-elle là ? Elle me sourit d'une façon qui suggérait qu'elle avait remarqué ma tendresse envers Adam et, gênée, je me dirigeai vers la porte.

— Désolée de vous déranger, mais j'ai apporté les couvertures supplémentaires qu'Adam a demandées.

Elles étaient destinées au canapé, aussi les y déposai-je.

Une question semblait lui brûler les lèvres, mais elle dit tout autre chose.

— Et, euh... il y a eu un appel pour Adam, ajouta-t-elle en contemplant sa silhouette endormie.

— Je crois que nous ne devrions pas le déranger, dis-je doucement. Vous pourrez lui dire plus tard. Était-ce urgent ?

— C'était Maria.

— Oh !

— Elle a essayé de l'appeler sur son portable, sans réponse. Elle veut savoir s'il désire qu'elle vienne à l'enterrement. Elle a dit qu'ils avaient quelques problèmes, et elle ne savait pas trop s'il voulait qu'elle soit là ou pas. Elle ne veut pas le contrarier.

— Oh !

Je regardai Adam et essayai de deviner ce qu'il voudrait. L'Adam de Dublin aurait désiré sa présence. Cet Adam-là avait besoin d'elle, mais ce n'était pas celui dont Maria était tombée amoureuse, et dont elle retombait amoureuse. J'étais déterminée à ce qu'ils se revoient quand il serait redevenu lui-même. Si elle le voyait dans cet état, ou s'il la traitait comme il l'avait fait ces derniers temps, Maria repartirait droit dans les bras de Sean. Il faudrait que j'en parle un peu plus tard avec lui, mais j'étais sûre qu'il serait d'accord avec moi.

— Je crois qu'il préférerait qu'elle ne soit pas là, mais ce n'est pas parce qu'il est contrarié à son égard. Faites-le-lui savoir, s'il vous plaît.

— OK, je lui dirai, dit Maureen.

Elle jeta de nouveau un coup d'œil rapide sur Adam, se demandant de toute évidence : dois-je faire confiance à cette femme ? Dois-je lui demander en personne ?

Je la rattrapai dans le couloir. Je me sentais plus à l'aise pour parler avec elle en sachant qu'Adam ne pouvait pas nous entendre.

— Maureen, commençai-je en me tordant les mains, nous ne sommes pas... ensemble, Adam et moi. Il n'est pas très bien ces derniers temps, il a quelques problèmes personnels.

Maureen hocha la tête. De toute évidence, elle le savait déjà très bien.

— Il n'apprécierait pas que je parle de lui derrière son dos. Je suis certaine que vous le connaissez mieux que moi, mais j'essaye de... l'aider. J'ai essayé toute la semaine. Je pensais que ça marchait. J'ignore comment il est d'habitude, mais dans les jours qui ont suivi notre rencontre, il a semblé... plus léger. Ce qui vient de se passer l'a renvoyé en arrière. Quoique je sache très bien qu'il n'y a jamais un bon moment pour perdre quelqu'un...

— Vous avez rencontré M. Basil ?

— Oui.

— Alors vous le comprendrez aisément, si je vous dis qu'en dépit du fait d'avoir travaillé pour lui pendant trente-cinq ans, nous n'étions pas particulièrement proches.

— On pourrait dire la même chose pour son fils.

Maureen pinça les lèvres et hocha la tête.

— Je suis sûre que vous n'en tirerez pas de conséquences, mais Adam, continua-t-elle en baissant la voix, a toujours été très sensible. Il a toujours été dur envers lui-même. Il ne se laissait jamais aller facilement, même pour les petites choses. J'ai essayé d'être présente pour lui, mais il préférait se débrouiller tout seul, tranquille-ment, et M. Basil... eh bien, c'était M. Basil.

— Je comprends. Merci pour vos explications, et je vous assure que je ne répéterai pas ce que vous venez de me confier. Je ne l'ai littérale-ment pas quitté des yeux pendant une semaine, expliquai-je.

— La plupart des femmes sont dans le même cas, dit-elle en souriant et je piquai un fard.

— Pour des raisons que je ne peux expliquer, je ne peux pas le laisser hors de ma vue. D'où l'arrangement pour la chambre, mais j'ai vrai-ment besoin d'aller quelque part tout de suite et je me demandais si vous pourriez garder un œil sur lui ? Je me doute que vous avez fort à faire pour demain, mais je ne m'absenterai qu'une heure. Vous voulez bien ?

Je disposai une chaise devant la porte de la chambre pour Maureen afin qu'il ne panique pas en la découvrant sur le canapé tout près de son lit quand il se réveillerait.

— S'il vous plaît, appelez-moi s'il se réveille, s'il va aux toilettes ou je ne sais quoi d'autre, lui demandai-je en jetant un coup d'œil inquiet sur Adam, sans parvenir à me décider à partir.

— Tout ira bien, me rassura Maureen en posant une main chaude sur mon bras.

— OK, dis-je, nerveuse.

— Elle avait raison, ajouta Maureen.

— Qui ?

— Maria. Elle m'a demandé si Adam était ici avec une femme. Une jolie femme, qui avait l'air de prendre soin de lui.

— Ah bon ?

— Oui, confirma Maureen.

— Qu'avez-vous dit ?

— Je lui ai dit qu'il faudrait poser la question à Adam.

— Merci, lui dis-je en esquissant un malheureux sourire.

Je trouvai Pat dans l'arrière-cuisine, en train de s'attaquer à un sandwich aux œufs. Je redoutais déjà l'idée de me retrouver confinée avec lui dans un espace restreint alors qu'il conduisait. Et voilà qu'aux excès de vitesse, il fallait ajouter l'odeur d'œuf ! J'essayai d'attendre poliment qu'il ait terminé, mais la pensée qu'Adam était là-haut sans moi me rendait anxieuse.

— Bien, dit Pat en enfournant la dernière moitié du sandwich.

Il repoussa sa chaise, but la fin de sa tasse de thé et se leva. Il prit les clés et se dirigea vers la voiture.

Mary Keegan, le bras droit de Dick Basil, vivait à vingt minutes de là, dans une impressionnante propriété. Comme personne ne m'avait répondu dans la maison, Pat m'indiqua la direction des écuries et retourna à la retransmission d'une émission sportive à la radio dans la voiture surchauffée qui sentait l'œuf pourri. Il avait raison. Je m'accoudai aux barrières et regardai la femme élégante à cheval qui sautait des obstacles.

— C'est Lady Meadows, dit une voix derrière moi, et je me retournai pour découvrir Mary.

Elle était vêtue pour la circonstance : bottes en caoutchouc, grosse fourrure polaire avec veste matelassée par-dessus.

— Je croyais que c'était vous que je regardais !

— Moi ? Sûrement pas ! s'esclaffa-t-elle. Je n'aurais pas le temps d'être aussi bonne que ça. Je ne suis douée que pour les galops du matin et la chasse. J'adore la chasse.

— Lady Meadows, c'est le cheval, ou la cavalière ?

— Le cheval ! répondit-elle en riant. La cavalière, c'est Misty. C'est une professionnelle du saut d'obstacles. Elle a failli participer aux derniers Jeux olympiques, mais Medicine Man, son cheval, s'est cassé la jambe à l'entraînement. Peut-être la prochaine fois.

— Vous avez de magnifiques installations. Combien y a-t-il de chevaux ?

— Douze. Ils ne sont pas tous à nous, mais les avoir en pension nous permet de gagner un peu d'argent. Cependant nous sommes en expansion. On pense même se lancer dans l'élevage.

— C'est votre rêve, d'être ici à plein-temps ?

— Moi ? Non. Pourquoi, Basil vous envoie pour me virer ?

Elle avait dit ça sur le ton de la plaisanterie, mais je décelai une franche inquiétude dans son regard.

— Non, en fait, c'est exactement le contraire.

Mary eut l'air intriguée.

Nous terminâmes notre conversation dans ce qui aurait dû être la chaleur du bungalow, n'eût été la porte qui s'ouvrait et se refermait sans cesse au gré des allées et venues des palefreniers, en laissant chaque fois le froid s'engouffrer. Mary garda son manteau, moi aussi, et je bus autant de thé chaud que possible en me réchauffant les mains contre la tasse, installée sur un canapé couvert de poils de bête, entourée de trois chiens : un qui dormait, un autre qui ne supportait pas d'être enfermé et tournait dans tous les sens, à renifler les murs pour trouver la sortie, et un autre assis sur les genoux de Mary à me regarder fixement d'une façon déconcertante, sans cligner une seule fois des yeux pendant toute notre conversation. Mary ne semblait rien remarquer, ni le froid, ni les poils de chien que je retirais de ma tasse. Était-ce l'habitude ou ma proposition ?

Elle avait l'air dubitatif, mais son intérêt était évident.

— Vous en avez parlé avec Adam ?

— Oui, répondis-je – je ne mentais qu'à moitié. Il ne pouvait pas venir parce qu'il est très occupé avec l'enterrement.

Je pensai à lui dans la maison, allongé dans l'obscurité, les couvertures tirées sur la tête.

— Et il est satisfait de cette solution ? demanda-t-elle, déconcertée. De ne pas avoir un rôle quotidien dans l'entreprise ? Que je prenne les décisions ?

— Absolument. Il sera président-directeur général, donc il faudra sa signature pour approuver toutes les décisions, mais je pense que c'est la meilleure manière d'avancer. Tous les gens à qui j'en ai parlé sont convaincus que vous pourrez diriger l'entreprise comme M. Basil l'aurait fait. Vous adorez cette entreprise.

— C'est le premier poste que j'ai eu après mes études, dit-elle en souriant. Basil était à Dublin, mais ensuite ils ont déménagé ici, et ça a été formidable pour la région. *C'est* formidable. J'ai passé la première année à répondre au téléphone. Puis j'ai grimpé les échelons. Mais…, s'interrompit-elle en secouant la tête, troublée.

— Qu'est-ce qui ne va pas ?

— Le vieux Basil n'aurait pas voulu ça. La famille de M. Basil ne le voudrait pas. Lavinia préférerait mourir que de me voir à sa place. Ils préfèrent garder les choses en famille.

Elle ne voulait dire du mal de personne, elle était trop professionnelle pour cela, mais je savais lire entre les lignes, et cela faisait écho aux paroles d'Adam, quand il expliquait ressentir la pression familiale pour qu'il reprenne les affaires.

— Tant qu'il ne s'agit pas de la famille de son oncle, ajoutai-je.

— Oh, bien sûr ! Elle ne reviendra pas à Nigel, n'est-ce pas ? demanda-t-elle, inquiète.

— C'est la dernière chose que désirerait Adam. Et je ne crois pas que vous devriez vous inquiéter de Lavinia.

— Êtes-vous sûre qu'Adam se satisfait de cette solution ? répéta-t-elle.

Je commençai à me lasser.

— Puis-je me permettre de vous demander pourquoi vous en êtes si peu certaine ? Je pensais qu'il était évident qu'Adam ne voulait pas de ce poste.

— Oh, c'est l'impression que j'ai eue, bien sûr, mais je pensais que ce serait différent à la mort de M. Basil, qu'il verrait les choses autrement. C'est difficile de travailler avec M. Basil sur le dos, il vous accorde à peine une seconde pour réfléchir, ensuite il vous aboie dessus parce que vous avez agi sans réfléchir. Je pensais qu'Adam voudrait faire les choses à sa façon, dit-elle en haussant les épaules. Je croyais que son problème était son père, pas l'entreprise. Et il a prouvé qu'il était compétent le peu de temps où il y a travaillé. Il a eu de bonnes idées, et croyez-moi, un peu de sang neuf ne serait pas de refus. Ce serait extrêmement dommage qu'il ne prenne pas ce poste. Mais comme vous le dites, si c'est ce qu'il veut...

Elle me regarda comme si elle ne me croyait pas.

Cela ne fit qu'augmenter ma confusion.

Mon téléphone sonna. C'était Maureen.

— Il est réveillé.

Je n'eus pas besoin de demander à Pat de conduire pied au plancher, il roulait déjà à cent cinquante sur des routes où je n'aurais même pas osé être à quatre-vingt-dix. Quand j'arrivai à la maison, je m'attendais à trouver Adam dehors ou au rez-de-chaussée, mais il se trouvait toujours dans sa chambre, en train d'essayer de convaincre une Maureen très embarrassée de le laisser sortir.

— Glissez la clé sous la porte, Maureen ! lui ordonna Adam, d'un ton très impatient.

— Euh, je ne suis pas sûre que ça passerait, répondit-elle avec nervosité, avant de se prendre la tête dans les mains, en proie à un véritable dilemme.

Elle entendit mes pas dans l'escalier et me regarda avec soulagement.

— Il a pris une douche, et il avait faim, alors je lui ai porté son déjeuner et j'ai fermé la porte à clé, chuchota-t-elle, fébrile. Il n'arrêtait pas de répéter qu'il voulait sortir faire un tour.

— Pourquoi ne l'avez-vous pas laissé le faire ?

— Vous m'avez dit de ne pas le quitter des yeux !

— Vous auriez pu le suivre.

Elle se plaqua les mains sur la bouche comme si l'idée ne lui avait pas traversé l'esprit. Je commençai à me crisper.

— Il est très en colère, me murmura Maureen.

— Ne vous inquiétez pas. Il passera ses nerfs sur moi, dis-je avant d'élever la voix. Tout va bien, Adam, je suis là, je vais vous aider.

J'enfonçai la clé dans la serrure et la fis tourner plusieurs fois à dessein, comme si j'avais du mal à l'ouvrir, pour retarder la confrontation. Adam n'arrêtait pas d'appuyer sur la poignée avec impatience.

— Adam, arrêtez ! J'essaye de...

La porte s'ouvrit d'un coup, si brusquement que je n'eus pas le temps de m'écarter. Adam déboula tel un taureau lâché dans l'arène et heurta mon épaule de plein fouet en passant devant moi, trop furieux pour s'arrêter et s'excuser. Maureen me rattrapa alors que je vacillai en arrière.

— Oh, mon Dieu, ma chère, ça va ?

Je ne sentis la brûlure que plus tard, trop préoccupée par Adam qui dévalait l'escalier, bouillonnant de colère. Je le pris en chasse.

— Je veux être seul ! cria-t-il en sortant de la maison à grands pas rageurs, en prenant sur la gauche un sentier qui menait au lac.

Il avait les jambes plus longues que les miennes et je dus me mettre à courir pour ne pas me faire distancer. Quelques pas rapides, une petite foulée, quelques pas rapides et encore une petite foulée. Entre la légère panique que je ressentais à l'idée qu'il fasse une crise de nerfs et la course, j'étais déjà à bout de souffle.

— Vous savez que je ne peux pas vous suivre ! lui lançai-je.

— Pas maintenant, d'accord ?

Je me maintins à sa hauteur, et demeurai silencieuse pour ne pas risquer de le contrarier. Je restai à ses côtés, sans un mot, mais présente. Même si ma présence ne l'empêcherait aucunement de faire ce qu'il voulait. Il avait de la force, comme le prouvait mon épaule douloureuse. Pourtant je persévérai, je ne pouvais pas renoncer, je ne pouvais pas le laisser seul, je ne pouvais pas...

— CHRISTINE ! me lança-t-il au visage, ALLEZ-VOUS-EN !

Il s'était arrêté brusquement, et cela m'avait prise par surprise. Il avait crié si fort que l'écho avait fait le tour du lac, réverbéré dans ma tête, écorché mes oreilles et fait bondir mon cœur dans ma poitrine. L'éclair de rage dans ses yeux, la veine qui pulsait sur son front et celles gonflées de son cou, ses poings serrés dans un geste de menace involontaire me firent retenir ma respiration. J'avais l'impression d'être un enfant qui venait de se faire gronder par un adulte, vulnérable et gênée. Soudain je me sentis seule, tellement seule ! Il me tourna le dos et partit à toute allure. Je m'écroulai, les mains sur les genoux, à essayer de reprendre mon souffle. J'éclatai en sanglots sans essayer de me retenir.

Je le laissai s'éloigner.

20

Comment s'affirmer
afin d'être pris en compte

Assise dans le hangar à bateaux, absorbée dans la contemplation du lac de Lough Derg, j'éprouvai un calme étrange. Les rives avaient gelé et les canards y plongeaient à peine le bec en un éclair pour remonter aussitôt vers la surface, comme si l'eau était trop froide même pour eux, et que ça n'en valait pas la peine, même s'ils avaient faim. Je reniflai de nouveau car mon nez coulait, et renonçai à l'essuyer car il était complètement engourdi. Mes yeux étaient tout rouges et me piquaient. Mes larmes auraient gelé à coup sûr si elles n'avaient pas coulé aussi vite. Je ne les essuyais pas non plus, de temps en temps elles arrivaient jusqu'à mes lèvres et je les léchai pour sentir le goût du sel. C'était étrange, d'attendre, de me sentir impuissante à empêcher un acte dont je me sentirais l'unique responsable jour et nuit s'il arrivait. Je n'avais que mes mots et mes réflexions pour le convaincre, mais cette fois-ci il refusait d'écouter.

J'entendis des pas derrière moi, et mon cœur s'emballa. C'était eux, qui venaient m'annoncer qu'ils l'avaient trouvé. Peut-être même venaient-ils m'arrêter, en avaient-ils le droit ? Mon échec ne me rendait-il pas coupable ? Je regardai droit devant moi le lac sombre, immobile et froid, et j'entendais ma respiration assourdissante dans le silence. Le ciel s'éclaircit, je contemplai la lumière et une pensée optimiste me traversa soudain l'esprit. Les pas étaient lents, ni affolés, ni menaçants. Ils s'arrêtèrent derrière moi, puis firent le tour du hangar, et Adam apparut.

Il s'assit à côté de moi. Je levai la main pour l'empêcher de s'approcher trop près. Je me mordis la lèvre pour refréner un nouvel accès de sanglots et, sachant que je n'y parviendrai pas, je me détournai.

Adam se racla la gorge mais resta encore silencieux un moment. C'était exactement ce qu'il fallait faire : être assis côte à côte, se tenir compagnie, cela suffisait à réchauffer l'atmosphère glaciale entre nous.

— Je suis désolé, dit-il, et malgré le temps qu'il lui avait fallu pour prononcer ces paroles, elles semblèrent abruptes.

Je ne répondis pas. J'aurais dû, je le sais, mais je ne parvenais pas à lui pardonner.

— Où êtes-vous allé ?

— Décompresser. J'ai fichu la trouille à quelques lièvres, et à un cerf qui en a fait caca sous lui.

Je laissai échapper un petit gloussement irrépressible.

— C'est mieux, dit-il plus gentiment. Je déteste vous voir pleurer.

Il se pencha et essuya une larme sur ma joue. Je fermai les yeux et une autre tomba aussitôt.

— Hé, murmura-t-il en glissant vers moi sur le banc pour passer son bras autour de mes épaules.

Incapable de parler à cause de la boule que j'avais dans la gorge, je décidai de me taire. Je posai plutôt la tête sur son épaule. Il m'embrassa le sommet du crâne.

— Je ne suis jamais moi-même quand je suis ici, expliqua-t-il. Je deviens ce type confus, agressif... bref, vous avez vu.

Il laissa un silence, que je ne rompis pas. J'avais l'intention de l'écouter, sans l'aider à s'en tirer cette fois.

— Et vous m'aviez promis que vous ne diriez rien à personne. Ça m'a rendu furieux.

— Dire quoi, à qui ? lui demandai-je.

— Vous savez bien, à propos de dimanche dernier.

— Mais je n'ai rien dit à personne !

Il me regarda attentivement.

— Christine, ne mentez pas, je vous en prie, pas vous. Le reste du monde peut bien me mentir, mais pas vous.

— Je ne mens pas, répondis-je en m'écartant de lui. Je ne vous mentirais pas.

Comme pour le prouver, j'ajoutai immédiatement :

— J'ai demandé à Maureen de dire à Maria de ne pas venir à l'enterrement. Je pensais que ce serait mieux si elle ne vous voyait pas ainsi.

— Mais ce n'est pas de ça que je parle ! rétorqua-t-il en essayant de lire dans mes pensées.

— Je sais. Mais c'est la seule chose que je ne vous ai pas dite. Plus celle que je suis sur le point de vous dire. À part ça, j'ai tenu ma parole. Je ne raconterai jamais à quiconque comment nous nous sommes rencontrés.

— Qu'alliez-vous me dire ? voulut-il savoir, en fronçant les sourcils.

— Je vous le dirai plus tard.

— Maintenant.

— Adam, à qui croyez-vous que j'ai parlé ?

— À Maureen, dit-il, désormais tendu.

— Je ne lui ai rien dit.

— Elle m'a enfermé dans la chambre.

Je fis une petite grimace.

— Elle s'est affolée. Je lui avais demandé de garder un œil sur vous. Parce que vous aviez des problèmes personnels, que...

— Mon Dieu, Christine ! s'exclama-t-il, moins fort que la dernière fois, mais avec agressivité.

— Ce n'est pas lui raconter ce qui s'est passé, Adam.

— C'est lui dire que quelque chose ne va pas.

Ce fut à mon tour d'exploser.

— Croyez-vous qu'il existe une personne dans votre entourage qui ne réalise pas que quelque chose ne va pas ? Sérieusement, Adam, réfléchis-sez un peu ! Vous croyez honnêtement que personne ne remarque rien ? Je devais sortir, et j'avais peur de vous laisser tout seul. Maureen a dit qu'elle garderait un œil sur vous. Je ne pensais pas qu'elle allait vous enfermer !

Formulé ainsi cela me parut drôle, et malgré ma fureur, je souris quand même.

— Ce n'est pas drôle ! répliqua-t-il, surpris.

— Je le sais bien, lui dis-je sans cesser de sourire. Enfin, si, un peu.

Mon sourire grandit, pour ne plus me quitter.

— Je suis content que vous pensiez cela, bougonna-t-il avant de regarder ailleurs.

J'attendis que mes gloussements nerveux se calment.

— Qu'est-ce que c'est, cette chose que vous alliez me dire ?

— Je suis allée voir Mary aujourd'hui.

— Mary Keegan ?

Je hochai la tête.

— J'avais une proposition à lui faire. De votre part. Tout le monde s'accorde à dire que c'est le bras droit de votre père, non ?

Il acquiesça d'un signe de tête.

— Je me demandais si ça marcherait si vous étiez président-directeur général, aux commandes de l'entreprise, conformément aux volontés légales de votre grand-père, et que Mary prenne le poste de directrice générale. Ainsi elle pourrait diriger l'entreprise, mais vous devriez valider toutes ses décisions par signature. Ensuite vous pourriez discuter avec votre ancien patron pour réintégrer votre poste chez les gardes-côtes. Vous pouvez être actif au conseil d'administration et avoir d'autres boulots en même temps, n'est-ce pas ? Je suis certaine qu'il serait compréhensif.

— Donc je serais aux commandes de Basil, et je garderais mon boulot.

— Comme Batman.

Il réfléchit un moment.

— Hé, cachez votre joie, ironisai-je en le scrutant, intriguée.

J'avais résolu ses problèmes, et pourtant il était toujours agité. Il se débattait avec quelque tourment intérieur.

— Vous êtes bien d'accord que cela résout le problème ?

— Oui, absolument, merci, répondit-il, distrait.

En général, plus vous vous acharnez à faire quelque chose sans succès, plus cela prouve que vous vous trompez. Je commençai donc à supposer que je me méprenais. J'avais passé une semaine à essayer de trouver comment Adam pourrait ne pas occuper un poste qui lui faisait horreur, mais la solution que je proposais ne lui convenait toujours pas.

— Faisons un jeu, proposai-je pour le distraire.

— Vous et vos jeux ! grommela-t-il.

— Que faites-vous quand vous êtes tout seul et que personne ne regarde ? Et ne soyez pas dégoûtant, ajoutai-je à toute vitesse, comprenant à son regard ce qui lui venait à l'esprit.

— Eh bien, rien du tout, répondit-il.

J'éclatai de rire, heureuse qu'il soit de nouveau lui-même.

— Je veux dire, est-ce que vous parlez tout seul ? Par exemple, est-ce que vous chantez dans la douche ? Allez !

— Où voulez-vous en venir, là ?

— Répondez, c'est tout.

— Est-ce que ça va me sauver la vie ?

— Absolument.

— Parfait. Oui, je chante dans la douche, c'est dit.

Je savais qu'il mentait. Je m'éclaircis la gorge et me lançai.

— Par exemple, quand je m'ennuie, dans une salle d'attente ou un autre endroit, je choisis une couleur et je cherche le nombre de choses dans la pièce qui sont de cette couleur, ensuite je passe à une autre couleur et ainsi de suite : la couleur qui a le plus d'objets gagne.

Il se retourna pour me regarder droit dans les yeux.

— Mais pourquoi voudriez-vous donc faire ça, bon Dieu ?

— Qui sait ? dis-je en éclatant de rire. Les gens pensent à des trucs bizarres tout le temps, mais ils ne l'admettent jamais. J'ai un autre truc, je passe ma langue sur mes dents et il faut que je compte chaque dent. Pendant les trajets en voiture, quand j'écoute les gens qui me parlent, vous voyez ?

Il me lança un regard étrange.

— Ou j'essaye de trouver des idées pour mon livre.

— Quel livre ? s'étonna-t-il, une lueur d'intérêt dans les yeux.

— Celui que j'ai toujours voulu écrire. Celui que j'écrirai un jour.

Je commençai à être embarrassée et je relevai les jambes, pour me caler les genoux sous le menton.

— Ou peut-être pas, repris-je. C'est juste un rêve idiot.

— Ce n'est pas idiot. Vous devriez le faire. Qu'est-ce que vous écririez ? De la fiction érotique ?

J'éclatai de rire.

— Comme votre amie Irma ? Non... un livre de conseils. Mais je ne sais pas exactement sur quel sujet.

— Vous devriez le faire, m'encouragea-t-il. Vous seriez géniale.

Je souris, les joues toutes roses, appréciant cet encouragement que je n'avais jamais reçu de la part de Barry, et je sus immédiatement que j'allais essayer.

— J'aimerais savoir composer des rimes, dit-il soudain.

— Ah-ha, dites-moi !

— Pas avec des mots simples, avança-t-il timidement. Je n'arrive pas à croire que je vous raconte ça. Même Maria ne le sait pas.

Un point pour moi, songeai-je comme une gamine.

— Pas du genre « bijou caillou », mais des mots compliqués, par exemple... éphémère, qui me fait immédiatement penser à... polymère.

— Mon Dieu, vous êtes trop bizarre, lui lançai-je.

— Hé !

— Je plaisante, c'est cool, le rassurai-je en riant.

— Ce n'est pas cool.

— C'est vrai, vous avez raison, les pensées secrètes, ça n'a rien de cool.

— Comment ça ? se renfrogna-t-il.

Je regardai au loin sur le lac.

— Et que diriez-vous de « Jamais, au grand jamais je n'ai... » ? On y jouait avec mes sœurs, pendant le trajet des vacances.

— Vous avez dû rendre votre père complètement fou.

— En fait, c'était ce genre de trucs qui le maintenait en vie, à mon avis. OK, à vous de commencer. Jamais au grand jamais je n'ai...

— Vous savez, cela ressemble étrangement à l'une des techniques d'Elaine pour tomber amoureux.

— Eh bien, peut-être que je veux que vous tombiez amoureux.

Je sentis ses yeux qui tentaient de me percer à jour.

— De la vie, précisai-je. Je veux vous faire aimer la vie. Alors, allez-y, ordonnai-je en lui donnant un coup de coude.

— OK. Jamais au grand jamais je n'ai... – il réfléchit un moment –... mangé de sucette.

— Quoi ? explosai-je. Expliquez-vous !

Il se mit à rire.

— Nous n'avions jamais le droit de manger des sucettes quand nous étions petits parce que c'était dangereux. Chaque jour on nous en rappelait les dangers : nous nous étoufferions, nous nous casserions les dents, nous perdrions un œil ou en ferions perdre un à quelqu'un. Puis, finalement, on nous a autorisés à en manger, mais il fallait rester assis, de peur de mourir étouffé. Je veux dire, quel enfant voudrait ça ? Alors je n'en ai jamais mangé. Ça m'a dégoûté à jamais. Je ne peux même pas supporter de voir des enfants qui en ont dans les mains.

Je me mis à rire.

— À votre tour, ordonna-t-il.

— Jamais au grand jamais...

Je savais ce que j'avais envie de dire mais je n'étais pas trop sûre d'oser ou pas. J'avalai ma salive.

— Jamais au grand jamais... je n'ai été amoureuse.

— Mais, votre mari ? s'étonna Adam, très surpris.

— Je croyais l'être. Mais je commence à penser que ce n'était pas le cas.

— Pourquoi ?

Nous nous regardâmes et je lui dis en silence dans ma tête, *parce que ça ne ressemblait en rien à ça*, avant de répondre à haute voix :

— Je ne sais pas. Pensez-vous que l'amour non partagé soit un véritable amour ?

— La réponse est dans la question, n'est-ce pas ? dit-il en détachant chaque mot.

— Oui, mais si ce n'est pas réciproque, est-ce que c'est quand même l'amour avec un grand A ?

Il y réfléchit pour de bon et je m'attendais à une réponse développée après une si longue réflexion, mais il dit simplement « oui ». Il pensait à Maria, de toute évidence, même si j'étais sûre que Maria l'aimait tendrement, en dépit de son faux pas avec Sean.

— Christine, pourquoi parlons-nous de ça ?

Je ne le savais vraiment plus, je me souvenais à peine comment nous en étions arrivés à ce sujet. J'avais essayé de le distraire, et au lieu de cela je m'étais perdue dans mes propres pensées.

— Je l'ignore, répondis-je en frissonnant. Rentrons avant d'être complètement gelés.

Puisque nous étions sur le territoire d'Adam, je lui demandai de me faire visiter. Je voulais imaginer ce qu'avait été sa vie d'enfant et ce que serait sa vie s'il retournait à Dublin, je voulais savoir ce qui le perturbait tant ici, au point de devenir une personne différente. Adam prit une voiture dans le garage qui abritait une collection de voitures classiques et de voitures de sport pour nous conduire à l'usine Basil située à vingt minutes d'ici, en me montrant en chemin les endroits associés aux histoires de son enfance.

— J'avais pour projet d'organiser des visites de l'usine. Nous pourrions en tirer de l'argent, m'expliqua-t-il, pensif. Je l'ai suggéré à père, mais il n'était pas très enthousiaste.

— Quelles étaient vos autres idées ? lui demandai-je.

Mary avait dit qu'il avait eu de bonnes idées, ce qui m'intriguait. Il avait donné l'impression de ne pas du tout s'intéresser à l'entreprise, mais cette excursion m'avait ouvert les yeux : il s'y intéressait. Seulement son père l'avait bridé sans cesse.

— Un parc d'attractions.

— Vraiment ? Comme Disney World ?

— Pas aussi élaboré, mais peut-être un zoo, des terrains de jeu, un restaurant, ce genre de choses. Ça s'est fait ailleurs, je le sais, et je pensais que ça pourrait bénéficier à toute la région.

— Qu'a dit votre père ?

Son visage s'assombrit et il ne répondit pas. Il mit son clignotant pour tourner dans l'usine et se garer sur la place de parking de M. Basil – celle d'Adam désormais – mais il y avait déjà une voiture dessus.

— Qu'est-ce que c'est que ça, bon sang ?

— À qui est cette voiture ? voulus-je savoir.

— Je n'en ai pas la moindre idée.

Il se gara ailleurs et nous entrâmes. Adam avait un air soucieux, comme s'il portait le poids du monde sur ses épaules. J'eus le pressentiment que je n'aurais pas droit à ma visite guidée quand je vis ce qui se passait dans le bureau. Une réunion était en cours. Des hommes en costume autour d'une table, aucun signe de Mary, et une étrange femme en tailleur-pantalon qui tenait sa cour. La femme regarda par la vitre, vit Adam et s'excusa en sortant de la pièce. Tous les regards la suivirent, puis les employés se tournèrent les uns vers les autres pour chuchoter discrètement avant qu'elle ne revienne.

— Ah, Adam ! C'est gentil de ta part de te joindre à nous.

— Lavinia, dit-il, choqué, que fais-tu ici ?

Ils ne s'embrassèrent pas. L'atmosphère était glaciale.

— Mon petit doigt m'a dit que notre père est mort. Tu ne le savais pas ?

Il la foudroya du regard.

— Je dirige l'entreprise, Adam, que crois-tu que je fais ? déclara-t-elle avec arrogance.

— Tu vis à Boston. Tu ne peux pas diriger l'entreprise.

— Nous revenons nous installer ici, Maurice a accepté d'affronter la situation. Il coopère avec la *gardaí*, ou du moins, il va le faire. Nous avons d'abord certaines choses à régler.

Elle fit un grand sourire, mais son regard restait froid.

— Tu veux dire que tu l'as convaincu d'endosser toute la responsabilité de l'affaire, l'accusa-t-il.

— C'est une nouvelle conquête, ou Maria a fini par changer de rouge à lèvres ? ironisa-t-elle en me regardant.

Il ignora la question.

— Pour qui tu te prends, Lavinia ?

— Tout le monde sait que papa me voulait à ce poste, alors j'y suis. Je ne fais qu'obéir à ses désirs. Dieu sait que tu ne veux pas de ce poste.

— C'est à moi qu'il le destinait.

— Adam, ne joue pas la comédie. Je suis de retour, je vais prendre les choses en main, donc tu peux repartir faire un tour à Dublin et reprendre ta vie où tu l'as laissée. Tout le monde sait que tu ne veux rien avoir à faire avec l'entreprise.

Il la toisa d'un air glacial.

— C'est là que tu te trompes.

Je sentis le vent changer. À ce moment précis tout se mit en place, et cette fois j'étais dans la course.

Nous passâmes cette nuit-là dans la même chambre, moi dans le grand lit, Adam sur le canapé à mes pieds. Je retenais mon souffle en écoutant sa respiration, forte et régulière. J'écoutais et espérais qu'il continuerait longtemps à respirer, que son cœur continuerait à battre. Je prenais du plaisir à l'entendre respirer, car cela signifiait qu'il était en vie. Cela me détendit tant que moi aussi je finis par respirer plus facilement. J'ignorai qui s'endormit le premier, mais ce bruit à côté de moi me transporta en douceur dans un sommeil béat pour la première fois depuis très longtemps.

21

Comment creuser un tunnel
qui mène à l'autre bout du monde

— Notre frère s'en est allé dans son lieu de repos, dans la paix du Christ. Que le Seigneur l'accueille désormais à la table des enfants de Dieu au Paradis. Accompagnons-le de nos prières en gardant foi et espérance en la vie éternelle.

La congrégation se tenait devant les pierres tombales des Basil à Terryglass – Tir Dha Ghlas en irlandais, qui signifiait la terre des deux rivières – sur la rive nord-est où le Shannon se jetait dans le Lough Derg. Tous les habitants de la région s'étaient déplacés pour l'enterrement de Dick Basil. Non qu'il eût été populaire, tout le monde savait que c'était un personnage antipathique, mais il avait apporté beaucoup à la communauté, aux différentes communautés, au pays. L'usine employait plus de huit cents personnes et il y avait là beaucoup de familles qui s'inquiétaient pour leur emploi et celui de leurs enfants maintenant que M. Basil était décédé. Des centaines de familles vivaient grâce aux salaires versés par l'entreprise Basil. Il avait beau être un homme rude et arrogant, qui ne faisait pas de quartier et tenait l'amitié en piètre estime, il n'en était pas moins un homme loyal, un patriote né et élevé au nord de Tipperary. Même s'il parcourait le monde dans son jet privé, il revenait toujours en ces lieux qu'il aimait et faisait de son mieux pour aider les gens, les villages et les villes du coin. En pleine récession, alors que les coûts industriels, du travail et de l'énergie ne cessaient de croître, il avait tenu bon pour maintenir sa production dans cette région qu'il aimait, face à la tentation de la délocalisation. Désormais, l'avenir de l'usine était en danger. Si Dick Basil avait des motifs personnels pour garder son entreprise ici, les autochtones craignaient que son successeur n'éprouve pas le même sentiment de loyauté vis-à-vis de la région, en particulier si l'un de ses enfants, Lavinia et Adam, qui se tenaient tous deux près de la tombe, l'air froid, et pas seulement à cause du temps glacial, reprenait l'affaire. Deux enfants qui étaient partis de Tipperary à la première occasion : la première régalait régulièrement les pages people des magazines avec ses galas de charité luxueux et ses déjeuners en robe de créateurs, le second ne se montrait jamais en public, trop occupé à sauver des vies avec les gardes-côtes irlandais. Il était altruiste, elle était égoïste. Ils espéraient que ce serait Adam mais savaient que Lavinia était la plus portée sur les affaires, malgré les accusations qui l'impliquaient dans une affaire d'escroquerie. Le bruit courait que ses enfants avaient été inscrits dans un pensionnat des environs, ce qui ne faisait qu'alimenter les rumeurs. Et puis il y avait leur cousin Nigel, dissimulé parmi les costumes noirs à proximité de la tombe, qui depuis qu'il avait repris Bartholomew avait fermé l'usine irlandaise et délocalisé la production en Chine. Tout le monde craignait qu'il ne ferme aussi l'usine de Tipperary s'il entrait dans l'affaire et faisait fusionner les deux entreprises, comme le suggéraient les commérages. Ils gardaient l'œil sur lui. Ils observaient les visages de tous, en quête de signes de ce qui les attendait, jusqu'à ce que la congrégation baisse la tête pour la mise en terre. Le changement allait venir, ils le savaient, et s'y préparaient. C'était imminent, et inévitable.

Ma présence semblait déplacée, près de la tombe entre Lavinia et Adam. Lavinia portait des lunettes de mouche noires et un manteau noir sévère sorti tout droit de l'époque victorienne. Ses cheveux blonds étaient parfaitement colorés et coiffés, son front étrangement dépourvu de rides naturelles, ses lèvres joliment pulpeuses avaient fraîchement reçu leur injection. Son mari semblait beaucoup plus âgé qu'elle. En fait ils avaient le même âge, mais ses problèmes récents et la menace d'emprisonnement qui planait sur lui l'avaient fait vieillir prématurément et il ressemblait à un vieil homme grisonnant au visage pâle. Leurs enfants se tenaient à côté de lui, dix et huit ans, et ils ne manifestaient pas le moindre signe de chagrin pour la mort de leur grand-père qu'ils ne connaissaient pas.

Un peu plus loin, les gens continuaient à prendre des photos, clic, clic. Les paparazzis et les journalistes se battaient pour obtenir le meilleur cliché de l'homme d'affaires déchu rentré en Irlande pour enterrer son beau-père. Les gens comme Lavinia me faisaient peur. Froids, calculateurs, insensibles, invincibles, ils étaient comme des cafards doués pour la survie, prêts à détruire leurs adversaires en chemin, peu importe que ces adversaires soient des proches ou des êtres chers. Rien n'était sincère, ni leurs pensées, ni leur « amour ». Après l'avoir vue en action, je partageais la conviction d'Adam selon laquelle sa sœur était impliquée dans l'affaire d'escroquerie, et pourtant elle avait convaincu son mari d'endosser seul la responsabilité. C'était un geste calculé, qui n'avait rien à voir avec la culpabilité et le repentir, et tout à voir avec l'obligation légale de Lavinia de travailler dix ans dans l'entreprise avant de pouvoir toucher son héritage.

J'avais lu mon texte comme me l'avait demandé Adam. À la fin de la messe Lavinia avait relevé le menton et m'avait regardée avec mépris.

— Jolie lecture. Très touchant, avait-elle déclaré avec une grimace, comme si l'idée même d'être émue par autre chose qu'une citation à comparaître l'amusait.

L'enterrement, toute cette journée, avait été un calvaire pour moi. J'avais été grossièrement ignorée par certains, tandis que d'autres m'avaient présenté leurs condoléances pour une perte dont je n'avais que faire. Des vieilles dames aux figures pincées et compatissantes m'avaient pris les mains et les avaient serrées pour me manifester leur sympathie dans cette épreuve alors que la seule douleur que je ressentais était celle qui me vrillait les doigts et les articulations, après les assauts de leurs poignes de fer.

Quand le cercueil fut mis en terre, je perçus un changement dans le corps d'Adam. Il secoua l'épaule, porta la main à son visage. Je savais qu'il aurait voulu être seul en ce moment précis mais c'était plus fort que moi, je pris sa main libre dans la mienne. Il me regarda d'un air surpris et je me rendis compte que ses yeux étaient complètement secs. Il souriait jusqu'aux oreilles, et essayait de le dissimuler de sa main. Je le dévisageai, choquée, les yeux écarquillés pour le mettre en garde. Les gens le verraient, les caméras étaient braquées sur lui, mais cette simple idée me donna envie de rire aussi. On peut difficilement faire plus incongru que rire alors que le cercueil de votre père est porté en terre et qu'on commence à l'ensevelir, mais cette pensée ne faisait que rendre cette hilarité encore plus difficile à réfréner.

— Qu'est-ce qui s'est passé ? lui demandai-je dès que la foule commença à se disperser, nous laissant libres de traverser de petits groupes pour aller à la voiture. Il n'y avait pas de limousine pour la famille. Lavinia et Adam n'avaient pas l'intention de partager une voiture. Lavinia prit la tête du convoi et repartit dans la première voiture avec Maurice et les enfants, tandis que Pat, silencieux comme à son habitude, nous conduisait Adam et moi dans la voiture de son père – ou plutôt celle d'Adam à présent, quoique Lavinia eût annoncé son intention de la récupérer.

— Je suis désolé, c'est juste une pensée qui m'est venue à l'esprit, dit-il en souriant de nouveau, au bord du rire. Je ne vais pas feindre en public d'être triste, Christine. Mais je suis sincèrement triste que mon père soit décédé. C'est un jour triste, une chose triste, mais je ne vais pas me lamenter en me comportant comme si le monde s'était écroulé. Et je ne vais pas m'excuser pour ça. Croyez-le ou non, vous pouvez tout à fait vous comporter normalement après la mort d'un être aimé.

Je fus surprise par cette démonstration de force.

— Alors dites-moi ce que vous avez trouvé si drôle quand ils ont mis votre père en terre pour l'éternité ?

Il se mordit la lèvre et secoua la tête, il avait le même sourire.

— J'essayais de me souvenir de lui, de me rappeler quelque chose d'émouvant, un moment que nous avions partagé. C'est un événement de voir votre père porté en terre ; j'essayais de ressentir la perte, de l'honorer... j'avais pensé qu'évoquer un souvenir bien choisi conviendrait à cet instant, que ce serait respectueux, expliqua-t-il avant de rire de nouveau. Mais tout ce qui m'est venu à l'esprit, c'est la dernière fois que je lui ai parlé. La dernière fois que je l'ai vu, vous savez, à l'hôpital.

— Bien sûr que je m'en souviens, j'étais là.

— Non. Quand j'ai été relâché par les vigiles, et qu'ils ont fait sortir tout le monde, nous avons parlé. Je voulais qu'il sache que je n'avais pas fait ce dont Nigel m'avait accusé. C'était important pour moi qu'il le sache.

Je hochai la tête.

— Il ne m'a pas cru, continua-t-il en souriant. Et il a dit...

Il éclata franchement de rire et je ne pus faire autrement que l'imiter.

— Il a dit : « Je n'aime pas cette salope. Pas du tout. Vraiment pas. »

Il arrivait à peine à parler tant il riait.

— Et après, je suis parti, se força-t-il à articuler dans un hoquet.

Je cessai de rire. Je ne trouvais plus ça drôle du tout.

— De qui parlait-il ?

Il réussit à s'arrêter de rire une fraction de seconde pour répondre avant d'éclater à nouveau d'un rire hystérique.

— De vous !

Il me fallut un moment pour saisir le comique de la situation, et moins je riais, plus il riait, plus il devenait hystérique et plus son rire devenait contagieux. Pat dut rouler une dizaine de minutes dans l'enceinte de la propriété pour qu'Adam puisse reprendre ses esprits avant de rejoindre les invités, et à ce moment-là ses yeux étaient si rouges d'avoir ri qu'on aurait dit qu'il avait pleuré.

— Je ne comprends vraiment pas pourquoi c'est si drôle, insistai-je en m'essuyant les yeux sur les marches devant la porte.

J'entendis le brouhaha des conversations à l'intérieur. On aurait dit que toute la région du nord de Tipperary était venue, et le chef de cabinet du Taoiseach était présent. Mon père avait raison au sujet des relations de la famille Basil.

Adam s'arrêta en haut des marches et me lança un regard, très particulier, qui me fit des papillons dans le ventre. Il semblait sur le point de dire quelque chose mais soudain la porte s'ouvrit en grand et Maureen nous accueillit d'un air affolé.

— Adam, il y a la *gardaí* dans le salon.

Adam avait dit qu'il l'appelait la « pièce des mauvaises nouvelles » quand il était enfant, et le nom était resté. Décorée de boiseries, elle avait fait office de salon dans la maison d'origine, avant que la demeure ne soit agrandie de tous côtés. C'était la pièce où sa mère avait appris qu'elle avait un cancer, celle où elle était morte. Et tandis que les invités étaient rassemblés dans le hall pour honorer la mémoire de Dick Basil, ce fut là que Maurice Murphy, mari de Lavinia, fut arrêté par la *gardaí*, avant d'être conduit dans une voiture de patrouille et emmené au poste pour interrogatoire. Ce fut le lieu où la famille apprit plus tard qu'il était sous le coup de onze chefs d'accusation pour vol et dix-huit pour escroquerie, pour un montant de quinze millions d'euros. Les cinq millions « empruntés » à M. Basil n'étaient pas pris en compte car il avait refusé de porter plainte. De plus, il était mort et enterré, réduit au silence pour toujours.

22

Huit manières simples de résoudre les conflits d'héritage

— Je ne comprends pas pourquoi il faut qu'elle soit là, objecta Lavinia, droite dans ses bottes, menton pointé, comme si elle portait un corset invisible qui l'empêchait de se tenir normalement.

Je me tortillai sur le canapé en cuir. J'étais complètement d'accord avec Lavinia. Qu'est-ce que je faisais là ? Ça me dépassait. Je trouvais indécent d'être présente au beau milieu d'une affaire familiale aussi privée que la lecture du testament de Dick Basil, mais Adam avait insisté pour que j'y assiste, et j'avais accepté sans trop savoir pourquoi. Craignait-il de ressentir un besoin irrépressible de sauter par la fenêtre, de se faire hara-kiri avec le coupe-papier, ou de causer des dégâts avec le tisonnier du dix-huitième siècle posé devant la cheminée si la lecture lui déplaisait ? Je ne savais toujours pas trop ce qu'il avait exactement envie d'entendre, lui non plus, d'ailleurs. Je m'étais imaginé tout ce temps que le pire pour Adam serait de se retrouver président-directeur général de Basil. C'était la raison pour laquelle j'avais tenté de trouver des moyens de le faire échapper à cette fonction. Mais dès que Lavinia était entrée en scène, il s'était mis en tête qu'il voulait le poste. Il se sentait investi d'une mission : s'assurer qu'elle n'aurait rien à faire avec l'entreprise. Comme si à la minute où elle était apparue, il avait compris que le destin de l'entreprise lui importait. Ce n'était pas seulement par sens du devoir, c'était plus profond. Basil était dans son cœur. L'entreprise faisait partie de lui, au même titre que sa chair, ses os et son sang. Il avait fallu qu'il soit sur le point de la perdre pour s'en rendre compte.

— Je devrais sortir, chuchotai-je à Adam.

— Vous restez là, m'ordonna-t-il, sans se soucier d'être entendu à la ronde.

Toutes les têtes se tournèrent vers nous.

Nous étions tous en train de nous agiter sur nos sièges. Adam et moi sur un canapé en cuir marron, et sur l'autre Lavinia et Maurice, que ses avocats avaient fait libérer sous caution une heure plus tôt. Il semblait au bord de la crise d'apoplexie, les yeux rouges, le visage flétri d'épuisement, la peau sèche couverte de plaques rouges.

Si tout le monde était nerveux, c'était parce que Adam croyait, comme on le lui avait dit, que le poste lui reviendrait. Mais Lavinia, l'aînée des enfants, étant de retour, elle était désormais en tête dans l'ordre de succession. De plus, on ne savait pas ce qu'elle avait pu manigancer pour assurer son avenir tandis que son père était sur son lit de mort. Maintenant, Adam voulait le poste et Lavinia le voulait plus que jamais.

Arthur May, l'avocat, s'éclaircit la voix. Âgé de soixante-dix ans, il avait de longs cheveux gris ondulés, brillants de gel et plaqués derrière ses oreilles, une barbe de mousquetaire, et avait fréquenté la même pension que Dick Basil. C'était l'une des rares personnes à qui ce dernier faisait confiance. Il y eut un temps de silence quand il regarda autour de lui pour s'assurer qu'il avait l'attention de tous, puis il commença à lire les volontés d'une voix claire, tranchante et autoritaire qui signifiait qu'il n'était pas le genre d'homme à se laisser déstabiliser. Quand il arriva à la partie où, selon les désirs de Richard Basil et conformément aux dernières volontés ainsi qu'au testament de feu Bartholomew Basil, Adam Richard Bartholomew Basil prendrait le contrôle de l'entreprise en qualité de président-directeur général, Lavinia bondit du canapé et se mit à hurler. Pas des mots, mais une sorte de hurlement démoniaque, comme si elle venait d'être accusée de sorcellerie et condamnée au bûcher.

— Impossible ! cracha-t-elle, après avoir retrouvé ses esprits. Arthur, comment est-ce possible ? dit-elle avant de pointer un doigt accusateur vers Adam. Tu t'es joué de lui, Adam ! Tu as embobiné un vieillard mourant !

— Non, Lavinia, c'est ce que toi tu as essayé de faire, répliqua froidement Adam.

Il était d'un calme absolu. J'avais peine à le croire. Voilà qu'il était là, complètement en paix avec sa décision et son rôle, alors qu'à peine une semaine plus tôt il menaçait de sauter d'un pont.

— Cette salope a quelque chose à voir dans tout ça ! hurla-t-elle en braquant son ongle manucuré vers moi.

Mon cœur s'emballa de nouveau, à l'idée d'être soudain ainsi le centre de l'attention dans un nouveau drame familial.

— Laisse-la en dehors de ça, Lavinia, ça n'a rien à voir avec elle.

— Tu as toujours obéi au doigt et à l'œil à toutes les femmes avec qui tu as été, Adam. Barbara, Maria, et maintenant celle-là. Eh bien, j'ai vu tes petits arrangements dans la chambre et je devine très bien ce qui se passe ! continua-t-elle en me lançant un regard si noir que je me recroquevillai. Quoi, elle ne veut pas coucher avec toi avant que vous soyez mariés ? Elle veut ton argent, Adam. Notre argent. Et elle ne l'aura pas. Ne croyez pas que vous pouvez m'entourlouper, espèce de petite salope !

— Lavinia !

Adam avait une voix à vous glacer le sang. Il bondit du canapé comme s'il voulait arracher la tête de sa sœur et la dévorer. Lavinia se tut immédiatement.

— Si papa m'a laissé l'entreprise, c'est parce que tu lui as volé cinq millions. Tu te souviens ? asséna-t-il.

— Ne sois pas puéril ! rétorqua-t-elle, mais elle se trahit en détournant les yeux pour le dire. Il

nous les a donnés pour que nous les investis-
sions.

— Oh, c'est *nous*, maintenant ? Dommage que
Maurice doive en endosser la responsabilité seul,
n'est-ce pas, Maurice ?

Si Maurice avait déjà eu l'apparence d'un
homme brisé, il semblait anéanti à présent.

— C'est exact, Lavinia, continua Adam, père
t'a donné cet argent pour que tu l'investisses.
Dans ta villa à Nice, l'extension de ta maison,
dans toutes ces soirées chics que tu as données
pour avoir ton portrait dans les magazines et col-
lecter de l'argent pour des œuvres de bienfai-
sance dont je commence à me demander si
seulement elles existent.

— Ça ne s'est pas passé comme ça, intervint
Maurice avec calme, en secouant la tête et en
regardant par terre comme s'il lisait un texte sur
le tapis. Ça ne s'est pas du tout passé comme ça.

Il avait dû répéter cela en boucle depuis que
la police l'avait emmené pour son interrogatoire.
Il leva les yeux vers l'avocat, et lui demanda d'un
ton inquiet :

— Et les enfants, Arthur ? Sont-ils mention-
nés ?

Arthur se racla la gorge, chaussa ses lunettes,
heureux de revenir au sujet.

— Portia et Finn recevront en héritage deux
cent cinquante mille livres chacun le jour de
leurs dix-huit ans.

Lavinia dressa l'oreille.

— Et moi ? Sa fille ?

Elle avait perdu le premier prix, la tête de l'entreprise, mais qui sait quel était le lot de consolation ? Peut-être pouvait-elle encore sauver les meubles ?

— Il vous a laissé la maison de vacances dans le Kerry, répondit Arthur.

Même Adam eut du mal à cacher sa stupéfaction. L'expression de son visage oscillait entre l'amusement et la culpabilité qu'il ressentait envers sa sœur qui voulait tant et tant qu'elle avait fini par tout perdre et que ses craintes étaient devenues réalité.

— Cette maison est un trou à rats ! hurla-t-elle. Et encore, même un rat n'y passerait pas ses vacances !

Arthur la regarda d'un air blasé, fatigué de tout ce cinéma.

— Et Avalon, notre maison ? continua-t-elle.

— Elle revient à Adam, dit-il.

— C'est une honte, putain ! éructa-t-elle. Le testament de grand-père était parfaitement clair : en cas de décès de papa, l'entreprise me revient.

— Si je peux expliquer..., commença Arthur May en retirant lentement ses lunettes, votre grand-père a stipulé qu'à la mort de votre père l'entreprise devait revenir à l'aîné de ses enfants, toi, Lavinia. Mais une clause, que tu ignorais peut-être, précise que si l'aîné devait être condamné pour délit ou crime, ou déclaré en faillite, l'entreprise passerait au second dans l'ordre de succession.

Elle en resta bouche bée.

— Et, poursuivit Arthur en la regardant longuement de ses yeux bleus très vifs, qui me laissèrent penser qu'il savourait l'instant, je crois que si l'on laisse de côté les récentes accusations de délits et autres actions en justice qui suivront sans doute, tu t'es récemment déclarée en faillite personnelle.

— Mon Dieu, Lavinia ! s'exclama Maurice en bondissant de son siège, soudain revigoré. Tu as dit que ce serait bon ! Que tu avais un plan ! Que ça marcherait ! Je ne vois vraiment rien qui marche, là, et toi ?

À la réaction de Lavinia, tout le monde comprit qu'une telle sortie n'était pas dans les habitudes de son mari.

— OK, chéri, dit-elle d'un ton qui se voulait calme et mesuré pour tenter de l'apaiser. Je comprends. Je suis surprise aussi. Papa m'avait donné sa parole, mais je crois maintenant qu'il a voulu me piéger. Il m'avait dit de revenir en Irlande. Allons discuter de cela ailleurs. Les gens peuvent nous entendre.

— J'ai passé la journée, toute la journée à être harcelé et interrogé sans cesse...

— Oui, oui, chéri, l'interrompit-elle avec nervosité.

— Sais-tu ce qu'ils ont dit sur ce que je risquais ?

— Ils essayent seulement de te faire...

— Dix ans, la coupa-t-il d'une voix tremblante. La condamnation moyenne est de dix ans. DIX ANS ! lui hurla-t-il sous le nez, comme pour lui montrer qu'elle ne prenait pas la mesure de ce qu'il disait.

— Je sais, chéri.

— Pour un délit que je n'étais pas seul à...

— Oui, chéri, oui, répéta-t-elle très vite en souriant nerveusement, tout en essayant de le prendre par le bras pour l'entraîner hors de la pièce. De toute évidence, papa a essayé de se payer une bonne tranche de rigolade une dernière fois, ajouta-t-elle d'une voix tremblotante. Mais c'est bon. J'ai aussi le sens de l'humour, et rira bien qui rira le dernier ! Je contesterai ce testament, déclara-t-elle pour se donner une contenance.

— Tu n'as rien sur quoi t'appuyer, répliqua Adam. Laisse tomber, Lavinia.

Je reconnaissais à peine l'homme que j'avais vu trembler sur le pont, celui qui avait été réduit au silence par son père, qui s'était recroquevillé dans sa coquille dès que nous avions franchi les portes de sa maison. Ni Lavinia, à l'évidence, qui le regardait comme s'il était possédé. Mais cela ne l'empêcha pas de lancer une dernière pique assassine :

— Tu ne comprends rien à rien aux affaires. Tu pilotes des hélicoptères, bon Dieu ! Tu es totalement inadapté et incapable d'assumer la pression de gérer une entreprise. Tu vas ruiner cette boîte, Adam !

Elle tenta de lui faire baisser les yeux, sans succès. Elle finit par quitter la pièce en trombe, Maurice sur ses talons, apathique, qui la suivit comme son ombre en glissant sur la moquette.

— Je suis désolé, Arthur, s'excusa Adam.

— Pas de souci, mon garçon, le rassura Arthur en se levant pour ranger ses documents dans sa serviette. Je me suis fort diverti, avoua-t-il avec un clin d'œil malicieux.

Le téléphone d'Adam sonna. Son visage s'assombrit quand il vit le nom qui s'affichait sur l'écran. Il s'excusa et s'éloigna dans un coin de la pièce pour prendre l'appel.

Arthur se pencha vers moi et me déclara posément :

— Je ne sais pas ce que vous lui avez fait, mais continuez comme ça. Lavinia ne s'est pas fait rembarrer ainsi depuis très longtemps, et je ne me rappelle pas avoir jamais vu ce jeune homme aussi sûr de lui. Ça lui va plutôt bien.

Je souris, fière d'Adam et de ses progrès, en deux semaines à peine. Cependant il avait encore du chemin à parcourir – et je ne pensais pas seulement à l'entreprise et à la pression qui irait avec. Les problèmes d'Adam n'étaient pas de ceux qui disparaissaient après une bonne nuit de sommeil, ni même en deux semaines. Je ne pouvais qu'espérer qu'il était mieux armé à présent, capable de s'en sortir tout seul. Dans le cas contraire, j'aurais tout raté.

— Arthur, on dirait que vous allez être occupé un bon moment, lui dit Adam après son appel. C'était Nigel. Il semble que Lavinia ait déjà passé un marché avec lui pour convenir de la fusion de Bartholomew et Basil, et vendre le tout à Mister Moo.

— Le fabricant de glaces ? s'étonna Arthur.

— Ils avaient finalisé le contrat et tout était prêt pour une annonce officielle, dès que Lavinia aurait été aux commandes, répondit Adam en hochant la tête.

Arthur réfléchit, puis éclata de rire.

— Ton père les a vraiment fait marcher ! Et il y a pris aussi un grand plaisir, dit-il avant de retrouver son sérieux. De toute façon, elle a agi sans le moindre pouvoir. Lavinia n'a aucun rôle chez Basil, ça ne tiendra pas une seconde... à moins, bien sûr, que tu ne le souhaites ?

Adam fit un signe de dénégation.

— Nigel va être très en colère, se réjouit Arthur.

— J'ai l'habitude des Basil énervés.

— Ça te sera sans doute égal de l'apprendre, Adam, mais ton père serait fier de toi. Il ne te l'aurait jamais dit, bien sûr, il aurait préféré mourir d'abord. Ce qu'il a fait, d'ailleurs. Mais crois-moi, mon garçon, il serait fier de toi. Il m'a dit que tu ne voulais pas de l'entreprise, mais – il leva la main pour empêcher Adam de s'expliquer – il faut que tu saches que nous avons travaillé dur ces derniers mois, pour rédiger son testament. C'était toi qu'il voulait aux commandes, et personne d'autre.

Adam fit un simple signe de tête pour exprimer sa gratitude.

— Il va vous manquer, Arthur. Depuis combien de temps étiez-vous amis ?

— Soixante-cinq ans, répondit-il tristement, avant de glousser comme un gamin. Ah, mais je ne vais pas me voiler la face ! Je serai le seul à qui ce vieux salopard manquera !

Je regardai Adam, les mains dans les poches de son costume élégant, devant la cheminée monumentale de la demeure, au-dessus de laquelle était accroché un portrait de son grand-père, à qui il ressemblait d'une manière frappante. Il était adorable. Je croisai son regard et mon cœur commença à battre la chamade. Mon estomac se retourna. Je ne pouvais le quitter des yeux et j'espérais qu'il ne pouvait pas lire dans mes pensées.

— Vous m'avez demandé ce que je faisais ici, tout seul, quand j'étais petit, me dit-il soudain.

Je hochai la tête, heureuse qu'il ait parlé le premier, car j'aurais sans doute dit n'importe quoi.

— Il est midi, dit-il en regardant sa montre. Nous avons encore quatre heures avant la nuit et le retour à Dublin. Ça vous va ?

Je hochai de nouveau la tête. Plus je l'avais pour moi toute seule, mieux c'était.

En quatre heures j'eus un aperçu de ce qu'avait été sa vie à Avalon Manor. Nous fîmes du bateau sur le lac presque gelé, mangeâmes un pique-nique préparé par Maureen : des sandwiches au concombre et du jus d'orange fraîchement pressé, parce que c'était ce qu'il réclamait tout le temps. Puis nous empruntâmes une voiturette de golf et il me montra la propriété d'environ mille hectares. Nous nous essayâmes au tir aux pigeons d'argile, au tir à l'arc, il m'emmena là où il allait pêcher... Mais le plus clair de notre temps, nous le passâmes assis dans le hangar à bateaux, enveloppés dans des couvertures, à boire du whisky chaud dans des thermos, en contemplant le coucher de soleil sur le lac.

Il poussa un gros soupir qui trahissait sa fatigue.

— Vais-je être capable de faire ça ?

Je passai en revue dans ma tête une série de mots et phrases de mes livres d'épanouissement personnel, mais je m'arrêtai et me décidai pour un simple « oui ».

— Tout est possible avec vous, n'est-ce pas ?

— La plupart des choses le sont. Mais pas toutes, ajoutai-je pour moi-même.

— Par exemple ?

Par exemple toi et moi, criai-je dans ma tête.

23

Comment se préparer
à faire ses adieux

La lumière commença à décliner en fin d'après-midi et après quelques heures magiques, où j'avais eu l'impression que nous étions tous deux seuls au monde, le retour sur terre fut brutal. Il était temps de rentrer à Dublin. Pat nous conduisit, et nous voyageâmes dans un agréable silence. Il y eut quelques tentatives de conversation, mais à chaque fois que nous replongions dans le silence ma gorge se serrait. Plus nous approchions de Dublin, plus son anniversaire se rapprochait, et le moment de se dire au revoir viendrait bientôt. Deux semaines intenses s'étaient écoulées avant même que nous nous en soyons rendu compte. Les deux semaines les plus intenses de ma vie, en fait, terminées, en un clin d'œil. Bien sûr, nous pourrions nous revoir, mais cela ne serait jamais la même chose, ce ne serait jamais aussi intime, aussi fort. Pourtant, j'aurais dû être contente, me réjouir, même : quand je l'avais rencontré il voulait mettre fin à ses jours, et maintenant il semblait être en voie de guérison. Il représentait vraiment quelque chose pour moi et la dernière chose que je lui souhaitais c'était d'avoir besoin de moi comme au tout début de notre relation.

Pat quitta la nationale et prit la direction du centre-ville.

— Où allons-nous ? lui demandai-je en me redressant sur mon siège.

— J'ai réservé une chambre à l'hôtel Morrison, expliqua Adam. C'est le plus proche de l'Hôtel de Ville. Je pensais que ce serait plus simple.

Je sentis un poids sur ma poitrine, et une légère panique m'envahit. Nous allions nous séparer... partir chacun de notre côté. Respirer profondément, inspirer, expirer. Peut-être était-ce moi qui souffrais d'un syndrome d'abandon, pas lui.

— Mais notre marché n'est pas encore terminé. Il nous reste un jour. Adam, si vous croyez vous débarrasser de moi avant la fin, vous vous trompez. Ce soir, je dors sur votre canapé.

— Je vais bien, dit-il en souriant.

Il en avait l'air.

— Eh bien, peut-être maintenant, en ce moment, mais nous savons tous les deux à quel point cela peut vite changer. Et puis, vous avez tant de travail à faire sur vous-même ! Ce n'est que le début, vous savez. Il faut vraiment que vous acceptiez de voir un psy.

— Je suis d'accord, dit-il simplement, l'air amusé.

— Ce n'est pas drôle, Adam. Ce n'est pas parce que Maria vient à cette soirée que tout est réglé. J'insiste pour rester avec vous jusqu'à la fin de notre marché.

— Je nous ai pris des chambres communicantes, dit-il sans cesser de sourire. Et merci du rappel.

Je m'arrêtai un moment, gênée.

— Oh, je n'essayais pas de vous affoler, j'essayais juste, euh... de vous préparer à toutes les éventualités.

De nouveau je fus frappée de réaliser que c'était moi qui avais besoin de ménagements.

Quand nous arrivâmes à l'hôtel Morrison, nous fûmes directement conduits dans l'ascenseur, jusqu'au dernier étage, où Adam avait réservé une suite de deux chambres avec un toit terrasse.

— La vue que vous avez demandée, monsieur, annonça fièrement le concierge.

Les baies vitrées s'étendaient du sol au plafond. Je regardai au dehors. Notre chambre dominait la Liffey, et le Ha'penny Bridge se déployait juste sous nos fenêtres, brillant de mille feux, éclairé en cette soirée sombre de lumières vertes, en plus de ses trois lampadaires décoratifs qui se reflétaient sur l'eau. Je regardai Adam, des signaux d'alarme se déclenchaient dans ma tête, mais je tentai de n'en rien laisser paraître.

— Contente ? me demanda Adam.

— Nos chambres ne communiquent pas, fis-je observer avec impertinence.

— Non ! s'exclama-t-il en riant. On dirait qu'elles sont séparées par une salle à manger, une cuisine et un salon. Je pensais que ça vous plairait, ajouta-t-il en me lançant un regard amusé.

C'était la chambre d'hôtel la plus luxueuse que j'aie jamais vue. D'ailleurs, de toute ma vie je n'en avais fréquenté que deux réellement luxueuses, les deux fois grâce à Adam.

— C'est stupéfiant, dis-je. *La vue exceptée*, ajoutai-je dans ma tête.

Nous étions arrivés tard à l'hôtel, et nous voulions seulement commander quelque chose à grignoter au room service et regarder la télévision sur l'écran plasma géant, installés sur l'énorme canapé. C'était plus agréable d'être simplement assis avec Adam, sans rien faire de spécial, que cela ne l'avait jamais été avec Barry. Nous étions détendus tous les deux. La cerise sur le gâteau, c'était que j'avais très, très, très envie de coucher avec Adam. Je n'avais jamais éprouvé beaucoup de désir pour Barry. Les premiers temps, j'avais trouvé son manque d'assurance touchant, mais au bout d'un moment cela avait commencé à me frustrer. Je voulais des mains viriles et décidées sur mon corps, et j'étais irritée d'être aussi insatisfaite après l'amour, alors qu'il haletait à mes côtés et que je n'avais encore rien ressenti. Bien entendu, au début les choses avaient été différentes, mais trop vite nous nous étions englués dans la routine. Nous n'étions même pas mariés depuis un an. Je ne pouvais pas imaginer vivre ainsi pendant trente ans.

Alors qu'Adam... avec Adam, je me sentais vivante. Il me grisait, à m'en tourner la tête. Le canapé avait beau être immense, nous étions assis tout près l'un de l'autre, au milieu. J'étais comme une collégienne qui craque sur un garçon, pétrifiée et étourdie. *Il était tout près de moi !* Quand nos coudes se frôlèrent, je m'embrasai. Je n'arrivais pas à fixer mon attention sur le film. J'étais trop heureuse, trop insouciante, trop à fleur de peau pour me concentrer. J'étais aussi trop consciente de sa proximité, de ses pieds nus sur le repose-pieds que nous partagions, de son corps musclé sous son pantalon de jogging et son tee-shirt, penché vers moi, détendu et oh... tellement sexy en même temps !

J'avais peur de quitter l'écran des yeux et de le regarder, au cas où mon visage me trahirait et qu'il se rende compte que la femme en qui il avait confiance pour le sortir du gouffre rêvait secrètement de lui baisser son pantalon et de faire l'amour là, tout de suite, sur le canapé. Je le reluquai du coin de l'œil : il regardait la télévision, complètement absorbé, engouffrant mécaniquement le pop-corn qu'il prenait dans le bol posé sur ses genoux. Je jetai un autre coup d'œil rapide, vis le pop-corn aspiré par ses lèvres pulpeuses. J'avalai ma salive et très vite une gorgée de mon verre.

— Je vais prendre une douche, déclara-t-il soudain en reposant le bol sur le repose-pieds.

Puis il quitta la pièce. L'énorme canapé sembla encore plus gigantesque maintenant qu'il n'y avait plus que moi dessus, et je me sentis stupide. Je me pris la tête dans les mains, la cognai contre mes genoux relevés en essayant de me rappeler que l'homme sur qui je faisais une fixation avait juré de se suicider si je ne l'aidais pas à reconquérir sa petite amie pour son anniversaire. Sa *petite amie*. Son anniversaire, demain. Avoir des relations sexuelles avec moi, c'était la dernière chose à laquelle il pensait.

Il fallait que je me reprenne. J'avais sérieusement perdu le contrôle de la situation. Je reposai la flûte de champagne, soudain gênée, comme si j'étais la dernière fille qui restait à la fête et qu'il m'avait fallu une éternité pour m'en rendre compte. Je me redressai, les joues en feu d'avoir entretenu de telles pensées, et embarrassée de m'être montrée aussi égoïste, sans oublier le danger d'un tel acte étant donné l'état dans lequel était Adam en ce moment.

Je me dirigeai vers sa chambre sur la pointe des pieds et collai mon oreille contre la porte. Je m'attendais aux sanglots habituels, mais je n'entendis que le bruit de l'eau qui coulait de façon irrégulière sur son corps, et éclaboussait dans tous les sens. Pas de pleurs. Je souris. Il était prêt. Il ne fallait pas que Maria gâche tout. Je traversai à pas de loup la moquette moelleuse jusqu'à ma chambre, me déshabillai et composai le numéro d'Amélia. J'avais été tellement débordée par les événements de ma propre vie ces derniers jours que je n'avais même pas songé à l'appeler pour prendre de ses nouvelles. Le téléphone sonna, sonna, et finalement une Amélia essoufflée décrocha.

— Qu'est-ce que tu faisais, un marathon ? lui demandai-je sur le ton de la blague.

— Non, désolée, j'étais, euh... euh..., elle gloussa. Désolée. Tu vas bien ? Je veux dire, comment vas-tu ?

Je fronçai les sourcils et écoutai attentivement les bruits de fond.

— Allô ? demanda-t-elle de nouveau.

J'entendis des murmures.

— Avec qui es-tu ?

— Moi ?

— Oui, toi, insistai-je en souriant.

— Euh... Bobby. Tu sais, quoi. Il m'aide avec la, euh... les recherches.

J'entendis un reniflement en arrière-plan.

— Tu es à Kenmare ?

— Non. Nous avons laissé tomber l'idée pour le moment, nous avons été pris par autre chose ici, tu vois, expliqua-t-elle en gloussant de nouveau. Christine, tu sais très bien que je ne peux pas parler pour le moment !

— Oui, dis-je en riant, je comprends bien. Je voulais m'assurer que tu allais bien, c'est tout.

La voix d'Amélia s'éclaircit.

— Tu sais, le plus bizarre, c'est que ça va. Ça va vraiment bien.

— Bon !

— Et toi ? Je sais que demain c'est... l'anniversaire. Comment va Adam ? Et le reste ?

— Bien, tout va bien, lui répondis-je, tout en entendant le tremblement de ma voix. Je te rappellerai demain, je te laisse à ce que tu étais en train de faire.

Je raccrochai et me repris la tête entre les mains. Quand je la relevai, je vis Adam à la porte, que je laissai toujours ouverte pour le surveiller durant la nuit. Il était tout mouillé, sa serviette enroulée très bas sur ses hanches. De l'eau dégoulinait de son nez et de son menton, comme s'il s'était littéralement rué hors de la douche sans prendre la peine de s'essuyer. Il s'essuya d'ailleurs machinalement, repoussa ses cheveux en arrière et les aplatit des deux mains. Ce geste révéla encore plus sa musculature. Je le dévorai des yeux sans vergogne, comme si cette arrivée intempestive devant ma porte, à demi nu, me donnait tous les droits.

J'essayai de trouver ce que je pourrais bien dire. *Vous allez bien ?* Ou *Puis-je faire quelque chose pour vous ?* Non, ça faisait trop « vendeuse zélée ». Je choisis de me taire et restai plantée là en sous-vêtements, à le regarder pendant qu'il me regardait. Puis soudainement, très soudainement, pour la première fois en deux semaines il franchit le seuil de son monde jusqu'au mien, et voilà qu'il était dans ma chambre et s'approchait de moi, que mon visage était dans ses mains, qu'il se penchait pour me regarder et que l'eau dans ses cheveux dégoulinait sur ma peau, que ses lèvres étaient sur les miennes et qu'il les gardait contre les siennes, dans un baiser long et passionné, les effleurant avec douceur pendant une éternité. J'avais peur qu'il ne se dégage, qu'il ne décide que tout ça n'était qu'une vaste erreur, mais à la place il entrouvrit mes lèvres avec sa lèvre inférieure et glissa sa langue dans ma bouche. Finalement persuadée qu'il n'allait pas s'en aller, je posai mes mains sur lui et me rapprochai. Je me sentais étourdie, et tout se bousculait en moi, comme si un messager affolé essayait de me délivrer un message. Je fondais et me sentais tellement vivante en même temps. C'était un drôle d'état. Je l'attirai vers le lit, et quand nous nous allongeâmes il mit un terme à notre baiser et ouvrit les yeux. Il me sourit, je lui rendis son sourire et nous continuâmes.

Nous fîmes l'amour deux fois.

Tandis qu'Adam dormait à mes côtés, m'entourant de ses bras, ma tête sur sa poitrine se soulevant au rythme de sa respiration, je me sentais heureuse et ensommeillée. Quelque chose dans les battements de son cœur, sa respiration, le fait qu'il vive, m'avait apaisée la plupart des nuits où nous avions partagé la même chambre. C'était un truc que mon manuel pour se détendre et trouver le sommeil avait omis de mentionner. Tomber amoureuse d'un bel homme et écouter les battements de son cœur. Il m'aidait à me détendre. Je m'assoupis.

Quand je fermai les yeux, je me retrouvai dans le lotissement avec l'agent Maguire, mais cette fois le lotissement ressemblait à une version délabrée d'Avalon Manor, à Tipperary. Un ruban jaune de police entourait le bâtiment et Simon était sur le toit. L'agent Maguire allait me chercher une échelle, mais je protestais que je ne pouvais pas monter parce que j'étais en robe et qu'il y avait du vent. Cependant, je finissais par grimper à l'échelle, avec ma robe qui me remontait jusqu'à la taille et tout le monde en bas qui riait. J'avais oublié de mettre une culotte parce que je venais de coucher avec Adam, ce que j'expliquai à l'assistance. Maria était là et tous tombèrent d'accord pour que je sois arrêtée pour comportement déplacé, même Léo Arnold, qui était à côté de Maria. L'agent Maguire les assura tous qu'il m'arrêterait, mais d'abord je devais sauver Simon. Il commença à me héler sur l'échelle, pour négocier : si je sauvais Simon, il ne m'arrêterait pas. Mais il ricanait et me raillait en disant cela. Je finis par accepter et nous fîmes un pacte. Je grimpai à l'échelle, sans jamais arriver au bout, avec tous les gens qui se moquaient de moi car ma robe continuait à voleter et à m'exposer à tous les regards. Soudain l'échelle commença à s'écarter de la maison. Je levai les yeux et vis Simon au bord du toit, qui pleurait et me regardait avec la même expression que ce fameux soir. Je lisais le reproche sur son visage, et compris que si je n'arrivais pas jusqu'à lui il mourrait. Maguire, Maria et Léo étaient écroulés de rire. L'échelle était floue, oscillait, se dirigeait vers Simon puis s'en écartait et je ne pouvais rien faire pour l'en empêcher. Puis Adam apparut, déçu de moi et de mon échec évident, comme s'il regrettait de m'avoir rencontrée. Il le disait à tout le monde, et ce fut la dernière chose que j'entendis avant que l'échelle ne bascule complètement et que je ne commence à plonger vers le sol.

Je me réveillai en sursaut. Je regardai la pendule et constatai que je ne m'étais endormie que vingt minutes.

— Ça va ? marmonna Adam.

— Hmmm.

Il resserra ses bras autour de moi, sa poitrine
se leva et s'abaissa et je m'assoupis. J'étais de
nouveau dans le lotissement, le vrai cette fois,
mais il était entièrement meublé, et des gens y
vivaient. Chaque appartement grouillait de vie,
comme tous les jours. Simon était devant moi,
une banane dans la main, qu'il avait prise dans
la coupe de fruits sur le comptoir de la cuisine.
Il me disait que c'était un pistolet.

Je commençai à parler, mais mon débit était
trop rapide et mes paroles n'avaient aucun sens.
Cependant il semblait comprendre. À la fin de
mon discours incohérent, il reposa le revolver
sur le comptoir. Je soupirai de soulagement.
J'essayai de repérer l'agent Maguire, mais il n'y
avait personne, alors j'attendis que la *gardaí*
prenne le relais. J'avais fait mon boulot, c'était
terminé, je l'avais convaincu ! Mais personne ne
venait. Où étaient-ils donc tous passés ? J'étais
fort soulagée, quoique anxieuse, mon cœur battait la chamade. Il avait l'air perdu, épuisé après
ce qu'il venait de vivre. Il fallait que je dise
quelque chose, je le savais, pour meubler le
silence.

— Vous pouvez rentrer chez vous, maintenant,
Simon, et retrouver vos filles.

Je me rendis compte que je n'aurais pas dû
dire ça dès que je l'eus prononcé. Il avait passé
son temps à me dire que cet appartement était
sa maison, qu'on avait essayé de l'en faire partir,
et tout ce qu'il voulait c'était y retourner avec sa

famille, dans ce domicile pour lequel il avait économisé, qu'il avait acheté avec sa femme, où il voulait vivre avec ses filles, le premier appartement où ils vivraient en famille. La pièce sembla soudain vidée, devint grise et inhabitée, et je réalisai que nous nous trouvions dans l'appartement abandonné. J'avais dit ce qu'il ne fallait pas. Il me regarda, et je sus sur-le-champ que j'avais commis une erreur.

Il reprit la banane, qui était devenue un revolver.

— C'est ici, ma maison.

Il appuya sur la gâchette.

Lorsque je me réveillai, ses dernières paroles me résonnaient aux oreilles. J'avais des palpitations. Adam n'était plus contre moi mais à côté, et le réveil indiquait quatre heures du matin. Je m'assis, en sueur après ce rêve, la panique et la peur se mêlant en moi au souvenir de ce qui s'était passé. Je pris le bloc-notes à côté du lit et inscrivis : « Je dois y aller, je t'expliquerai, à plus tard. »

Je me demandais s'il fallait ajouter « bisous », mais je décidai que non. Je ne voulais pas avoir l'air d'être trop accro ou présomptueuse. Mais j'avais déjà perdu assez de temps comme cela, et je n'avais plus matière à tergiverser. J'espérais être de retour avant qu'il ne se réveille. Je me levai, m'habillai en vitesse, et je me retrouvai à la réception en train d'attendre un taxi. Vingt minutes plus tard, j'étais à l'hôpital.

Je me précipitai dans le service, et à ma tête les vigiles surent qu'il fallait me laisser passer. Heureusement, Angela était de service.

— Christine, qu'est-ce qui ne va pas ?

— C'est ma faute, dis-je, sentant les larmes qui me montaient aux yeux.

— Ce n'est pas votre faute, je vous l'ai déjà dit.

— Il faut que je lui dise, je m'en souviens maintenant. Il faut que je lui fasse mes excuses, dis-je en essayant de passer devant Angela, mais elle me retint.

— Vous n'irez nulle part tant que vous ne serez pas calmée, vous m'entendez ? m'ordonna-t-elle d'un ton ferme.

Une infirmière sortit du poste de garde pour voir si tout allait bien, et peu désireuse de faire une scène je m'obligeai immédiatement à me calmer.

J'étais assise au chevet de Simon, fébrile. On lui avait retiré son assistance respiratoire pendant que j'étais à Tipperary, mais il était toujours en réanimation. Il respirait seul mais n'avait toujours pas rouvert les yeux ou repris pleinement conscience. Mes mains tremblaient alors que les paroles que j'avais prononcées la nuit de son suicide, que j'avais oubliées, reléguées dans un coin de ma mémoire revenaient me hanter, me harceler, m'accuser en me pointant du doigt.

— Simon, je suis ici pour m'excuser. Je me suis souvenue de ce que j'avais dit. Vous vous en êtes sans doute rappelé tout le temps et vous vouliez me le hurler à la figure, mais aujourd'hui, je le sais, dis-je en reniflant. Vous aviez reposé le revolver. Vous m'aviez laissée appeler la police. Vous aviez l'air différent, soulagé, et je partageai votre soulagement, j'étais si heureuse de vous avoir empêché de vous tirer dessus, mais je ne savais que faire. Cela n'a sans doute duré que cinq secondes, mais cela m'a semblé une éternité ! J'avais peur que vous ne repreniez le revolver.

Je serrai les paupières très fort, les larmes roulèrent sur mes joues, et je me revis dans la pièce un mois plus tôt.

— Bravo, Simon, vous avais-je répété, la police arrive. Elle va vous reconduire chez vous, auprès de votre femme et de vos filles. Et soudain, votre expression a changé. C'était à cause de ce que j'avais dit, n'est-ce pas ? *Chez vous*. J'avais dit *chez vous*, mais vous aviez passé tout votre temps à m'expliquer que chez vous, c'était ici, cet endroit qu'on vous avait obligé à quitter. Je vous avais écouté Simon, je comprenais tout à fait, j'ai... dérapé, à la fin. J'ai commis une erreur, et j'en suis désolée.

Je voulais prendre sa main, mais le moindre contact me semblait une intrusion. Je n'étais pas une amie, je n'étais pas de la famille, j'étais la femme qui avait échoué à le protéger de lui-même.

— Ce serait mal et égoïste de ma part de suggérer qu'il y avait une raison à votre acte, mais quand je vous ai perdu j'ai été tellement angoissée de refaire la même erreur que je suis allée bien plus loin, vraiment bien plus loin dans mes efforts pour sauver la vie d'un autre homme. Et si je n'avais pas échoué avec vous, alors je n'aurais peut-être pas réussi avec lui. Je voulais que vous le sachiez.

Je pensai à Adam, à la nuit que nous avions passée ensemble et un sourire fugace se dessina sur mes lèvres.

Je restai longuement assise à son chevet, en silence. Soudain un bip strident se déclencha sur une machine à côté du lit. Je restai d'abord pétrifiée, puis me levai d'un bond. Au même moment Angela se précipita dans la chambre et s'affaira autour de Simon.

— Je ne faisais que lui parler, me justifiai-je, paniquée. Qu'est-ce que j'ai fait de mal ?

— Vous n'avez rien fait, répondit-elle rapidement.

Elle ressortit de la chambre, donna une quantité d'ordres à une autre infirmière de service, puis se tourna vers moi.

— Vous n'avez rien fait, arrêtez de vous en vouloir. Je suis contente que vous ayez été là avec lui. Maintenant, allez-vous-en.

La chambre se mit à grouiller d'activité et je m'en allai.

La mort de Simon Conway fut prononcée cette nuit-là.

24

Comment se laisser aller
au désespoir en toute simplicité

Je revins à la suite de l'hôtel Morrison à cinq heures et demie du matin, épuisée. Je voulais retourner au lit me blottir près du corps chaud et solide d'Adam, me sentir en sécurité et qu'il me donne amour, joie et bonté. C'était ce que j'avais prévu, mais quand j'arrivai dans la suite il était déjà levé.

À sa vue je souris et mon cœur fit de petits bonds légers, car le simple fait de le voir était un remède suffisant, mais, quand je vis la tête qu'il faisait, mon sourire disparut aussitôt. Des sonneries d'alarme retentirent dans mon esprit. Je savais reconnaître le regret : c'était ce que je voyais chaque jour dans le miroir depuis que j'avais épousé Barry. Je me préparai, me blindai et me construisis un solide mur de protection. Les défenses de la reine de glace étaient prêtes.

— Tu as pleuré, dit-il.

Je regardai mon reflet dans le miroir de l'entrée : je ne ressemblais à rien. Les vêtements que j'avais enfilés n'allaient pas du tout ensemble, je ne m'étais pas coiffée, ni maquillée, j'avais le nez rouge, le visage gonflé. Pas exactement l'idéal pour le faire craquer. Je m'apprêtais à lui parler de Simon quand ça commença.

Tout commença par un regard. Je compris, avant même qu'il ne dise un mot, et me sentis immédiatement minable d'avoir profité d'un homme malade. Je voulais que cet instant soit déjà passé pour pouvoir récupérer mon sac et prendre le chemin de l'expiation qui me ramènerait à Clontarf. N'avais-je tiré aucune leçon de l'expérience Simon Conway ? Qu'avais-je fait à Adam ? Il avait une sale tête. Avais-je ruiné tout le travail qu'il avait fait sur lui-même, l'avais-je perturbé et dégoûté de lui-même, désorienté au point de l'envoyer de nouveau tout droit sur le pont en dessous de nos fenêtres ? Comment pourrais-je le quitter maintenant ? Dans cet état ? Même s'il me demandait de partir ?

— Ce n'est pas... nous n'aurions pas dû... Je n'aurais pas dû..., bafouilla-t-il. J'en prends toute la responsabilité. Je suis désolé, Christine. Je n'aurais pas dû... te faire des avances la nuit dernière.

— Non, c'est moi qui aurais dû résister, bredouillai-je d'un ton rauque, qui venait de loin. Tu as Maria, la grande soirée, le grand jour et toutes ces nouvelles passionnantes à révéler sur ton travail, alors pas de souci ! Oublions ce qui s'est passé. Et, s'il te plaît...

Je posai une main sur ma poitrine et ma voix se brisa.

— ... Pardonne-moi. Je m'excuse du fond du cœur d'avoir été trop...

Novice ? En manque d'affection ? Égoïste au point de chercher à satisfaire mes besoins alors que j'aurais dû penser à lui ? Par où commencer ?

Il avait l'air triste.

— Je me suis trompée, dis-je en essayant de rester digne, mais comment faire, je me sentais tellement nulle ! Désolée, murmurai-je en me précipitant dans la chambre, je ne voulais pas te laisser au cas où...

— Je vais bien, objecta-t-il.

Il était épuisé, mais je le croyais. Que je sois là ne changerait rien à rien désormais. Il faudrait que je prenne le risque de le laisser tout seul.

— Je te verrai, tout à l'heure ? demanda-t-il. À la soirée ?

— Tu veux que je vienne quand même ? m'étonnai-je.

— Bien sûr !

— Adam, tu n'as pas à...

— Je veux que tu sois là, décréta-t-il avec fermeté.

Je hochai la tête, espérant que Maria serait là pour que ma présence ne soit pas nécessaire.

Je réussis à tenir jusqu'à mon appartement, où j'éclatai en sanglots.

Je me réfugiai dans mon lit, ignorant le téléphone, la porte et le monde entier et remontant le duvet sur ma tête, en souhaitant pouvoir revenir en arrière. Mais le problème était que je n'étais pas sûre d'en avoir envie, car la nuit dernière avait été si délicieuse et si incroyable, je n'avais jamais vécu une telle expérience, c'était bien plus que de simples rapports sexuels satisfaisants. Adam avait été tendre et attentionné. J'avais senti une affinité entre nous, il était sûr de lui comme s'il savait ce qu'il fallait faire. Ni hésitation, ni baisers ou caresses hasardeuses. Et si j'avais pu avoir le moindre doute, un regard, un baiser suffit à me faire comprendre que c'était la chose la plus naturelle du monde. Rien à voir avec mes aventures d'un soir, c'était tendre, nous avions fait l'amour comme si ce que nous avions vécu avait donné un sens à cette nuit et que des promesses muettes avaient été faites pour le futur. Ou peut-être Adam était-il doué au lit, point. Et que j'étais une cruche absolue.

Je n'avais pas répondu au téléphone ou à la porte, mais ça ne voulait pas dire que personne n'avait pris la peine de m'appeler. Je le savais parce que j'avais vérifié. J'avais gardé mon téléphone dans mon duvet, car même si j'avais décidé de ne pas répondre, il fallait que je puisse savoir qui j'ignorais. Personne. Mais nous étions un samedi matin : la plupart des gens étaient au lit ou en famille, et ne perdaient pas leur temps à envoyer des textos. Pas même Adam. C'était la première fois en deux semaines que je n'étais pas avec lui et il me manquait terriblement. J'avais l'impression de ressentir comme un grand vide dans ma vie.

La sonnette de la porte d'entrée retentit.

Mon cœur bondit à la pensée d'Adam devant ma porte, prêt à m'offrir son cœur sur un plateau, ou mieux : sur une feuille de nénuphar. Mais au plus profond de moi, je savais que ce n'était pas lui.

La sonnette retentit de nouveau et, à y repenser, c'était plutôt inhabituel. Personne ne savait que je vivais là, sauf ma famille et mes amis intimes. La plupart de mes amis étaient accaparés par leurs nouvelles et toutes jeunes familles, ou au lit avec la gueule de bois. À moins que ça ne soit Amélia. Je savais qu'elle avait perçu ma tristesse au téléphone hier soir et je n'aurais pas été surprise qu'elle soit devant la porte deux cafés à la main, un sac plein de cupcakes, prête à me remonter le moral. Elle faisait ce genre de choses autrefois. La sonnette retentit à nouveau, et déjà réconfortée à l'idée d'un café assorti de sympathie je rejetai mon duvet, sans me soucier de mon aspect et me traînai jusqu'à la porte. J'ouvris dans l'espoir de trouver une épaule sur laquelle pleurer. À la place, je me retrouvai face à Barry.

Il eut l'air plus surpris que moi, en dépit du fait qu'il avait sonné quatre fois.

— Je ne pensais pas que tu serais là, dit-il en me détaillant des pieds à la tête.

Je resserrai mon cardigan contre moi.

— Alors pourquoi as-tu sonné sans arrêt ?

— Je ne sais pas. Je suis venu de loin.

Il haussa les épaules, me scruta à nouveau, manifestement affligé par mon apparence.

— Tu as une mine épouvantable, dit-il.

— Ça correspond à mon état.

— Eh bien, tu as ce que tu mérites, déclara-t-il d'un ton puéril.

— Qu'est-ce qu'il y a dans ce carton ? lui demandai-je.

— Certaines de tes affaires.

Ça ressemblait plus à un prétexte lamentable pour venir me harceler qu'autre chose. Des chargeurs de téléphones que j'avais jetés depuis une éternité, des écouteurs, des boîtes de CD vides.

— Je savais que tu voudrais récupérer ça, ajouta-t-il en dégageant les babioles du dessus pour extirper le coffret à bijoux de ma mère.

J'éclatai immédiatement en sanglots, et me cachai le visage dans les mains. Stupéfait, il resta bras ballants. Ça avait été son boulot de me réconforter, avant, et le mien de le laisser faire, de le désirer, mais à présent nous restions plantés là comme deux étrangers, à part que deux étrangers auraient manifesté davantage de gentillesse l'un envers l'autre, alors que je pleurais et qu'il me regardait.

— Merci, reniflai-je en essayant de reprendre contenance.

Je pris le coffret et il resta là, mal à l'aise, comme s'il ne savait pas quoi faire de ses mains. Il finit par les enfoncer dans ses poches.

— Je voulais dire aussi…, commença-t-il.

— Non, Barry, s'il te plaît, non, dis-je d'une toute petite voix, parce que honnêtement je crois que je ne peux plus rien entendre venant de toi. Je suis désolée, tu sais, vraiment désolée, bien plus que tu ne te l'imagines, de t'avoir fait du mal. Ce que j'ai fait était horrible, mais je ne pouvais pas me forcer à t'aimer comme tu mérites d'être aimé. Nous n'étions pas faits l'un pour l'autre, Barry. Je ne sais pas comment m'excuser autrement, ni ce que j'aurais pu faire d'autre. Rester ? Pour qu'on soit aussi malheureux ? Mon Dieu…, murmurai-je en m'essuyant les yeux d'un geste brusque, je sais que j'ai tort, Barry, je suis désolée. Je suis désolée, d'accord ?

Il avala sa salive, resta silencieux un moment et je tâchai de me préparer à la nouvelle pique qu'il allait me lancer.

— Je voulais te dire que je m'excusais, marmonna-t-il.

Là, je fus franchement surprise.

— De quoi, au juste ? lui demandai-je, tout en sentant la colère monter en moi et en essayant de la réfréner. D'avoir explosé la voiture de Julie ? Vidé notre compte joint ? Insulté mes amis ? Je t'ai fait du mal, Barry, d'accord, mais moi je n'ai mêlé personne d'autre à tout ça.

Il se détourna, et toutes ses excuses semblèrent s'envoler.

— Non, pas pour ça, répondit-il d'un ton agressif. Je ne m'excuse pour rien de tout ça.

Son culot me dépassait. Il retrouva son calme.

— Je suis désolé pour le message sur ta boîte vocale. Je n'aurais pas dû dire ça. C'était mal.

Mon cœur se mit à battre la chamade : il ne pouvait faire référence qu'à un seul message, celui que je n'avais pas entendu, celui qu'Adam avait écouté puis effacé.

— Lequel, Barry ? Il y en a eu tellement.

Il respira un grand coup avant de répondre.

— Celui sur ta mère, OK ? Je n'aurais pas dû dire ça. Je voulais te faire le plus de mal possible. Je sais que c'est ta plus grande crainte, alors...

Il laissa un silence s'installer et j'essayai de déterminer ce qu'il voulait dire. Au bout d'un moment je finis par comprendre, comme si je l'avais su, depuis le début. Parfois on peut savoir quelque chose sans en être tout à fait conscient.

— Tu as dit que je me tuerais comme ma mère, bredouillai-je d'une voix tremblante.

Il eut la décence de prendre un air honteux.

— Je voulais te faire du mal.

— Ça aurait pu marcher, dis-je tristement, en pensant à Adam en train d'écouter le message.

Ainsi il savait que ma mère s'était suicidée, que quand j'étais déprimée, quand tout le monde me disait à quel point ma mère et moi nous ressemblions je m'inquiétais secrètement de trop lui ressembler. J'avais partagé ce secret avec mon mari et il était revenu me hanter, même si j'avais été certaine de ne pas lui ressembler sur ce point. Ma mère avait souffert de dépression sévère toute sa vie. Elle n'avait fait qu'entrer et sortir de clinique, aller de thérapie en thérapie depuis son adolescence. Finalement, incapable de combattre ses démons, elle s'était suicidée quand j'avais quatre ans. C'était une cérébrale, une anxieuse, et une poétesse. Et de toutes ses pensées, de tous les poèmes qu'elle avait écrits dans sa vie, pour essayer de comprendre ce qui se passait dans sa tête, il y en avait un auquel je m'étais raccrochée et que je m'étais approprié : celui que j'avais lu à l'enterrement de la mère d'Amélia et du père d'Adam.

J'avais toujours su, même enfant, comment ma mère avait quitté cette terre. À l'adolescence, les gens ne cessaient de me répéter combien je lui ressemblais, et cela m'effrayait. J'en arrivais à redouter le sempiternel : « Tu ressembles tellement à ta mère. » Puis, une fois devenue adulte, après avoir appris à me connaître, je me suis rendu compte que je n'étais pas ma mère, que je pouvais faire des choix différents des siens.

— Bon..., dit Barry en se reculant.

Je ne savais pas quoi ajouter. Il remonta les marches jusqu'à la rue et je commençai à refermer la porte.

— Tu avais raison, à propos de nous, l'entendis-je soudain ajouter. Nous n'étions ni excitants, ni romantiques, nous ne faisions pas grand-chose, et nous n'en aurions sans doute pas fait plus dans l'avenir. Nous ne rigolions pas comme Julie et Jack, nous ne courions pas le monde comme Sarah et Luke. Nous n'aurions sans doute pas eu quatre enfants comme Lucy et John. Je ne sais pas, Christine, j'aimais bien comme on était. Je suis désolé que ça n'ait pas été ton cas.

Sa voix se brisa et il resta silencieux. J'entrebâillai un peu plus la porte pour le voir.

— Le mois dernier, je voulais que tu sois malheureuse, au fond du fond du trou. Et maintenant que je te vois comme ça, je n'en ai même plus envie. Tu as l'air pire que moi, dit-il en secouant la tête. Si tu m'as quitté parce que tu pensais que ça irait mieux, alors nous allions plus mal que je ne le croyais. Je te plains.

Il m'énerva de nouveau puis s'éloigna dans la rue. Je refermai la porte et repartis dans mon lit pour me cacher à la vue du monde.

Quelques heures plus tard, je n'avais toujours pas bougé. J'avais faim, mais je savais qu'il n'y avait rien à manger dans l'appartement et je ne pouvais pas affronter les magasins avec la tête que j'avais, et ce que j'avais dans la tête.

Mon téléphone se mit à sonner et je regardai l'écran pour voir l'identité de mon interlocuteur. L'agent Maguire. Lui, je l'ignorais complètement. Le téléphone cessa de sonner, puis recommença. Je levai les yeux au plafond, mon cœur battait la chamade. Il ne reprit un rythme normal que lorsque la sonnerie s'arrêta. Ensuite, je le mis en mode silencieux.

La sonnerie reprit.

— Laissez un message, grommelai-je.

Je me levai et me sentis aussitôt prise de vertiges. Puis je pensai à Adam et m'affolai. Peut-être avait-il commis l'irréparable. Je me jetai sur le téléphone et appuyai sur la touche rappel.

— Maguire à l'appareil ! aboya-t-il.

— C'est Christine. Adam va bien ?

— Adam ?

— L'homme du pont.

— Quoi, vous l'avez perdu ?

En quelque sorte. Mais je soupirai, soulagée qu'il ne soit pas blessé.

— Écoutez, il faut que vous veniez à l'hôpital Crumlin tout de suite. Vous pouvez venir ?

— Crumlin ? bredouillai-je en réalisant que c'était un hôpital pour enfants.

— Oui, Crumlin ! éructa-t-il. Vous pouvez venir ? Maintenant ?

— Pourquoi ?

— Parce que je vous le demande.

J'étais complètement perdue.

— Je ne peux pas, je... euh... je ne peux pas maintenant.

Je cherchai un mensonge, mais je ne pus m'y résoudre.

— Je ne me sens pas très bien aujourd'hui, expliquai-je.

— Eh bien, sentez-vous mieux tout de suite, parce qu'il y a quelqu'un qui se sent beaucoup plus mal que vous.

— Mais qu'est-ce que vous racontez ? Je n'ai pas à...

— Bon Dieu, Christine ! s'exclama-t-il dans un sanglot, j'ai besoin que vous rappliquiez !

— Vous allez bien ?

— Dépêchez-vous, dit-il. S'il vous plaît.

25

Comment demander de l'aide
sans perdre la face

L'agent Maguire m'attendait devant l'entrée principale de l'hôpital. Dès qu'il me vit, il fit comme à chaque fois, il me tourna le dos et s'éloigna. Je lui emboîtai le pas, en courant pour le rattraper, tout en cherchant son coéquipier. Personne. Il n'y avait d'ailleurs aucun dispositif policier. Je tournai au coin et ne vis plus trace de l'agent Maguire. Il me siffla depuis la porte de l'ascenseur qu'il maintenait ouverte, comme si j'étais un chien. En arrivant à sa hauteur, je découvris sa tête de déterré. Mon estomac se retourna et je m'imaginai le pire. J'essayai de me calmer, incapable d'assumer tout ça, pas si tôt après avoir perdu Simon, semé la pagaille avec Adam et avoir dû affronter Barry. Il me fallait une journée de solitude, mais personne ne semblait disposé à m'accorder ce genre de faveur. J'avais besoin de m'apitoyer sur mon sort. On peut faire de grandes choses en s'apitoyant sur son sort. Je tenais une idée de sujet pour mon livre. *Cinq façons simples de s'apitoyer sur son sort*, par Christine Rose.

— Vous avez mauvaise mine, lui dis-je.

— Vous n'êtes pas trop fringante vous-même, rétorqua-t-il, mais sans son ton moqueur habituel.

Il faisait semblant, c'était peu engageant. Quelque chose n'allait pas, c'était certain. Aujourd'hui plus que d'habitude.

— Qui vais-je voir ? demandai-je.

— Ma fille, répondit-il d'une voix blanche. Elle a essayé de se suicider.

Je restai bouche bée. Il sortit de l'ascenseur et tourna au coin d'un couloir. Je parvins à sortir de mon hébétude avant que les portes ne se referment et je le suivis.

— Euh, agent Maguire, je suis vraiment désolée d'apprendre cela, je suis... mais puis-je vous demander pourquoi vous m'avez fait venir ?

— Je veux que vous lui parliez pour moi.

— Quoi ? Attendez !

Je finis par réussir à lui attraper le bras pour l'empêcher d'avancer.

— Vous voulez que je fasse quoi ?

— Que vous lui parliez, dit-il, en me fixant de ses yeux injectés de sang. Il y a des gens, ici, mais elle ne veut pas leur parler. Elle ne dit même pas trois mots. J'ai pensé à vous. Ne me demandez pas pourquoi, euh... je veux dire que je ne vous connais pas, mais vous semblez savoir vous y prendre, et moi je suis trop proche, je ne peux pas...

Il secoua la tête, les larmes lui montaient aux yeux.

— Agent Maguire...

— Aidan, me coupa-t-il.

— Aidan, dis-je doucement, pour montrer que j'appréciais le geste. Je n'en suis pas capable. Je n'ai pas aidé Simon Conway, et avec Adam je...

Je n'avais pas envie de lui raconter en détail ce qui s'était passé avec Adam.

— Vous avez réussi à convaincre Simon de vous permettre de nous appeler, rétorqua-t-il. C'était bien. Vous avez convaincu Adam Basil de descendre du pont, et il a tenu à vous revoir après ça. Je vous ai observée avec lui, au poste, il vous respecte. Et puis je sais ce qui est arrivé à votre mère, ajouta-t-il.

— Oh, murmurai-je en baissant les yeux.

— Vous connaissez ces choses. Parlez-lui, s'il vous plaît.

Je le suivis dans le service, à travers une série de couloirs ordonnés selon un parcours compliqué. Quand nous arrivâmes dans la salle qui comptait douze lits, un seul était entièrement isolé par un rideau.

Je le tirai lentement et me retrouvai face à Judy, la femme de Maguire, les yeux rougis, qui tenait la main de sa fille alitée. J'examinai la fille : elle avait les cheveux auburn de son père et les yeux bleus limpides de sa mère.

— Caroline, dis-je avec gentillesse.

Son poignet gauche soigneusement bandé reposait sur le lit, et sa mère tenait fermement sa main droite.

— Qui êtes-vous ? demanda Judy en se levant, sans lâcher la main de sa fille.

— Aidan m'a appelée, lui dis-je.

Elle hocha la tête et regarda sa fille. Je vis le visage de l'agent Maguire se décomposer avant qu'il ne quitte la salle, comme gêné par cette débauche d'émotion.

— Vous devriez aller vous chercher un café, suggérai-je à Judy. Caroline, tu veux bien que je reste un peu avec toi ?

Elle me regarda, les yeux dans le vague, sa mère toujours cramponnée à sa main.

— Je crois qu'une petite pause ferait du bien à ta maman. Elle doit être là depuis un bon moment.

Caroline lui fit un signe de tête et j'aidai Judy à lui lâcher la main. Dès qu'elle s'éloigna, je refermai le rideau et m'assis au chevet de la jeune fille.

— Je m'appelle Christine. Je connais ton père.

— Vous travaillez ici ? me demanda Caroline, l'air épuisé.

— Non.

— Alors je ne suis pas obligée de vous parler.

— Non.

Elle resta silencieuse pendant qu'elle y réfléchissait.

— Ils n'arrêtent pas de m'envoyer des gens pour me parler. Qui me demandent pourquoi j'ai fait ça, pourquoi, pourquoi ! Ils ont laissé tout un tas de dépliants. C'est dégoûtant. Ils insinuent tout un tas de choses dégoûtantes.

— Quel genre de choses ?

— Du genre, que mon père m'a fait des attouchements, ce genre de trucs. Enfin, pas dit aussi clairement, mais en gros c'est ce qu'ils se demandent. Et ils m'ont laissé tous ces dépliants. Je sais ce que c'est.

— Je ne vais pas te demander ce genre de choses, crois-moi. Je ne suis pas médecin. Ni psy. Je veux juste te parler. On dirait que tu viens de passer un mauvais moment et je veux t'écouter, sans te juger.

— Vous êtes de la *gardaí* ?

— Non.

La fille me regarda du coin de l'œil, puis se mit à jouer avec les draps de son lit de sa main valide. L'autre restait inerte.

— Alors, pourquoi mon père vous a-t-il demandé de venir ?

— Parce qu'il sait que ma mère s'est suicidée quand j'étais petite.

Elle me regarda comme si j'avais enfin retenu son attention.

— Elle s'est tuée quand j'avais quatre ans. Donc je comprends ce que c'est de vivre avec quelqu'un qui se sent comme toi.

— Oh ! s'exclama-t-elle en regardant son bandage. Je suis désolée.

— Je comprends que tu ne veuilles pas parler à tes parents. C'est gênant, n'est-ce pas ? Mon père est encore mal à l'aise aujourd'hui, pourtant j'ai trente-trois ans.

Caroline fit un petit sourire.

— Mais c'est pour ça que c'est bien, si tu veux me parler. Je ne te jugerai pas, comme je viens de te le dire, je ne te dirai pas que tu n'aurais pas dû faire ci ou ça, je vais juste t'écouter. Parfois ça aide de dire les choses tout haut. Et si tu ne sais pas vers qui te tourner, ou à qui parler, tu peux t'adresser à moi, je ferai tout ce que je peux pour t'aider. Il y a toujours quelqu'un vers qui se tourner, Caroline. Et ça peut rester entre nous, ne t'inquiète pas. Je ne répéterai ce que tu me diras qu'aux gens que tu auras choisis.

Caroline se décomposa et se mit à pleurer. Elle essaya de dissimuler ses larmes derrière son poignet indemne, laissant l'autre reposer sur le lit comme si elle avait oublié son existence, et qu'il était mort avec sa tentative de suicide. Ses épaules se secouaient au rythme de ses sanglots.

— Je croyais être seule, admit-elle.

— Eh bien, maintenant il y a quelqu'un, lui dis-je avec douceur en lui tendant un mouchoir. Il y aura toujours quelqu'un pour t'écouter et t'aider. Toujours.

Elle s'essuya les yeux et se reprit pour réfléchir à la situation.

— Je me suis coupé les veines, dit-elle.

Elle leva la main et me montra son bandage, comme si je ne l'avais pas déjà remarqué.

— J'imagine que vous me prenez pour une folle, ajouta-t-elle en me scrutant avec attention.

Je fis un signe de dénégation.

— Je suis allée sur Internet pour voir comment faire. Je me suis servie de mon rasoir, mais c'était trop difficile. Ça prenait trop longtemps pour entailler la peau. Et ça faisait mal. Je saignais mais il ne se passait rien. J'étais allongée sur mon lit, en attendant la mort, mais rien. Ça faisait mal, c'est tout. J'ai dû retourner sur Internet pour voir où j'avais fait une erreur. J'ai fini par descendre et le montrer à maman, parce que j'avais la trouille. Elle m'a hurlé dessus : « Qu'est-ce que tu as fait ? Qu'est-ce que tu as fait ? » Et à ce moment-là, tout ce que je voulais c'était remonter et recommencer, pour mourir et ne plus voir la manière dont elle m'avait regardée. J'avais l'impression d'être un monstre. Papa n'arrête pas de me demander pourquoi j'ai fait ça. Je ne l'ai jamais vu si furieux. Comme s'il avait envie de me tuer.

— Il ne veut pas te tuer, Caroline. Il est sous le choc, il a peur et tout ce qu'il veut, c'est te protéger. Tes parents veulent que tout s'arrange. Ils veulent comprendre, afin de pouvoir t'aider.

— Ils vont me tuer, dit-elle en se remettant à sangloter. Est-ce que vous avez ressenti ça ? Détestiez-vous votre mère ?

— Non, dis-je d'un ton apaisant.

Les larmes me montèrent aux yeux alors que je repensais à mes vagues souvenirs de papa de retour de l'hôpital, avec un faux regard jovial comme s'il revenait de vacances, et de maman sur une chaise longue dans le jardin, tout habillée sous la pluie battante parce qu'elle voulait « se sentir vivante ». Même si elle était dans la même pièce que moi, j'avais l'impression qu'elle était ailleurs. Je l'aimais, tout ce que je voulais, c'était m'asseoir auprès d'elle, être avec elle. Je lui tenais la main et je me demandais si elle se rendait seulement compte de ma présence.

Je ne l'ai jamais détestée, pas un seul instant.
Qu'est-ce qui était si insupportable pour toi ?
voulus-je savoir après avoir gardé le silence un
moment. Que s'est-il passé ?

— Je ne peux pas leur raconter. De toute
façon, ils finiront bien par le savoir. Je suis étonnée qu'ils ne le sachent pas déjà. Chaque fois que
je revenais de cours, je m'attendais à ce qu'ils
sachent. J'étais terrifiée. Tout le monde le savait
au collège, tout le monde me regardait et disait
des trucs sur moi. Jusqu'à mes meilleurs amis.
Je n'avais plus personne, personne pour m'aider,
personne à qui parler. Même pas Aisling...

Elle s'arrêta net, sous le choc d'avoir été trahie.

— Aisling est ton amie ?

— C'était ma meilleure amie. Depuis nos cinq
ans. Elle ne me regardait même plus. Pendant
tout un mois. D'abord, tous les autres m'ont laissée tomber, et elle était encore mon amie, mais
les choses ont empiré : ils ont commencé à déposer des trucs dans mon casier, des trucs dégoû-
tants, ils n'arrêtaient pas de laisser des posts sur
Facebook, et répandaient des mensonges. Puis ils
s'en sont pris à Aisling, en disant aussi des trucs
sur elle. Elle m'a accusée de ce qui arrivait, et
elle a cessé d'être mon amie. Mais est-ce que je
pouvais vraiment lui en vouloir ?

— Il s'est passé quelque chose que tout le
monde a découvert ? hasardai-je.

Elle hocha la tête, et les larmes se mirent à
couler sur ses joues.

— Sur Internet ?

Elle hocha de nouveau la tête, avant de me demander, surprise :

— Vous le saviez ?

— Non. Mais tu n'es pas la première personne à qui ça arrive, Caroline. Étais-tu... dans une situation compromettante ?

— Il m'avait dit que ça resterait entre nous, avoua-t-elle, écarlate. Je l'ai cru. Et puis une amie m'a envoyé un texto pour me dire que c'était sur Facebook, et alors tout le monde s'est mis à m'appeler. Il y en avait que ça faisait rigoler, d'autres qui étaient vraiment en colère, qui me traitaient de pute et j'en passe. Des gens que je prenais pour mes amis. Je suis allée voir sur Internet, et ça m'a rendue malade. Même moi, je ne veux pas me voir en train de faire ça, alors devant des étrangers... Ça devait rester un truc pour se marrer, entre nous deux. Je ne pensais pas qu'il le montrerait à quiconque. J'ai cru que c'était un ami qui lui avait pris son téléphone et avait posté la vidéo en douce, ou qu'il avait été piraté, mais...

— Qu'est-ce qu'il a dit ?

— Il n'a pas voulu me parler, ni même me regarder. Puis un jour je l'ai coincé, je lui ai dit comment je vivais ça, que ça ne pouvait pas continuer comme ça. Il s'est contenté de me regarder en rigolant. Il a ri ! Il ne comprenait pas pourquoi j'étais aussi contrariée. Il a dit que j'aurais dû être contente. Que tout un tas de stars étaient devenues célèbres grâce à ça, et qu'elles étaient devenues millionnaires. Mais on vit à Crumlin, putain ! Comment devenir célèbre ici ?

Où sont les millions qui doivent nous pleuvoir dessus ?

Elle se remit à sangloter.

— Tu as eu un rapport sexuel avec lui, Caroline ?

Elle fut mortifiée par la question, et refusa de me répondre tout de suite : elle lui avait fait une fellation, lors d'une soirée, et ils avaient trop bu tous les deux. C'était lui qui avait eu l'idée de filmer. Il avait déjà commencé avant qu'elle ait pu donner son avis, et quand elle avait vu ce qu'il faisait elle n'avait pas voulu s'arrêter, de peur de passer pour une dégonflée.

— Et quand cela a-t-il eu lieu ? lui demandai-je, sentant la colère m'envahir.

Si déjà moi j'étais furieuse, je ne pouvais qu'imaginer la réaction de l'agent Maguire. Il ferait de la vie du garçon qui avait filmé un enfer, mais après ce qu'il avait fait, le coupable pourrait s'estimer heureux si Maguire le laissait en vie. Je n'enviais pas Caroline d'être adolescente aujourd'hui. Les notions de confiance, d'intimité et de sexe avaient complètement changé depuis que j'avais son âge, laissant filles et garçons en terrain miné.

— Il y a à peu près deux mois, mais il a posté la vidéo il y a trois semaines. J'ai essayé de l'ignorer, de continuer à aller en cours, de faire profil bas, sans m'occuper des autres, mais je continue à recevoir des textos. Regardez.

Elle me tendit son téléphone et je fis défiler les textos de ses soi-disant amis, dont la plupart étaient si cruels que je n'arrivais pas à en croire mes yeux.

Je compris pourquoi Caroline avait eu l'impression qu'elle n'avait personne à qui se confier. Ses amis lui avaient tourné le dos, le garçon qui lui plaisait l'avait ridiculisée, elle était harcelée tous les jours dans le petit monde des réseaux sociaux, auquel personne ne pouvait échapper, où les mensonges proliféraient comme des virus avant que quiconque n'ait eu le temps de prouver qu'ils étaient faux. Et la pauvre fille était trop gênée et trop terrifiée pour se tourner vers ses parents, de peur de se faire « massacrer ». Elle avait donc décidé d'en finir avec cette humiliation, cette souffrance, cette solitude. Une solution irréversible à un problème temporaire. Alors que cette douleur ne durerait pas éternellement. Elle en garderait des traces et s'en rappellerait toujours. Cela aurait ensuite sans doute une influence sur chaque décision qu'elle prendrait. Mais là où il y avait de la souffrance, se profilait la guérison. De la solitude on pouvait faire de nouvelles rencontres, et trouver un nouvel amour après avoir été rejeté. C'était un moment de la vie, et ces moments changeaient. Il faudrait qu'elle le traverse, pour passer au suivant.

— Vous allez leur dire ? me demanda-t-elle d'une petite voix, sortie de son corps frêle et enfantin allongé sur le lit. S'il vous plaît ?

Nous nous séparâmes, Caroline promit de rester en contact avec moi, ou d'appeler les numéros sur les dépliants que l'hôpital lui avait déjà fournis si jamais elle avait besoin de parler à quelqu'un. Je sortis dans le couloir, où Judy était assise à moitié consciente sur une chaise en plastique, alors que l'agent Maguire piétinait comme un lion en cage.

— Dites-nous ce qu'elle a ! hurla-t-il dès que je m'approchai de lui.

— Non, dis-je avec fermeté. Je ne vais rien vous dire avant que vous ne m'ayez fait une promesse.

Il me regarda comme s'il allait m'arracher la tête.

— Il va falloir que vous vous maîtrisiez. Caroline a tellement peur de votre réaction ! En ce moment elle se sent seule, et craint que vous ne la rejetiez. Si vous voulez l'aider, ne la jugez pas et offrez-lui le soutien dont elle a besoin.

— Aidan, dit Judy en posant une main sur son bras. Écoute-la.

— Elle sait déjà qu'elle a fait une bêtise, ne lui faites pas la leçon. Ne lui donnez pas l'impression d'être idiote. Pas en ce moment, elle est trop vulnérable.

Judy hocha la tête en signe d'approbation, tournant le regard tantôt vers son mari, tantôt vers moi, comme si elle voulait qu'il comprenne aussi.

— Elle a besoin de votre amour et de votre soutien inconditionnels. Il faut que vous lui disiez que vous n'êtes pas en colère, que vous n'éprouvez ni honte ni dégoût. Que vous l'aimez, que vous êtes là pour elle.

Il marmonna quelque chose qui ressemblait à une menace.

— Je suis sérieuse, Aidan. Vous n'êtes pas en présence d'un criminel, Caroline est votre fille. Il est temps de laisser l'intimidation, les interrogatoires et la brusquerie de côté, pour écouter ce qu'elle a à vous dire.

Alors seulement je leur racontai ce qu'elle m'avait révélé.

Cette fois, il écouta. Les doigts de Judy devinrent tout blancs tant elle lui serrait le bras avec force pendant mon discours. Elle y enfonça ses ongles au moment où il sembla perdre les pédales, soit pour se mettre en colère contre sa fille, soit pour retrouver le garçon qui lui avait fait ça, mais il ne bougea pas et je restai avec lui jusqu'à ce que la rage dans ses yeux disparaisse et soit remplacée par le souci d'un père pour sa fille et par un cœur gonflé d'amour. Puis je l'observai qui s'éloignait de moi, main dans la main avec Judy, se soutenant mutuellement alors qu'ils s'approchaient de leur fille.

Épuisée, je quittai l'hôpital pour rentrer chez moi et me préparer pour l'anniversaire d'Adam. En dépit de ses grands discours sur sa guérison, Adam n'était pas encore guéri. J'espérais que Maria serait là, prête à lui montrer son amour. Sinon, j'avais peur de perdre à jamais l'homme que j'aimais.

26

Comment voir le bon côté
d'une situation
apparemment sans issue

Quand j'arrivai à l'Hôtel de Ville, en retard, Adam était à l'entrée pour accueillir ses invités. Il était rayonnant dans son smoking et j'eus le souffle coupé quand je sortis du taxi. Ce fut seulement au moment où le chauffeur me hurla dessus pour que je referme la portière car je laissais sortir toute la chaleur que je me rendis compte que j'étais restée plantée là, pétrifiée par cette vision.

À la différence de mes sœurs, qui étaient déjà arrivées et arboraient de nouvelles robes chatoyantes pour cette soirée formelle, j'avais fait le choix inverse dans ma garde-robe multicolore et m'étais décidée pour une tenue qui s'accordait à mon humeur : ma fidèle robe longue noire, peu décolletée mais fendue sur le côté et très échancrée dans le dos. La fente de la robe était remontée je ne sais trop comment à ma sortie du taxi, et elle s'ouvrait de plus en plus. Alors que j'essayais de cacher ma cuisse à l'air, je me rendis compte qu'Adam avait cessé de saluer ses invités et s'était tourné pour observer mon arrivée, loin d'être gracieuse, mais très révélatrice. J'extirpai ma deuxième jambe de la voiture, ajustai mon paletot en fausse fourrure sur mes épaules et entrepris de gravir les marches, ses yeux posés sur moi. Je me sentis aussi nue et vulnérable que sur l'échelle, dans mon rêve, sauf que cette fois j'avais une culotte. Piètre consolation au vu de mon humiliation et de mon cœur brisé, j'étais incapable de le regarder dans les yeux.

— Tu es superbe, me murmura-t-il.

Il n'était pas du tout mal à l'aise, mais calme, solide, attentif, sûr de lui. C'était l'Adam de ces tout derniers jours, celui dont je n'avais pas l'habitude.

— Euh... merci, je n'ai pas eu beaucoup de temps pour me préparer, répondis-je. Barry est passé ce matin, et quelqu'un d'autre avait besoin d'aide. Et je ne sais pas si tu l'as appris, mais Simon Conway, le type qui... bref, tu sais, il est mort la nuit dernière. C'était là que j'étais ce matin quand je suis partie, donc... c'était une sacrée journée.

Toujours prête à m'apitoyer sur mon propre sort, je sentis mes yeux se remplir de larmes et me détournai.

— Attends un peu, quoi ? me demanda-t-il, attentif.

— Qu'est-ce que tu veux que je répète ?

— Simon est mort ce matin ? reprit-il en devenant tout pâle. C'est pour ça que tu es partie ?

Je fis un signe d'assentiment.

— Je suis partie parce que je me suis souvenue de quelque chose que je devais lui dire. Mais il a fait un arrêt cardiaque pendant ma visite.

Je haussai les épaules. Ça n'avait pas été une bonne journée, elle avait commencé par un mort, et j'espérais qu'elle ne se terminerait pas de la même façon.

Adam sembla secoué par la nouvelle, comme s'il s'identifiait à Simon et à ses malheurs bien plus que je ne l'aurais cru.

— Alors, elle est là ? l'interrogeai-je.

Il lui fallut un moment pour comprendre que je voulais changer de sujet, que mon langage corporel avait également changé, puis il s'en accommoda, comme s'il savait ce que je désirais.

— Non. Pas encore.

— Oh ! m'exclamai-je, surprise. Je pensais qu'elle arriverait à sept heures.

— Moi aussi, dit-il en regardant de nouveau vers l'entrée d'un air anxieux.

Il était huit heures du soir.

J'éprouvai un intense sentiment de soulagement, aussitôt suivi de crainte quand le caractère inextricable de ma situation s'imposa de nouveau à moi. Si ça ne marchait pas avec Maria, ce ne serait pas dans mes bras que tomberait Adam, mais plus probablement du pont le plus proche, ou de l'immeuble le plus haut du coin. Il fallait que Maria vienne et lui dise qu'elle l'aimait, sans cela je ne pourrais même pas me contenter de l'aimer de loin. Soudain, il me semblait indispensable de pouvoir le désirer ardemment, même sans être avec lui. C'était la perspective dont j'avais besoin.

— Écoute, Adam, lui dis-je en reprenant mes esprits et en le regardant droit dans les yeux, si elle ne vient pas ce soir, je te demande de penser au plan de crise. Nous avons un marché, je sais, mais je veux que tu saches que je ne l'approuve pas. Je ne veux pas que tu... te tues, bredouillai-je. Pense à tout ce dont nous avons parlé. Tu te souviens du plan ? Tu as survécu ces deux dernières semaines, n'est-ce pas ? Pense à ce que je t'ai appris. Si pour une raison quelconque quelque chose va de travers ce soir, ce que je ne te souhaite pas, ajoutai-je à toute vitesse, mais si c'est le cas, souviens-toi de mes enseignements.

— Joyeux anniversaire ! claironna une voix de femme derrière moi.

Pile au moment où j'aurais dû jubiler, je me sentis dégringoler de nouveau.

Adam me regardait toujours, et Maria nous rejoignit.

— Désolée, je vous dérange ?

— Non, répondis-je en ravalant mes larmes. Je suis si contente que vous soyez venue ! Il est tout à vous !

— Tout est arrangé ? me demanda papa quand je les rejoignis.

Je réussis tout juste à hocher la tête. Je n'osai pas parler, au bord des larmes.

— Ooh, je le savais ! me dit Brenda affectueusement en me serrant dans ses bras. Tu es amoureuse de lui, n'est-ce pas ? Tiens, ajouta-t-elle en attrapant une flûte de champagne sur un plateau qui passait à sa portée. Saoule-toi, ça va anesthésier la douleur.

J'absorbai le liquide pétillant, dans l'espoir qu'elle dise vrai.

— Puisqu'on est dans le thème des cœurs brisés, dit Adrienne, Graham et moi nous nous sommes séparés.

Elle n'obtint pas tout à fait la même réaction de la part de la famille.

— Il n'y a pas de ces espèces de gâteaux au fromage, constata papa, avec déception. Pourquoi n'en a-t-il pas prévu ?

Je haussai les épaules.

— Mais c'est si bon ! insista-t-il, perturbé.

— Même si tout le monde s'en fout, il y avait quelque chose qui n'allait pas entre nous, insista Adrienne, furieuse.

— Un pénis, peut-être, suggéra papa, en gloussant. Ah, et la voilà, ma petite chérie ! s'exclama-t-il en m'adressant un clin d'œil. Dis-moi, où est sa sournoise petite amie, celle que tu t'es donné tant de mal à l'aider à reconquérir, que je puisse lui lancer des regards assassins comme tout père protecteur ?

— Laisse tomber, papa, soupirai-je. Ils sont parfaits l'un pour l'autre, faits l'un pour l'autre. Il était prêt à se jeter d'un pont s'il ne parvenait pas à la reconquérir. Tu vois plus romantique que ça ?

— Ce n'est pas romantique du tout, se récria Adrienne, toujours contrariée que son annonce n'ait pas fait son petit effet.

— L'empêcher de sauter du pont, c'est bien plus romantique, décréta Brenda.

— Tu as de la chance de l'avoir sauvé, dit papa.

Tout le monde se tut.

Cela faisait presque trente ans que notre mère s'était suicidée, depuis que papa l'avait retrouvée sur le sol de la salle de bains, un flacon de comprimés vide à côté d'elle. Il nous avait avoué qu'il n'avait pas essayé de la sauver, ce que nous avions compris chacun à notre façon à l'époque. Brenda avait compris, Adrienne avait accepté le point de vue de papa mais aurait voulu qu'il appelle une ambulance plus tôt, et j'avais refusé de lui adresser la parole pendant des mois. J'avais dix-neuf ans, j'étais à l'université quand il me l'avait dit. Persuadée que je pouvais sauver tout le monde – c'était ce que je désirais –, je lui avais déclaré que je ne le pardonnerais jamais. Cela avait été dur pour papa à ce moment-là, parce qu'il avait déjà sauvé sa femme six fois. Il lui avait déjà fait deux massages cardiaques, l'avait sortie d'une baignoire, fait Dieu sait quoi d'autre, l'avait emmenée en urgence à l'hôpital tant de fois qu'il n'avait plus la force de la persuader de rester en vie.

— Tu sais, papa, dis-je soudain, je crois que tu l'as sauvée. Elle ne voulait plus être là.

Il fut si ému par mes paroles qu'il dut se détourner pour reprendre ses esprits.

— La voilà, annonçai-je en regardant Maria entrer dans la salle, précédant Adam.

— Ooh ! Quel homme ! Je ne sais pas trop si j'ai envie de lui serrer la main ou de lui lécher la figure, s'extasia Brenda.

— Contente-toi de lui serrer la main, s'il te plaît, lui dis-je.

— C'est elle ? Avec la bouche rouge ? demanda Adrienne.

— Tu voudrais bien lui lécher la figure, à celle-là, hein ? ironisa papa.

Adrienne se mit à glousser.

— Je le savais, soupirai-je. Je vous avais dit qu'elle était belle.

— Dans le genre famille Adams, se moqua Brenda. On dirait Morticia.

Adam et Maria s'avancèrent dans la salle. Maria saluait les gens chaleureusement, elle connaissait visiblement la plupart des invités. J'engloutis ma flûte de champagne et arrachai celle de Brenda de ses mains.

— Hé ! protesta-t-elle avant de céder.

Puis quelqu'un porta un toast et tous les regards convergèrent vers un homme sur la scène, qui essayait d'obtenir le silence.

Celui-ci remercia quelques invités illustres qui avaient fait l'honneur de leur présence, le ministre du Commerce – pas le Taoiseach comme papa l'avait espéré –, et chaque fois qu'il prononçait le nom de quelqu'un de connu, papa prenait un air impressionné. Il évoqua le triste décès de M. Richard Basil, qui serait terriblement regretté – de toute évidence il ne l'avait pas très bien connu –, puis il présenta Adam comme le nouveau président-directeur général des Confiseries Basil. La foule le salua chaleureusement, et Adam s'avança vers la scène.

Il gravit les marches et prit place, comme une star de cinéma.

— Une amie m'a aidé à rédiger ce discours, dit-il en parcourant la foule du regard.

Maria lui sourit fièrement depuis un côté de la salle, et ma gorge se serra.

— Je ne suis pas le mieux placé pour évoquer ce que je ressens. Ce genre de soirée n'est pas le meilleur moment pour cela, car il y a beaucoup de monde, mais je me sens... honoré que vous soyez tous venus. J'ai entendu dire que c'était un nouveau départ pour Basil, mais j'espère que ce sera plus une continuation sur la lancée de sa réussite, peut-être une nouvelle croissance pour l'entreprise. Je me sens... soutenu et porté par tous les éloges adressés à mon père, même s'il est évident, en dépit de vos bonnes intentions, que vous êtes tous des menteurs.

Ce qui lui valut un éclat de rire général.

— Mon père était beaucoup de choses, mais avant tout il était compétent dans son travail.

De nombreuses personnes hochèrent la tête. Je repérai Arthur May, l'avocat, dans l'assemblée.

— Il a mis son cœur et son âme dans son affaire. En fait, je crois qu'il s'est tellement investi qu'il n'avait plus grand-chose à donner aux autres.

L'assemblée rit de nouveau.

— Je me sens... fier qu'il m'ait désigné comme son successeur, qu'il m'ait estimé capable d'endosser ce rôle. Je sais que moi-même, le conseil d'administration et la merveilleuse Mary Keegan, notre nouvelle directrice générale, sommes unis autour d'un projet pour l'entreprise. Je me sens... prêt. Mon expérience est certes courte, et ma tâche nouvelle, mais je peux suivre en toute confiance l'exemple de mon père et de mon grand-père, en reprenant les traditions de Basil les yeux tournés vers l'avenir. Enfin, j'adresse tous mes remerciements à ceux qui ont organisé cette soirée, et à ceux qui m'ont amené jusqu'ici, ajouta-t-il en posant ses yeux sur moi.

Il y eut un grand silence, puis il s'éclaircit la gorge.

— Merci, du fond du cœur.

Alors que la salle éclatait en applaudissements, je traversai la foule à toute vitesse. Je n'arrivais pas à quitter cet endroit assez vite, je ne pouvais plus respirer. Je dévalai une volée d'escaliers, heureuse de trouver les toilettes désertées pendant les discours, m'enfermai dans un cabinet et éclatai en sanglots.

— Christine ?

C'était la voix de Brenda. Je me figeai. Les toilettes s'étaient vite remplies après la fin des discours, et il y avait la queue. J'attendais que mes yeux dégonflent un peu avant de me risquer à ouvrir la porte et que tout le monde voie mon visage baigné de larmes. Mais j'étais restée enfermée si longtemps que j'étais devenue un sujet de conversation pour les gens qui patientaient.

— Christine ? m'appela Adrienne. Christine, tu es là ?

— Nous pensions que ces toilettes-ci étaient hors service, dit quelqu'un.

Mortifiée, je sortis mon téléphone et envoyai des textos furieux à mes sœurs pour les prier de me laisser tranquille, mais elles se mirent à marteler la porte, et me firent si peur que je cessai d'envoyer des messages frénétiques.

— Christine, Adam est là avec toi ? me demanda Adrienne juste devant la porte.

— Adam ? Bien sûr que non ! éructai-je.

Je m'étais trahie : j'entendis une femme dans la queue dire : « Sans doute le vol-au-vent qui n'était pas frais. »

— Il n'est plus là, intervint Brenda. Tu entends ? Ils apportent le gâteau, et il est introuvable.

— Il n'est pas avec Maria, si c'est ce que tu crois, ajouta Adrienne.

C'était exactement ce que j'avais cru.

— Nous lui avons demandé où il était quand nous avons vu qu'elle partait. Elle n'en avait pas la moindre idée.

Adrienne baissa le ton et avait dû s'approcher de la porte parce que le son semblait sorti de la cloison.

— Ils ne se sont pas remis ensemble, Christine, ajouta-t-elle d'une voix basse et impérieuse.

Soudain je sentis mon cœur palpiter, je n'entendais plus rien et je n'avais qu'une envie :

sortir de là. J'ouvris la porte sans plus me soucier de la vingtaine de femmes qui me regardaient, peu désireuses de prendre ma place après le temps que j'avais passé aux toilettes. Je ne voyais que les expressions soucieuses de Brenda et Adrienne, qui ne faisaient jamais cette tête-là avec moi, leur petite sœur qui se faisait du souci en permanence et avec qui elles tâchaient d'être toujours enjouées. Oh, mon Dieu ! J'étais comme maman, finalement. Et les voilà qui me regardaient, sérieuses, soucieuses, affolées.

— Tu sais où il est ? me demanda Brenda, et je me mis à fouiller dans ma tête, à la recherche d'un indice dans nos conversations.

— Non, pas la moindre idée, bégayai-je, en essayant de garder la tête froide. Je n'arrive pas à croire que Maria lui ait fait ça, grommelai-je, furieuse. Voilà deux fois qu'elle lui brise le cœur, elle n'a donc pas vu à quel point il est fabuleux ? J'aurais dû rester avec lui, qu'est-ce que j'avais dans la tête ?

— Ne t'inquiète pas de ça pour le moment, concentre-toi sur l'endroit où il pourrait être. Réfléchis bien.

Je pensai à la suite, à la nuit que nous avions passée ensemble. À la vue sur le Ha'penny Bridge. Je me pétrifiai. Il avait eu ça dans la tête depuis le début.

— Elle sait, dit Adrienne.

— Fonce, Christine ! me pressa Brenda.

Je relevai le bas de ma robe et me précipitai. Courir en talons n'est pas chose facile, mais je ne voulais pas m'enfoncer un bout de verre dans la plante du pied. Ni bondir dans la voiture avec Pat, garé devant l'entrée. Il fallait tourner à droite dans Parliament Street pour arriver au pont, et c'était un sens unique. Pat serait obligé d'emprunter un détour et ne ferait que m'éloigner au lieu de me rapprocher. Nous n'avions pas le temps. Je piquai un sprint dans l'air glacé, cramponnée d'une main à mon étole en fausse fourrure, relevant ma robe de l'autre. Je descendis Parliament Street jusqu'à Wellington Quay, m'attirant regards et commentaires des fêtards du samedi soir. J'apercevais le pont au loin, mais personne dessus. Je continuai à courir, le froid me brûlant les narines à chaque respiration, la poitrine en feu tandis que j'essayai d'avaler un peu d'air. Arrivée au pont, je le vis. Exactement à l'endroit où nous nous étions rencontrés deux semaines plus tôt, sa silhouette noire baignée par la lumière orange des lampadaires, les lueurs vertes des néons ajoutant à l'atmosphère de mystère qui entourait le pont. En dépit de mon épuisement, je rassemblai mes dernières forces et fonçai vers le pont. Je gravis les marches.

— Adam ! hurlai-je, et il se tourna vers moi, surpris. Ne fais pas ça, je t'en prie !

Il me regarda, l'air tour à tour préoccupé, triste et étonné.

— Je ne vais pas te toucher, je ne vais pas m'approcher davantage, d'accord ?

Les gens continuaient à traverser le pont, sans trop savoir quoi faire, se tenant à une distance respectueuse d'Adam, apeurés, comme s'il était une bombe à retardement.

J'avais commencé à pleurer pendant mon sprint vers le pont, et je me retrouvais plantée devant lui, gelée, tremblante, à bout de souffle, ravagée.

Il ne souffla mot.

— Je sais que ça n'a pas marché avec Maria..., commençai-je en essayant de reprendre mon souffle. Et je suis désolée, tellement désolée. Je sais que tu l'aimes, et que tu as l'impression d'avoir tout perdu. Ce n'est pas vrai. Tu as Basil et tous ces gens qui croient en toi. Et tu as..., continuai-je en me creusant la tête, tellement, tellement. La santé, tes amis..., gargouillai-je. Et tu m'as, moi, ajoutai-je en levant les mains d'un geste pathétique. Je ne suis pas celle que tu veux, je le sais, mais je serai toujours là pour toi. Je te jure que je ferais n'importe quoi pour t'aider, te rendre heureux. À vrai dire, ajoutai-je en prenant ma respiration, j'ai besoin de toi. Quand nous nous sommes rencontrés et que je t'ai promis de te montrer la beauté du monde, je n'avais pas la moindre idée de la façon dont j'allais m'y prendre. J'ai acheté un livre ! avouai-je en éclatant de rire, sans me soucier du ridicule. Mais tu ne peux pas chasser le bonheur. La joie éclate spontanément, il n'y a pas de formule préétablie à suivre pour être heureux. Seulement je ne le savais pas, je ne savais pas quoi faire. Je crois que j'avais cessé de voir la beauté du monde depuis un moment, sans même m'en rendre compte. Être avec toi... ça m'a aidée à comprendre combien la vie est belle, comme on peut s'amuser. Tu as été mon guide pour le bonheur.

Tu m'as montré que faire des choses simples, c'est tout ce dont on a besoin, tant qu'on les fait avec quelqu'un qui a envie d'être avec vous. J'étais censée t'apprendre, et t'écouter, mais c'est toi qui as fini par me montrer la voie. Ce n'est pas ce que tu veux entendre, je sais, mais tu m'as aidée à tomber amoureuse. Avec un grand A. Pas seulement amoureuse de la vie. Mais de toi. J'ai toujours essayé d'être raisonnable. D'arranger les choses pour tout mon entourage, et j'ai toujours fréquenté des gens… raisonnables.

Je repensai à Barry et à notre relation. J'avais choisi quelqu'un avec qui je savais qu'il n'y aurait ni drame, ni surprises, rien qui ne se briserait et qui m'obligerait à le réparer. Je ne m'étais pas autorisée à tomber vraiment amoureuse. Pas jusqu'à ma rencontre avec Adam, avec qui chaque jour m'avait apporté son lot de drames et de surprises.

— Ça m'est égal que mon amour soit réciproque ou non, parce que le simple fait d'être avec toi, de penser à toi me rend heureuse. Ce que j'essaye de te faire comprendre, c'est que tu es aimé. Moi je t'aime, Adam. Je t'en prie, ne fais pas ça. Ne saute pas, s'il te plaît, j'ai besoin de toi.

Les yeux d'Adam étaient remplis de larmes. Un couple qui s'était attardé pour écouter se tenait les mains et roucoulait, aveugle à la partie de l'histoire où Adam menaçait de sauter du pont.

Je me sentais plutôt pathétique, épuisée après mes aveux. J'étais vidée et frigorifiée. Ouvrir mon cœur, c'était tout ce que je pouvais faire pour le sauver. Alors j'attendis, j'espérai, je souhaitai, je priai qu'il ne fasse pas qu'entendre mais que mes paroles fassent effet, qu'elles parviennent à son cerveau pour qu'il cesse de croire que rien ne valait plus la peine. J'avais échoué avec Simon. Je ne pouvais pas échouer avec Adam. Il n'était pas question que j'échoue.

— Regarde-moi, dit-il.

Impossible. Je ne voulais rien entendre, ni ses arguments, ni ses adieux. Mes sanglots redoublèrent.

— Mais enfin, regardez-le ! s'écria la femme.

Je levai les yeux.

Adam souriait, et je n'y comprenais plus rien. Ce n'était pas drôle, pourquoi trouvait-il ça amusant ? Le couple souriait aussi, comme si c'était une bonne plaisanterie entre eux dont j'étais exclue. J'avais envie de leur rentrer dans le lard et de hurler : *Mais vous ne comprenez pas ! C'est une vie qui est en jeu ici !*

— De quel côté du pont suis-je ? me demanda-t-il, toujours souriant.

— Quoi ? fis-je en fronçant les sourcils, après m'être détournée du couple. Qu'est-ce que tu racontes ?

Y avait-il un sous-entendu ? Cela était-il supposé avoir un sens particulier ? Il me souriait, imperturbable, parfaitement calme, comme si son raisonnement était tout à fait rationnel alors que je savais que c'était impossible. Je me remémorai la première fois que je l'avais vu sur le pont : il se tenait de l'autre côté de la rambarde, les pieds sur le rebord extérieur, prêt à sauter.

Et là, il était sur le trottoir, pas du tout sur le rebord, pas du tout cramponné à la rambarde. Il était sur le pont à admirer la vue, mais alors... il n'avait pas l'intention de sauter !

— Oh, putain, murmurai-je.

— Viens là ! s'exclama-t-il, hilare, en m'ouvrant les bras.

Je me pris la tête entre les mains, au comble de l'embarras, maudissant mes sœurs, le maudissant, me maudissant. Je lui avais ouvert mon cœur. Je reculai, mortifiée.

— Oh, merde, désolée, je croyais que... mes sœurs ont dit que... j'ai compris de travers que...

Il s'avança vers moi et m'attrapa pour m'empêcher de me sauver.

— J'ai dit à Maria que ça ne marcherait pas entre elle et moi.

— Quoi ? m'écriai-je en restant bouche bée. Pourquoi lui as-tu dit ça ?

Il sembla amusé par ma réaction.

— Parce que je le pensais vraiment. Elle m'a blessé, je ne voulais pas nous redonner une chance. Je comprends bien que je ne l'ai pas traitée comme elle le méritait l'année dernière, mais je me suis excusé pour ça. Elle a reconnu qu'elle avait été touchée par les efforts que j'avais faits pour la reconquérir, mais ce qui la rendait réellement nostalgique c'était le passé, les débuts de notre relation. Moi aussi, je pense. Mais je sais désormais que nous ne pouvons plus être ce couple-là, trop de choses ont changé, la vie est différente. C'est fini. Je n'ai pas envie de revenir en arrière.

Je frissonnai, toujours sous le choc, et il me serra plus fort contre lui.

— Maria m'a demandé : « C'est à cause de cette fille ? » Et je me suis rendu compte que c'était en grande partie à cause d'elle.

— Quelle fille ? demandai-je, sans plus rien comprendre.

Adam se mit à rire.

— Adam, ce n'est pas drôle. Je ne comprends pas ce qui se passe. Il y a une minute, j'étais persuadée que tu allais sauter parce que tu avais rompu avec Maria. Maintenant tu me dis que tu n'avais pas l'intention de sauter, et que tu ne veux plus de Maria à cause d'une autre fille dont tu ne m'as jamais parlé. Et moi qui t'ai fait des déclarations !

Je me mis à gémir, la tête contre sa poitrine, mortifiée par mes paroles.

— Tu pensais vraiment ce que tu as dit ? dit-il doucement.

— Bien sûr que je le pensais, dis-je. Je ne l'aurais pas dit si je ne le pensais pas. Mais, Adam, tu dois comprendre pourquoi je l'ai dit. Les circonstances...

— La fille, c'est toi, m'interrompit Adam, pour me clouer le bec. Cette fille dont parlait Maria. Je me suis rendu compte que je n'aimais pas Maria. Que je sois avec elle ou pas n'aura pas la moindre incidence sur ma décision de vivre ou de mourir. Mon problème, c'était que je ne m'aimais pas, et que ça me rendait malheureux. Grâce à toi je me suis réconcilié avec moi-même. Tu m'as aidé à reprendre goût à la vie. Et que tu sois là ou non, cela ne voudra pas dire que je sauterai, ou que je mettrai fin à mes jours. Il faut que je sois en paix avec moi-même. Et toutes ces choses que nous avons faites pour Maria, j'y ai pris plaisir parce que je les ai faites avec toi. Je me suis amusé avec toi. Elle était peut-être la raison, mais toi tu étais la cause. Alors que tu faisais en sorte que Maria retombe amoureuse de moi, et que je tombe amoureux de la vie, je suis tombé amoureux de toi.

Il avait posé ses mains sur mon visage stupéfait, et riait nerveusement.

— Tu peux arrêter de me regarder comme ça, maintenant, dit-il.

— Désolée, chuchotai-je.

— Quand je me suis réveillé ce matin et que tu étais partie, j'ai cru que tu avais des regrets, expliqua-t-il.

— Non, je...

— Et quand tu es revenue dans la chambre après avoir pleuré, j'ai cru que tu allais me dire que tu regrettais.

— Non, je...

— Quand tu m'as parlé de Simon, j'ai commencé à comprendre. J'avais tout interprété de travers. Je voulais te le dire plus tôt, je pensais te faciliter la tâche.

Je réussis enfin à articuler quelques mots :

— Tu es bête.

Il sourit.

— Le bisou ! dit la femme à côté de nous.

— Je veux d'abord poser mes conditions, annonçai-je en l'arrêtant.

Il se recula.

— Tu sais que tu as encore du chemin à faire, lui dis-je. Je t'ai aidé de mon mieux, et je continuerai à le faire, mais je ne suis pas psy, Adam, je ne sais pas t'aider quand tu deviens... cet homme.

— Je sais, répondit-il sérieusement. Je suis venu ici pour réfléchir au chemin parcouru. Je ne suis pas le même homme qu'il y a deux semaines, mais je sais que je peux rechuter si on ne m'aide pas, si je ne me donne pas les moyens de m'aider. On m'a donné une chance de vivre, tu m'as aidé à saisir cette chance. Je vais essayer d'en tirer profit. Parfois je vais faire des erreurs c'est sûr, mais pour la première fois depuis longtemps je voudrais essayer de profiter de la vie. Alors, oui, je vais voir quelqu'un, et je ne veux plus jamais retomber aussi bas.

Nos regards se rencontrèrent et nous sourîmes. Il se pencha vers moi et nous nous embrassâmes. L'homme et la femme s'extasièrent. J'entendis leurs pas s'éloigner sur le pont pour nous laisser seuls.

Adam retira sa veste de smoking et la déposa sur mes épaules tremblantes. Je claquais des dents et mes pieds étaient gelés.

— J'ai oublié de te donner ça, dit-il en fouillant dans sa poche pour en sortir la boucle d'oreille de ma mère. Pat l'a trouvée dans la voiture ce matin.

— Merci, murmurai-je, soulagée.

Je serrai l'émeraude très fort, honorée que ma mère ait assisté à l'un des moments les plus intenses de ma vie. Sa présence était presque palpable.

— Nous ne pouvons pas quitter la soirée, protestai-je, alors qu'Adam m'entraînait vers le bout du pont.

— C'est déjà fait, dit-il en me serrant dans ses bras. C'est ma soirée, je fais ce que je veux. Et je ramène la femme que j'aime à mon hôtel.

— Tu sais, j'ai eu une idée pour mon livre, dis-je d'une voix timide. L'idée m'est venue pendant que j'étais dans mon duvet à me lamenter sur ma vie. L'inspiration vient parfois quand on s'y attend le moins.

— Ah oui ? Et qu'est-ce que c'est ?

— Ça s'appelle *Tombée du ciel*. Ce sera l'histoire de notre rencontre.

— Il va falloir que tu changes les noms, dit-il en souriant.

— Et bien d'autres choses. J'ai compris pourquoi il m'a fallu plus de dix ans avant de m'y mettre. J'essayais d'écrire un truc qui ne se tenait pas. Je vais écrire de la fiction, comme ça personne ne saura que c'est vrai.

— Sauf nous, coupa-t-il en m'embrassant le nez et en me prenant la main.

— Sauf nous, concédai-je.

Nous traversâmes le Ha'penny Bridge main dans la main, pour arriver sains et saufs de l'autre côté.

27

Comment fêter ses succès

J'étais dans Talbot Street, brandissant une banderole où était inscrit « Félicitations », un chapeau de fête en carton sur la tête et une langue de belle-mère dans la bouche. Les passants me lançaient des regards malveillants, mais j'essayais de surmonter ma gêne et de me fixer sur les gens qui descendaient du bus juste devant moi. Oscar apparut en dernier, l'air plutôt remué alors qu'il se concentrait, tête baissée, pour descendre les marches.

Je soufflai dans la langue de belle-mère et il leva les yeux, surpris. Il fit aussitôt un grand sourire et se mit à rire quand j'agitai la bannière sous son nez, ce qui réjouit aussi la foule.

— Vous avez réussi ! criai-je. Vous avez fait tout le trajet jusqu'en ville !

Il sourit, gêné mais fier de lui.

— Comment vous sentez-vous ?

— Comme si... comme si j'étais vivant ! s'exclama-t-il en lançant son poing en l'air, au bord de l'explosion de joie.

— Parfait ! m'esclaffai-je. Et vous vous souviendrez de ce sentiment, Oscar, chaque fois que vous vous sentirez déprimé ou que vous traverserez un moment d'incertitude, vous vous souviendrez comme c'est bon de se sentir vivant, d'accord ?

Il hocha la tête avec enthousiasme.

— Absolument, absolument ! Je n'oublierai jamais ça !

— Appelez Gemma et prenez rendez-vous pour mardi. Nous allons vous trouver un travail, maintenant que vous pouvez vous déplacer jusqu'au centre-ville.

— Gemma est revenue ? J'aime bien Gemma. Mais vous savez que je préfère le lundi. Cela m'aide à commencer ma semaine, dit-il, soucieux.

Gemma avait accepté de revenir après que je lui avais envoyé un livre intitulé *Comment reconnaître que vous vous êtes trompé sans passer pour une girouette*. Le lendemain j'avais trouvé *Apprendre à gérer un patron difficile* sur mon bureau. Le surlendemain elle était de retour au travail. Nous n'avions plus jamais évoqué l'incident.

— Je serai à Tipperary lundi, dis-je joyeusement, ravie de ce prochain voyage.

J'avais cessé de chercher l'endroit où je me sentais bien après avoir compris que le livre était un ramassis d'âneries, qui n'avait réussi qu'à me miner le moral parce que c'était impossible de suivre ses préceptes à la lettre. Je l'avais apporté un jour à Tipperary pour le lire dans le hangar à bateaux alors qu'Adam était au bureau, et j'avais ressenti une telle frustration que je l'avais balancé dans le lac. Paradoxalement, quand je repense à ce que j'avais ressenti à ce moment, cela me fait sourire : un grand sentiment de liberté, comme si je pouvais le ressentir sur commande.

Pendant que nous cherchions un endroit où manger un bout avant qu'Oscar ne reprenne le bus pour rentrer chez lui, mon téléphone sonna. L'agent Maguire. Je m'arrêtai, et Oscar continua sa route jusqu'à ce qu'il réalise que je n'étais plus à ses côtés.

— Hé, qu'est-ce qui ne va pas ? me demanda-t-il.

Je contemplai le téléphone qui sonnait. Je me rendis compte pour la première fois que je réagirais sans doute toujours ainsi à propos d'Adam à l'avenir, incertaine, inquiète de savoir s'il allait bien quand je n'étais pas avec lui. Je finis par répondre : j'avais peur de ce que j'allais entendre, mais j'avais encore plus peur de rester dans l'ignorance.

— Je vous appelle de la part de Caroline ! aboya-t-il, fidèle à son habitude. Elle aura seize ans la semaine prochaine. Nous faisons une fête vendredi. On croirait qu'elle se prépare aux Oscars, vu comment elle prend ça ! Bref, elle veut que vous veniez, continua-t-il en se forçant à y mettre les formes. Et moi aussi.

— Merci, Aidan, je viendrai.

Avant de raccrocher, il ajouta :

— Oh, et amenez aussi le type du pont, si vous voulez. Enfin, s'il est dans une bonne passe en ce moment.

Oui, en ce moment il l'était. La vie est une succession de moments qui ne cessent de changer, comme les pensées. Parfois ça va, parfois ça ne va pas. Même si c'est dans la nature humaine de ruminer, il ne faut pas se laisser envahir par une pensée négative, parce que les pensées sont comme des invitées, ou des amies des bons jours. Sitôt arrivées, certaines peuvent s'évaporer, et même celles que l'on rumine longtemps peuvent disparaître en un instant. Les moments sont précieux. Parfois ils traînent, d'autres fois ils nous échappent, et cependant on pourrait tant en profiter. Il suffit de savoir les saisir : pour changer d'avis, sauver une vie et même tomber amoureux.

Table

11107

Composition
NORD COMPO

Achevé d'imprimer en Slovaquie
par NOVOPRINT SLK
le 7 avril 2015

Dépôt légal avril 2015
EAN 9782290104613
L21EPLN001541N001

ÉDITIONS J'AI LU
87, quai Panhard-et-Levassor, 75013 Paris

Diffusion France et étranger : Flammarion